守望者的凝思
读懂学校
读懂校长
系列论丛

教育部哲学社会科学研究重大课题攻关项目“我国学校教育创新研究”成果
“守望者的凝思：读懂学校、读懂校长”系列论丛

主编 裴娣娜

追寻绿色教育生态梦想

——北京市万泉小学教育创新研究

ZHUIXUN LÜSE JIAOYU SHENGTAI MENGXIANG

景小霞 张立 等 著

教育科学出版社
·北 京·

追寻绿色教育生态梦想

——北京市万泉小学教育创新研究

基于学校教育变革性实践的反思与建构

——中国基础教育改革创新之路

裴娣娜

学校教育创新是目前世界各国基础教育改革中一个具有战略意义的重要问题。如何变革学校教育观念，培养具有创新精神和实践能力的高素质人才，是世界各国共同关注的问题。事实证明，以创新挑战危机，谁最先把握了时代发展变化的需求，谁就掌握了发展的主动权。

“守望者的凝思：读懂学校、读懂校长”系列论丛，是“十一五”期间教育部哲学社会科学研究重大课题攻关项目“我国学校教育创新研究”的研究成果，是对改革开放三十多年来中国基础教育阶段学校教育创新发展的思路、策略及方法基本脉络的全面系统的反思梳理。这套论丛有着独特的时空定位，限定在我国改革开放以来学校办学层面的改革与创新，采取自下而上的分析思路，是对学校已有的基于变革性实践的学校现代发展经验的总结提升。系列论丛中一本本研究性的专著翔实地记录了这些学校的校长基于不同的办学实际带领各自团队所走过的学校发展之路，这些学校的办学理念及经验经过了时间积淀和实践的检验，是富有鲜明特色、带有中国本土气息的原创性实践。

反思总结来自实践的学校创新经验，从中解读并汇集学校教育创新力指标，从而为进一步探讨学校教育创新发展理论模型与实践模式的建构、形成有较强的实践操作策略奠定坚实的基础。因此，我们的研究，以反思与建构为主线，聚焦“两个读懂”：读懂学校、读懂校长。这套系列论丛所呈现的不仅是每个学校独特的“我”，更重要的是通过一个个独特的“我”集合形成的具有一定典范意义的学校变革性实践的基本认识。

一、学校教育创新理论反思与现实建构的战略性意义

进入21世纪，面对世界各国对于经济社会可持续发展目标的诉求以及日益激烈的国际竞争对高素质人才提出的更高要求，面对工业社会和信息社会发展的要求，面对极不平衡的区域性社会经济发展以及多元文化价值取向、伦理道德问题、文化生态危机等一系列严峻挑战，中国基础教育的改革与发展进入一个十分关键的时期，正是社会转型凸显了中国学校教育创新发展的主题。

教育创新是学校教育发展的根本动力。学校需要变革，学校必须变革，变革的目的在于坚持“以人为本”的科学发展观，办好让人民满意的学校。学校教育创新研究的重要意义在于以下三个方面。

（一）为构建优质高效的学校办学模式提供一种理论分析框架

学校教育创新研究旨在对中国学校教育创新发展进程中的若干重要问题作出理性的思考和科学的回答，探索适应社会发展和人的自身发展需要的、优质高效的学校教育发展模式与育人模式。通过教育学、心理学工作者的跨学科研究，跨校际的教育工作者协同研究，以及理论与实践工作者的合作研究，为有中国特色的基础教育改革和发展提供思路，为构建优质高效的学校教育提供一种理论准备和分析框架，为促进青少年儿童全面发展提供一种新的教育方式，为教育行政部门和教育机构的相关决策与措施的制定提供科学依据。因此，这一研究成果是中华民族的，也是世界的；既有本土性，又有国际的普遍意义。

（二）通过典型个案研究，呈现我国当前具有特色的和有代表性的学校教育创新发展实践模式、评价指标、推进机制及成功经验

系列论丛的内容强调以下三点。

一是以学校教育改革与发展为中心线索，阐明项目学校从学校教育价值观念的重新定位到学校教育体系的全面更新，从改造教育过程到改

变教育教学各个环节中的方法与手段，从全方位地营造育人环境到创造性地开拓各种教育教学模式，从而提升学校整体的综合实力，形成学校教育创新的思路和特色的历程。

二是尝试揭示学校教育创新主体的培育与生成过程。论丛力图在深层次上揭示创新主体如何建构一种创新的观念、思想与目标，从而进一步生成为具体的办学行为的复杂过程。

三是表明学校创新发展是基于学校自身条件的特殊性，展现我国中小学校现代发展的多样化发展形态，同时也展现我国中小学校长追求持续发展和创建一流教育的特色与智慧。

（三）通过解读，将学校办学理念与行为提升到自觉和自为层面，进一步促进学校教育创新的实践探索

通过对不同学校教育创新力形成与发展过程的审视，有效促进科学的质量意识、特色意识的确立，提升对学校办学特色和学校潜在的创新能力的认识。

当然还应看到，项目研究成为高师院校集教育科研、人才培养、为基础教育改革提供咨询服务三种职能于一体的重要平台，从而对参与研究的高等院校在凝练学术方向、汇聚学术队伍、开展高水平学术交流等方面同样发挥重要作用。

通过研究，我们认识到，尽管学校发展存在差异，但有一点是共同的。那就是随着国家教育体制改革的推进，学校作为办学主体，面临前所未有的生存和发展的压力。实质是，变革的时代要求学校通过变革进行根本性的转型。我国的中小学校，正是顺应时代发展的潮流，不失时机地抓住发展机遇，凭借校长的胆识和战略思想，挖掘学校的优势和潜力，形成应对变革的自我更新机制，提升学校整体的综合实力，从而走出竞争中的劣势处境，构筑起了学校新的竞争优势。创新已成为学校发展的内在生命力。

论丛的撰写是一个大工程，不仅推动了学校对自我办学理念、举措的反思，而且为项目研究在理论的概括提升上提供了丰富厚实的思想资源。研究具有开拓意义，而且是原创性的，是项目研究重要的标志性

成果。

二、项目研究的共识与思考

作为一项国家级的高端科研项目，论丛从实践研究层面反映了研究成果的创新性及实践效益，我们概括为以下几个主要方面。

（一）回应了我国社会转型时期政治、经济、文化变革关于教育的现实诉求

一个具有强大生命力的思想和理论的孕育形成与发展，关键在于它对所处时代改革中重大的理论和实践问题的回答。始于20世纪末的中国社会转型，将现代化、市场化、社会主义改革三重重大的社会变革浓缩在同一时空，构成了一场极特殊复杂又波澜壮阔的社会变迁。正如有的学者所指出的，社会变迁的核心在于人的生存方式的变化。

正是当前中国社会的现代转型，从根本上决定了中国基础教育学校创新发展的主题，而回应中国社会的现代化发展与基础教育改革提出的新矛盾、新问题，在很大程度上又进一步决定了中国学校教育创新发展过程中关注和研究的问题。

现代教育的本质在于解决人自身的发展与价值问题，是人的发展的潜在可能的现实实现，而不是把人作为社会的被动客体来塑造。人的个体与群体的发展是现代教育的出发点和归宿，是使学校实现跨越式超常发展的生命力，是激发教育工作者潜在创造力的原动力。将这一主题置于中国社会的特殊语境中，置于中国基础教育现代化发展的历史进程中，置于多元文化的多种价值选择并存的环境中，从而形成了目前研究的论域（范畴）和主线。这就是在学校教育中，关注学生的文化生存环境和活动方式，关注学生的生存状况和生命价值，尊重学生的主体地位和主体人格，培养学生自主性、主动性和创造性，使他们在掌握人类优秀文化基础上学会学习、学会创造。这一价值目标定位，从根本上反映了学校教育创新发展研究主题从工具理性到价值理性的转化。

学校教育的创新发展，不仅是对工具化的教育追求、人的发展目标偏离、主体缺位的反动，而且是对迷茫的教育理论、观念的价值澄清。正是敏锐地抓住了时代的挑战，回应了时代发展的需求，才形成了学校

现代发展的视阈，导致学校教育进行结构性调整而实现了功能、形态上的根本性转变。

（二）形成我国学校教育创新的基本理论分析框架

1. 学校教育创新是学校教育主体，通过新的创意、新的构想、新的思维和行为方式、新的教育技术和手段，对原有不合理的理论观点、思想方法、技术手段进行突破和超越，在学校变革与发展中更有效地实现教育目的的一种创造性活动。这一定义强调通过创新性活动，构建有变革创新能力的学校教育，从而突破种种阻碍学校改革与发展的限制，使学校实现根本性的变革。

2. 学校教育创新的基本内涵是以科学发展观为核心的现代教育理念，是一种勇于变革的实践活动，是一种先进的学校文化，是一种在不断回答每一时代提出的重大问题的过程中获得发展的内在生命力。创新是一个过程，创新的实质在于变革、超越和发展。

3. 学校教育创新的目标是促进高素质人才的培育成长和学校的现代发展。(1) 培养学生的自主性、主动性和创造性，使他们具有正确人生观、价值观，基础扎实，有创新精神、独立思考和实践能力，从而最大限度地实现每个人的个性与才能的发展。(2) 形成锐意改革、张扬个性、鼓励探索、宽容失误的有特色的学校教育创新文化。(3) 创建具有生成性的学校生态制度与管理系统。(4) 营造内外部良好育人环境。(5) 塑造具有“生成”意识、“理论”气质、“变革”能力的校长。

（三）初步构建学校教育创新力评价指标

学校教育创新力评价指标，旨在用统计体系构建学校教育创新的内涵与本质。通过研究，我们初步构建了由四个要素组成的学校教育创新力评价指标体系：办学理念、办学目标组成的价值目标系统；课程开发、课堂教学、班级建设组成的育人模式系统；人事制度、组织管理制度组成的制度与管理系统；战略性谋划能力、领导者品格组成的校长领导力。通过四个子系统以及系统的优化组合，学校不断调整内部结构，扩大自组织的功能，成为一个自我更新、自我发展的有机体，成为一个具有强适应能力的教育生态系统，以期达到提高质量、增长效益、有序运行的效果。

(四) 形成学校育人模式创新的基本思路和举措

立足于读懂变革性实践，我们将“优质高效的学校教育发展模式及育人模式”作为探讨的重要内容。汇集众多学校的实践探索，形成的基本思路是：依据学校的培养目标及办学方略，重点在育人模式的创新。

1. 学校课程系统的创新

取得的主要突破如下。

第一，以人为本的课程目标的创新以及课程功能的创新。

基础教育的课程功能，由普及功能与选拔（筛选）功能、个体功能与社会功能、适应功能与超越功能之间的矛盾关系所构成。然而应试教育在将“课程考试化”的同时，也造成基础教育课程功能关系的错位、扭曲和失谐。学校课程开发首先要正确处理不同功能之间的矛盾，课程的设置应关注学生学习能力、实践能力和创新能力的培养，并坚持能力培养的层次性。

第二，课程领导力的提升以及基础教育课程结构与形式的变革。

课程领导力指学校按照一定的办学定位、培养目标进行课程开发建设，全面提升学校教育质量的能力。课程领导力的内涵，指校长领导教师团队创造性地实施国家课程计划的能力，合理开发和整合教育资源建设校本课程的能力，组织学校课程实践的决策、引领和调控能力。

针对以学科课程为主课程形态的弊端，我们探索新的课程结构体系的构建，使分科课程与综合课程、必修课程与选修课程、普通教育课程与职业技术教育课程相结合，并设置旨在指导学生进行专题研究性学习的综合实践课程、地方自主选择的课程，体现灵活性、多样性和选择性，从而为不同地区、不同学校以及学生发展提供更大的选择余地。

学校课程结构与形式的变革，大致呈现为以学生素养发展目标为依据，按照课程功能和学习领域知识的重新整合来构建学校课程结构，以及基于学校办学特色的体现对国家规定的课程进行重组和改造几种不同的思路，展现了中国课程存在形态的丰富多样性。

课程建设的创新，还表现在面向社会、生活实践的课程内容的创新以及校本课程开发中的创新。

2. 学校教学系统的创新

学校教学创新发展研究聚焦于从多视角讨论学科教学本质，学生的学习与创造性思维的培养，发展性教学策略，教学内容改革，课堂教学质量观与有效教学的水平评估，教师专业化发展等问题，并形成了若干有创意的认识。

第一，确立现代教学观，关注学生的文化生存环境和活动方式，实现学生的发展。

第二，学生的学习具有选择性、研究性、体验性和反思性，教学设计应体现学生学习的内在机制及学习特点。

第三，教学内容的选择与设计，重在理解和掌握知识，加强学科知识的整合，面向生活实际，体现教学的实践性以及文化性。

第四，通过教与学的行为分析，实施以主体参与、合作学习、差异发展、体验成功为内涵的发展性教学策略。

第五，确立体现学生发展的课堂教学质量观，进行有效教学的水平评估，促进教与学方式变革，使学生会学习、会创造。

第六，揭示现代课堂教学的基本特色，形成教学的不同流派与风格。教师应有发展意识、反思意识、效率意识、特色意识。教学系统要创新就要读懂教师，要培养一批学科带头人并形成教学风格与特色。

3. 学校德育系统的创新

主要包括以下几点。

第一，对德育功能的重新理解。

以“人在社会中生活”为主线，揭示德育的正义功能、意义功能与幸福功能。旨在培养具有独立人格、民主意识、人权理念和公共责任的公民基本特质。对意义的追寻，构成了人之独特的存在方式。通过人性化、个性化和创造性，使人的自由本性得以充分展呈。

第二，构建了“经验—体悟”定向的德育创新体系。

强调通过经验和体悟过程来培养受教育者的价值取向体系，并通过行为实践经验及内在的自我调整和重构的体悟过程，形成稳定的行为驱动体系，并在此基础上逐步养成稳定的行为习惯，形成固化为内在的自觉价值取向体系和外在的习惯化行为方式的稳定品德特点。

第三，在分析当今中国德育实践及其根本性挑战基础上，形成学校德育创新的几个基本命题：

(1) 批判德育中的工具论立场，确立“人是目的”的核心理念；

(2) 道德教育的逻辑起点、核心是价值取向与行为习惯；

(3) 通过对道德教育内容与形式加以审美化改造，实现“价值引导”与“道德主体的自主建构”的统一；

(4) 德育实践需要创造性地拓展有促进意义的资源，引导学生积累经验与重构性体悟（体验）。

项目研究实现了15所高校的跨校际、10个专业方向的跨学科整合，以及高校理论工作者、地方教育行政领导干部、中小学实践工作者多方研究力量的整合，组成优势互补的科研群体协作攻关①，从而使研究体现原创性、过程性和整合性。

三、论丛撰写的特色

论丛从历史、现实和未来三个视角把握总体，每一部专著内容框架由三部分组成。第一部分是学校发展历史及传承文化传统的审视，第二部分是全书主体，以学校教育创新力指标为依据，对学校办学的目标与价值系统、育人模式系统、制度与管理系统以及校长领导力几个方面的改革创新进行全面系统总结，第三部分是学校未来发展的设想。

每部专著的撰写前后历时2—3年，是一个再研究再思考的过程。我们深感每所学校、每位校长本身就是一个故事，而每部专著的问世也

---

① 15所高等师范院校分别为北京师范大学、西北师范大学、哈尔滨师范大学、南京师范大学、华中师范大学、河南大学、东北师范大学、天津师范大学、广西师范大学、首都师范大学、山东师范大学、四川师范大学、上海师范大学、浙江师范大学、江西师范大学鹰潭分院；3所科研机构分别为中央教育科学研究所、天津教育科学研究院、四川省教育科学研究所；7个区域性教育行政部门分别为北京市海淀区、湖北武汉市武昌区、四川成都市、河北石家庄市桥东区、深圳市南山区、甘肃省兰州市、四川阿坝藏族羌族自治州理县的教育行政部门；参加项目研究的中小学共有95所。

是一个故事。要保证著述的质量，关键在于如何对每所学校多年积淀的丰富鲜活的实践研究成果进行筛选、整理与提升，而不仅是对事实材料的罗列。

反思论丛撰写的全过程，在以下几方面呈现出其独特性。

1. 起点高位。立论于“中国具有进行原创性研究的优势，这种优势潜力的挖掘，主要在于充分调动深厚的本土资源、经验和智慧”这一论断，立论于学校的现代发展实质是变革性实践的判断，所以采用从变革实践的经验中提升的研究范式，定位于读懂学校、读懂校长、读懂变革性实践。

2. 立足研究。每本书的问世，是一系列的选择、提炼、重组、建构的过程。经过多次研讨碰撞，几上几下的反复修改，凝结的是每所学校对变革性实践的基本认识，同时也渗透了热情参与和关注基础教育改革发展的有识之士的心血，它是用“心”写出来的。

3. 理性思考。遵循“问题—思路—举措”这一叙事逻辑，尽可能处理好反思与建构、理论的概括提炼与实际问题的阐述解释、继承与超越、共性与个性的关系，认真搜索和挖掘创新点，在这个过程中不断提升研究意识和研究能力。

4. 个性特色。教育研究需要宽容、尊重和理解。二十余所学校有不同的身份和角色，每位校长也有不同的成长背景和工作风格，正是每个独特的“我”带来了丰富和生动，而在每个个别中展现的是学校锐意改革、开拓创新的可贵精神，因为高尚的心灵都是相通的。

本论丛是教育部哲学社会科学重大攻关项目的研究成果，我们在此谨对教育部社科司批准立项，对社科司杨光司长、张东刚副司长，基础教育司王定华副司长，以及社科司的同志们给予本项目研究的关怀和指导表示衷心感谢。以德高望重的顾明远教授为首的项目指导专家组——谈松华、郭振有、卓晴君、张民生、文喆、谢维和、朱小蔓、周满生、吕达、曹志祥、杨银付等专家，他们四年来对项目研究发表了富有启发性的重要见解并对项目研究寄予了殷切的期盼，他们的很多重要思想和观点对项目研究产生深远影响，我们将铭记在心。

论丛出版之际，我们还要特别感谢教育科学出版社，感谢李东总编辑以及教育科学出版社的所有编辑出版人员。教育科学出版社热心奖掖学术与创新，他们不仅为论丛的出版付出了辛劳，更难能可贵的是对论丛出版予以无偿支持，从而使我们的成果远离了“文化包装”之嫌而保持了学术研究的纯洁，他们的支持和鼓励是我们做好这一论丛的重要动力。

对中国基础教育学校创新发展这一具有战略性、全局性问题的探讨和研究还刚刚起步。《国家中长期教育改革和发展规划纲要（2010—2020年)》(以下简称《教育规划纲要》）描绘了未来10年我国教育改革发展的宏伟蓝图，特别强调“改革创新是教育事业发展的强大动力”。我们将遵循《教育规划纲要》的指示精神，继续不懈地探索，以求在学校教育创新问题上不断取得新的认识。我们深知，在中国基础教育改革的大潮中我们是“之一”而不是唯一，若干重要的理论与实践问题还需要进一步的展开、充实、挖掘和进行深层次的理性思考。我们坚信，在这条教育改革创新之路上，我们会越走越踏实。

目录
CONTENTS

前　言　做幸福的传递者 /001

第一章　历史回眸——跋涉、变革、发展

一、城乡结合，艰难跋涉 /2

二、抓住契机，创业发展 /3

三、立足变革，不断创新 /13

四、校本研究，内涵发展 /22

第二章　办学理念——和谐、探索、创新

一、和谐中发展，办学理念的解读 /38

二、探索中求真，办学理念形成 /42

三、创新中发展，办学理念实施策略 /45

第三章　绿色生态课程——健康、阳光、乐学

一、历史追寻，形成和谐生态课程体系 /58

二、强健体魄，让健康伴随孩子的一生 /61

三、阳光心态，让孩子具有健康人生姿态 /65

四、乐学善思，让课程更贴近孩子的生活 /76

第四章　绿色生态课堂——生命、发展、人文

一、反躬自省，叩问课堂　/104

二、返本开新，寻求路径　/112

三、立体发展，走向纵深　/119

四、人文情怀，绿色生态课堂　/135

第五章　绿色生态德育——生命、体悟、幸福

一、系统思考，走向绿色生态德育 /154

二、人与自我，体悟中学会认识真正的自我 /157

三、人与人，生活中学会人与人的和谐相处 /170

四、人与社会，在创新中培养爱心与责任 /179

五、人与自然，在教育中构建生命的绿色 /188

第六章　绿色生态管理——尊重、赏识、激励

一、绿色教育生态管理的解读 /202

二、在尊重过程中增强凝聚力 /206

三、在赏识情感下创新发展 /211

四、在激励政策下彰显竞争活力 /215

第七章　发展与展望——创新、发展、质量

一、变革中的脚步与经验 /228

二、反思中的优势与问题 /233

三、畅想中的策略与挑战 /245

做幸福的传递者

2006年9月3日，由裴娣娜教授牵头主持的教育部哲学社会科学研究重大课题攻关项目“我国学校教育创新研究”正式开题，我校荣幸地成为课题项目实验学校。从此，“营造绿色教育生态，传递教育幸福”成为我校教育创新重点攻关课题，成为总结过去、规划未来、促进学校可持续发展的重要工作。

学校教育创新既是一种相对宏观的创新，又是一种相对微观的创新。我们的理解是：第一，学校教育创新是一种以“发展”为核心的现代教育理念。科学发展观的第一要义是发展，教育创新就是促进学校进行改革，进行自我更新，实现可持续发展。我校是一所发展中的学校，在知识经济飞速发展的今天，学校需要变革，需要在现代教育理念指导下全面、和谐、可持续地发展，教育创新为学校持续发展提供动力和源泉。第二，学校教育创新是一种先进的教育管理文化。一所充满教育创新的学校，一定是充满激情和活力的学校。在这所学校里展现的一定是先进的理念、先进的实践和其中蕴涵的先进的文化。这样的学校一定是一所思变的学校，是一所富有朝气的学校。第三，学校的创新是一种改革，是一种实践活动。任何创新都是通过一定的载体来实现的，学校的创新也同样。我校的创新，就是以“营造绿色教育生态，传递教育幸福”为载体，通过“营造绿色教育生态”的过程，为学生营造一个自然的、和谐的、美好的、多元的和可持续发展的教育生态系统，为学生的终身幸福奠定基础。

在课题研究过程中，裴娣娜教授多次提到：“你们参与课题研究，我们很难说能帮助你们什么，但通过项目的研究能为大家搭建一个展示、交流、研究的崭新平台，通过研究重在思想观念和思维方式的转变。”朴素的一句话，道出了我们做好课题的指导思想，明确了学校教育创新的行动指南，那就是：真正的学校教育创新不是机械地模仿，更不是照本宣科地执行，而是在现代的教育思想指导下，在学校原有的基础上寻求新的发展、新的突破，是一个自我发展、自我完善、自我提高与超越的过程。裴教授的“帮助不了你们什么”，恰是对我们最大的帮助，她给了我们先进的管理理念和先进的管理方法，同时也激发了我们办好学校、创新发展学校的勇气，让我们的思维迸射出激情的火花，让我们的脚步追寻教育的完美。

“营造绿色教育生态”作为我校的创新载体，并不是一朝一夕形成的。早在20世纪80年代初，我校就开展了以“保护母亲河——万泉河”绿色环保为主题的“创造教育”活动，此项活动荣获全国少工委“创造杯”一等奖，引起了北京市委市政府等各级领导的高度重视，市委书记、市长连续十年亲临万泉小学参加开学典礼。从此，我校成为市委市政府重点帮扶学校。在各级政府的关注下，绿色环保活动在我校轰轰烈烈地开展起来，开发校本课程、开展绿色行动、参加国际交流活动……多种形式的环保活动促进了绿色环保理念在我校的形成。随着对绿色环保活动的深入，我们对“绿色环保”有了更进一步的认识，逐渐发展为开展“生态教育”、关注“教育生态”、营造“绿色教育生态系统”的发展思路。

在营造绿色教育生态过程中，我们更加明确了营造绿色教育生态的目的就是一切为孩子发展，为孩子的幸福人生奠基；孩子的幸福不是物质上的享受，也不是单纯的快乐，而是追求整个人生的幸福。我们要让孩子在受教育过程中获得理解幸福、感受幸福、经营幸福、保持幸福、传递幸福的能力，为将来幸福的工作和生活打下良好的基础，为孩子快乐一生，幸福人生奠定坚实的基础。据此，我们把“营造绿色教育生态，传递教育幸福”作为学校办学理念和发展的方向。

在“营造绿色教育生态，传递教育幸福”的过程中，北京师范大学裴娣娜教授多次来我校指导。期间我们也曾参与其主持的“主体教育”课题的研究工作，主体教育思想对本课题的研究产生了重大的影响。2006年以来，我们对学校过去的发展经验进行了理性思考，对学校目前发展势态、社会影响力和周边资源优势进行了客观的分析，特别是对“教育生态”理论进行了深入细致的学习、研究并应用到实际工作中。我们感受到“营造绿色教育生态，传递教育幸福”是学校工作的重大变革，是一项系统工程，需要学校广大干部教师树立绿色教育生态理念，掌握绿色教育生态基本理论，把教育生态学的基本观念自觉地、潜移默化地贯彻到具体行动之中去。也只有每位教师用“生态学”的观念从事教育教学工作，才能形成教育生态氛围，形成大的教育生态观念，我们的教育创新——“营造绿色教育生态，传递教育幸福”，才能够真正形成。

本书不是“绿色教育生态”理论专著，也不是教师关于“绿色教育生态”的论文集，它描述的是在裴娣娜教授主持的“我国学校教育创新的研究”理论指导下的我们追寻“绿色教育生态”的成长之路。其中，有我们构建绿色教育生态的理念，有我们追寻“绿色教育生态”、“传递教育幸福”的足迹，还有我们在学校管理、课程设置、德育工作、课堂教学等方面的一些尝试。虽然有些思想还不够成熟，有些做法还略显幼稚，但本着求真求实的精神，我们在积极地探索，我们在不懈地努力，我们恳请专家帮助，希望同行批评指正，您的意见将是我们改进工作最好的方法和措施。

最后，让我们共同努力，营造一个自然的、和谐的、美好的、多元的、可持续发展的、最适宜于师生共同成长的绿色教育生态系统，打造一个“开放式、国际化、高品位”的魅力学校！

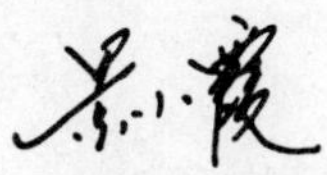

万泉小学校长

2010年5月18日

第一章 历史回眸——跋涉、变革、发展

悠悠岁月，万泉小学走过60年的沧桑。静静流淌的万泉河，见证了万泉小学由弱小发展到今日的辉煌。校址三次变迁，校名两次更改，市长、市委书记连续十年亲自参加开学典礼，市环保局特为万泉小学的孩子们树立一尊环保雕像。曾第一个成为北京市企业承办试点校，曾第一批参与北京市新督导评价试行方案的实施，曾第一批进入新课改，曾第一个在北京市实现民选校长……历史记录着往日的足迹，时光述说着我们对未来的憧憬与梦想。

一、城乡结合，艰难跋涉

万泉小学原名万泉庄小学，坐落在北京市海淀区万泉庄西南泉宗庙遗址[①]上，据史料记载大约兴办于1928—1930年间，其前身是一所私塾。新中国成立以后，将原有的学校[②]初步进行改造。1950年10月双榆树小学并入该校，按当时新中国成立的“四二学制”只有初小，没有高小，共4个教学班，学生162人，7名教职员工。这是目前我们在史料中查找到的最早关于我校师生总人数的记录。1952年10月，人数达到235人，绝大部分都是农民子弟，仅开设高小一个班，教职工依然是7人。

20世纪60年代初，北京第三建筑公司进驻万泉庄地区，为工农子弟服务，解决孩子上学问题成为我校办学的宗旨，第三建筑公司在此地建起宿舍楼，在街南为学校建起平房，不仅解决了工人子弟上学的难题，学校也得到了发展，从此学校分为南北两个校址。70年代后期，“文革”刚刚结束，北京第十九中学要扩建，北校址被挤占，学校只剩街南边一处，当时学校教室少，只好在南校址后院盖起板房，教室间的隔断只是一层薄板，冬不暖来夏不凉，办学条件极其简陋。由于学校没

① 泉宗庙，清乾隆三十二年（1767）在万泉庄西南地下泉水最密集处建立泉宗庙，以祭祀泉神。乾隆皇帝将庙内外淙泉各赐以嘉名，立石以志。庙门外曰大沙泉、小沙泉、北曰沸泉。庙门内名泉28处，皆有御书。众泉汇于巴沟桥，北流万泉河。泉宗庙毁于清末。“万泉庄”也由此得名。

② 解放前学校名称为北平市第十三区万泉庄国民小学。校长祝士良，有3名教师。

有操场，上操只能在院内，体育课设在大街上，每天老师们都为孩子的安全担心。

二、抓住契机，创业发展

到了20世纪80年代初期，随着城市的扩建，我校发展为一所地处城乡结合部的工农子弟小学，解决了城建工人家庭和当地农民子女入学的问题。为了培养共产主义接班人，学校提出“学会学习、学会做人、学会做事”的口号，努力把学生培养成有责任感的社会一员是学校的办学目标。当时的万泉庄小学与周边的学校相比，无论是校舍还是教学设备，生源还是教师队伍，都相距甚远。学校如何选择突破口寻求新的发展，教学质量如何提高，如何提升教师素质，如何改善办学条件，如何留住现有生源等一系列问题摆在学校领导面前，这也是这一时期面临的工作任务。

20世纪80年代正值改革开放，经济发展成为第一要务。在发展经济的同时，也带来了严重的环境破坏，引发河水受污、空气受染问题，北京城原本的蓝天白云变成了雾蒙蒙的天空。尤其是离学校不远的一条万泉河[①]，原本清清的河水可以见底，水中的鱼虾欢快地跳跃，夏季的傍晚人们在河边乘凉，孩子们在河边嬉耍，但是没有多久，万泉河发生了变化，河水呈现灰褐色，河面泛着黄色的泡沫，漂浮着杂物，一股股刺鼻的臭气散发出来让人喘不过气，万泉河畔没有了欢笑声，失去了往日的风采，给周边居民带来了诸多不便，严重影响着人民群众的身体健康。

面对国家花了一亿两千万元改造的万泉河，面对河水被污染的惨状，万泉河的孩子们看在眼里，急在心上。一种强烈的责任感与使命感

① 万泉河，起于海淀万泉庄西，自南而北入清河，因汇纳“万泉”之水，所以得名“万泉河”。该河是清代畅春园、圆明园供水河流。泉水断流后，1983年进行治理，改从京密引水渠昆玉段建闸引水，流经圆明园各湖泊以及北京大学、清华大学校园，于大石桥北入清河，全长8.6千米，流域面积26平方千米。

促使学校抓住这一契机对学生开展“爱我家园，保护环境”的教育。学生们在作文中表达了对环境保护的重视，对美好环境的期待。他们在言谈话语中表现出了对破坏环境的行为的愤慨。

1984 年 9 月，全国少工委开展了争夺“创造杯”的少先队活动。作为一项重要的工作，少先队员们在学校大队辅导员高春英老师的带领下，认真进行了思考，决定以调查万泉河水质变化的原因作为争夺“创造杯”活动的主题。

按照学校少先队大队部的部署，孩子们走出校园，开始了行动。通过走访调查，孩子们发现 ：万泉河附近的北京造纸六厂、海淀造纸厂、妇产医院、化工研究院等单位的污水通过地下管道流入河中，周围还有海淀自由市场和村落居民将杂物、废弃物随便扔进河里。经过考察，原因清楚了。在老师的带领下，孩子们又调查了学校附近还有哪些环境受到污染，通过查找资料认识到环境污染对我们的危害，提出治理万泉河的设想与建议等。经过孩子们的精心筹划，一场保护万泉河的行动开始了。孩子们走入村落，走进工厂，向居民和工人叔叔、阿姨们宣传保护环境的重要性，并组织少先队员清理漂浮在水面上的垃圾。没想到的是，这一小小的举措，成为学校发展的转折点，成为促进学校快速和可持续发展的重要事件。

孩子们的环保行动在得到社会赞扬的同时也遇到了许多困难和阻力，有些人不理解，有些人敷衍了事，还有些人阻挠。为了彻底治理万泉河的污染问题，光靠宣传和几个少先队员的环保行动是远远不够的，还需要全社会的动员，需要万泉河两岸居民的共同努力，特别是要彻底解决工厂、医院等排污问题。于是，孩子们想到了给市长写信，通过政府行为和行政干预实现万泉河的治理工程。就这样，一封写给市长的信出炉了。

1985 年 5 月 8 日孩子们在给市长的信中说 ：

尊敬的市长爷爷 ：

我们是海淀区万泉庄小学的少先队员，为了响应您提出的“知北京、爱北京、用我们的双手美化北京”的号召，我校少先队大队开展了“知家乡、爱家乡、用我们的双手美化家乡”的活动。

通过调查走访，我们了解到：万泉庄曾是一个美丽的地方，无数泉眼喷出甘甜的泉水，清澈的小溪鱼虾跳跃；潺潺万泉河水源源不断地流向圆明园的福海。傍晚，人们三三两两聚在河边，乘凉、嬉戏，好一派热闹的景象。

而如今，万泉庄的泉水干涸了，溪水不见了。由于河沿岸的单位不断地往万泉河里排放污水，以及人们不断地乱扔垃圾，河水变成黑褐色，水面漂浮着大量的漂浮物，河里散发着阵阵臭气，万泉河变成了臭水河，它不仅影响两岸人们的生活和健康，还影响着市容市貌。

为此，我们向广大市民倡议：不要乱扔垃圾；我们向万泉河沿岸的单位呼吁：不要向河里排放污水；我们恳请市长爷爷在百忙中过问一下万泉河的治理情况。

最后，我们再次请市长爷爷转告叔叔阿姨：还我们一个美丽的万泉河吧！

在信中孩子们还提出三项建议：

第一，在万泉河两岸加栏杆；

第二，河沿岸单位不要往万泉河里排放污水，以保持河水的清澈；

第三，在万泉河边建冯婉珍雕塑像，这样不仅美化了万泉河边的环境，还能对人们进行爱国主义教育。

这封信通过当时在北京广播电台的江洁红女士送到市长手里，市长看后非常激动，他说：“国家花巨资治理了万泉河，但人们还不知保护，任其污染。我们大人还真不如孩子们！有时间，我一定到万泉庄小学去看看！”

1985年7月13日，一个值得纪念的日子，市长如约来到了我校，亲自授予孩子们“万泉河红领巾环境保护队”队旗，并把学校定为市委市政府的直接挂钩学校。从此，万泉庄小学环境保护活动掀开了新的一页。

随后市委市政府对孩子们提出的三项建议进行了落实。第一条建议由副市长亲自牵头协调完成，为万泉河两岸增加了汉白玉护栏。从此，水泥浇筑的直上直下的河两岸，增加了更高的安全系数，人们不再为因不小心掉下去会摔伤而担心了。

第二条建议由市环保局、区环保局与我们的“万泉河红领巾环境保护队”联合承担起保护万泉河的重任。1985 年 7 月 15 日区环保局领导还亲自给时任大队辅导员的高春英老师写了一封信，信中讲道：

本区万泉小学少先队正式成立了“万泉河红领巾环境保护队”。这是贯彻国家环境保护的方针的新事物，也是对我局工作的有力促进，我们坚决支持，并做好下列七件事：

一、近期召开万泉河沿线污染源单位会议，进一步检查各单位排污和治理污染工作，并通告“万泉河红领巾环境保护队”的宗旨和活动安排。

二、提供万泉河沿线排污单位名单，便利“万泉河红领巾环境保护队”监督、检查活动。

三、向“万泉河红领巾环境保护队”赠送一批环保书刊，为万泉小学免费订阅“中国环境报”若干份，今年为红领巾讲好两次“环保”课。

四、大力支持“万泉河红领巾环境保护队”的检查、监督活动，当好坚强后盾。

五、由我局负责同志与“万泉河红领巾环境保护队”经常联系，将政府的环境保护工作与红领巾的小主人的监督、检查活动结合起来，管好该河不重新污染。

六、年底共同开好万泉河沿线排污单位的总结表彰大会。

七、以后，每年 7 月 13 日协助万泉小学搞好“建队纪念日”活动[①]。

① 1985 年 7 月 13 日是万泉庄小学“红领巾环境保护队”建队日，当时的北京市市长亲自授旗。

1985年8月21日海淀区环保局在我校召开了万泉河环境保护工作会，万泉河附近的28个单位的领导参加了这个会。会上少先队员们宣读了倡议书，相关单位明确表示限期治理污染问题。倡议书中说道：

万泉河综合治理工程于1983年10月全面动工后，经过半年多的时间才竣工。可见这一工程耗费的人力、物力、财力都是相当大的。所以，保护万泉河，让它永远清洁、动人是非常必要的。

然而万泉河自1984年6月正式使用后，在短短的一年多里，已经治理两次了。到目前为止仍有污水流入万泉河，使清澈透明的河水变成了混浊的污水，不仅污染环境，而且不利于人们的身体健康。为此，我们向你们提出以下几点倡议：

一、万泉河附近的单位要实行“三保”。即（1）保证污水不排入万泉河；（2）保证河水的清洁；（3）保证河两岸卫生清洁。

二、要有专人负责万泉河不受污染工作。

三、每月检查一次您单位是否又往万泉河排放污水。检查后，请您单位填好万泉河环境保护单。

四、如果污水处理设施不配套或管理不完善，请您单位订出计划，抓紧时间完成污水治理工作。

为了使万泉河水不再受到污染，我们成立了万泉河红领巾环境保护队。我们每月检查两次万泉河水是否受到了污染，您单位是否做到了“三保”。检查后，我们随时向您单位寄去表扬信和批评建议。在我们建队半周年之际，我们还要和环保局的领导一起召开万泉河污染源单位总结表彰会。

我们是小主人，我们也要管理万泉河。请领导、叔叔、阿姨帮助我们做好万泉河环境保护工作吧。

自此以后，孩子们在各级领导的关怀下，护河行动更努力了，俨然成了万泉河的“守护天使”。他们组织多支环境保护小队穿梭于大街小巷，巡逻在万泉河畔，及时制止污染行为，时刻监督万泉河的治污情况，并将工作情况向市长进行汇报。孩子们在红领巾环境保护队成立一个多月时，在给市长的一封信中写道：

市长爷爷，为了不辜负您的期望，为了真正成为小主人，在暑假里，我们检查了四次万泉河。第一次巡视了万泉河，第二次检查了万泉河的污水情况，即上游第三座泄水闸之前共有64处排入水的地方，其中有21处是污水，尤其是以西苑中医研究院污水管至第二座泄水闸之间最脏，水是黑色的，水上发酵的白物，我们看了非常痛心，国家花了一亿两千万元修了万泉河，河水还是那样脏，这多不应该啊！第三次、第四次我们调查了万泉河的基本情况，即河上有21座桥，64个泄水洞。

……

市长爷爷，我们还发现有些单位对万泉河治理工作不重视，另外像中医研究院的领导想治理污水，但由于缺乏资金，他们跑了许多有关单位，这些单位互相推脱，也没有解决问题。

市长爷爷，污水不治理，万泉河污染问题就不能彻底解决。我们多么希望这些单位的叔叔、阿姨也重视环境保护工作，帮助西苑中医研究院解决污水治理问题啊！

孩子们的行动也得到了北京市规划局的支持。学校还聘请该处朱祖希作为校外辅导员，朱祖希伯伯在回信中写道：

谢谢你们的来信，祝你们学习进步、工作顺利，你们希望我成为你们的校外辅导员，但是，我总觉得我学识浅薄，担当不起如此重任。不过，这倒使我想起中共中央、国务院在批复《北京城市建设总体规划方案》之后，为宣传批复和规划，我曾在小教科会议、各中小学会上作过题为“爱北京”的发言。据说连小学一年级的小朋友也爱听。对此，我很高兴。你们是祖国的未来。学校培养你们，就是培养祖国未来的建设者。而你们就很可能是我国未来的环境保护工作者。

环境保护是一门涉及门类很多、领域非常广阔的学问。检测，只是一种重要的手段。目前，我还只是从报纸上知道，你们还在从事对万泉河的检测工作。不过，我还是希望你们能懂得一点有关环境保护其他方面的知识。关于这一点，我想你们在学好应学的科目的同时，也一定会有所安排的。你们希望知道点什么，或想学点什么，只要我力所能及，我一定为你们效力；即使自己难以承担，我也会想法请有关专家来帮你们解决的，小朋友们，这样的回答，你们满意吗？

第三条建议，市规划局作出回复。大意是："冯婉珍"是传说中的民族英雄，在正史中未查到有关"冯婉珍"的记载，只是在《清稗类钞·战事类》记载冯婉珍带领乡亲们抗击八国联军的事迹，在此树立其纪念雕塑有待商榷。经研究确定树立一尊少先队队员雕塑为宜，以此来纪念万泉庄小学少先队员们保护万泉河的行动，唤醒人们热爱自然、保护自然的意识。

此雕塑就坐落在万泉小学原校址东侧、中国人民大学西门街心花园中（图 1）。

图 1　矗立在人民大学西门外街心花园内，纪念万泉小学少先队员们保护万泉河的行动雕塑

保护万泉河的环保行动由孩子们发起，得到了市委市政府的高度重视，得到万泉河沿岸居民的积极响应与支持，沿线各单位密切配合，取得了良好的实效。孩子们对这项活动进行了总结并上报全国少工委，一举夺得了“创造杯”一等奖（图2），海淀区于1985年10月隆重举行颁奖大会。

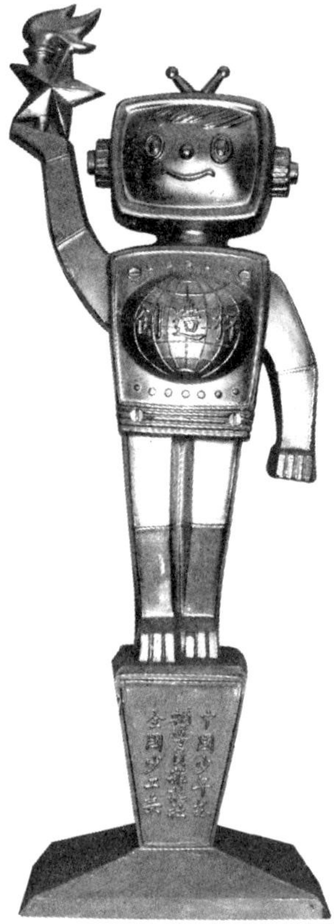

图2　1985年荣获少工委“创造杯”一等奖的奖杯

获奖以后，孩子们并没有停歇，而是继续把此项工作做实、做好，积极为保护万泉河作出应有的贡献。

孩子们通过北京电视台“观众之声”节目呼吁全社会保护万泉河，还对整改不彻底的单位发出“整改令”。他们在给某大学的一封信中写道：

尊敬的叔叔、阿姨，你们好！

4月28日和5月9日我们环保小队的同学先后两次检查万泉河，来到您校内的河段。

开始河水比较清洁。但是当我们来到您校医院至科技馆的河段，看到河面上非常脏，漂着大量的泡沫塑料、纸、草等物，还有一些树枝，开始我们还用网打捞脏物。因为太多，我们人又少，捞了一些没捞完。这些脏物不仅污染河水，而且严重地影响了万泉河水的清洁。当师生在河边漫步交谈，读书学习时，就会因为河水太脏而影响情绪。为此，我们向叔叔阿姨提三点建议：

一、利用广播，向您校师生员工、家属宣传保护环境的重要性，保护万泉河的意义。教育校内师生员工及家属，不要往万泉河扔废弃物。

二、负责环保的叔叔阿姨，要经常检查一下校内的万泉河段的卫生情况，或派人经常捞一捞河里的脏物。

三、请您校共青团的大哥哥、大姐姐组成义务劳动小组，利用业余时间义务打捞河里的脏物，以便更好地保护万泉河的清洁。

我们相信，经过你们的努力，万泉河水会更加清洁。

叔叔阿姨让我们一起为保护万泉河、保护环境作贡献吧！

孩子们的行动，得到周边居民赞同，也逐渐得到万泉河周边单位的理解与支持。虽然他们在环保过程中遇到困难、遇到挫折，但孩子们没有退缩，没有气馁，凭着执著的精神得到了大家的尊重。环境保护队优秀学生代表燕南同学在“六一”儿童节受到市委市政府有关领导的接见时，谈到了环保工作遇到的困难。她说：

两年来，我们共检查万泉河 41 次。

一次我们发现北京大学、清华大学校医院的污水流入万泉河，我们就给北京大学丁校长、清华大学王伯伯写信，希望他们抓一抓污水治理工作，他们接受了我们的意见，改进了工作。《中国环境报》在 1985 年 10 月 19 日报道了我们关心首都建设的事迹，许多队员看到这一天的报纸非常激动，有的高兴得跳起来。

我们的活动有顺利的时候，也有受挫折的时候。一次我们请周围单位填写排放污水情况调查表时，接到某大学校园修缮处的一封信，信中不仅不再支持我们的工作，反而说“没有任何单位授权我们要向你们汇报情况”。队员们接到信后有的气哭了，有的说：“他们高等学府瞧不起我们，我们偏要管。”有的说：“哎，别管了，这事卖力不讨好。”正在这个时候区环保局的领导来了，他鼓励我们别灰心。接着，队干部又组织大家展开了“这事该管不该管？我们做得对不对？”的讨论。经过讨论绝大部分队员认为应该管，我们的行动也感动了这个单位，最后按照我们的要求填写了调查表。从那次后，同学们的劲头更足了，遇到困难也不怕了。

记得去年四月，我们检查万泉河来到蔚秀园和承泽园之间。正当大家仔细检查水的情况的时候，突然一块石头飞入水中，脏水溅了大家一身，我们变成了大花脸。在我们还没有明白怎么回事的时候，又一块石头飞入水中，同时伴着“我叫你们查河，我叫你们出风头”的声音，大家抬头一看，原来是正在蔚秀园盖楼的三建施工队的青年工人。当他们发现我们知道后，故意哼着运动员进行曲，在施工的二层楼的楼板上向我们示威。同学们一拥而上和他们讲道理，最后找到工地负责人希望他教育工人，要保护万泉河，不要往河里扔石头，避免河水受到污染。

为了让我们更进一步了解保护万泉河的意义，少先队大队先后请了区环保局局长给我们上环保课，使我们学到了在课堂上学不到的知识。我们还和校外辅导员一起讨论“怎样不让万泉河河水受到污染？怎样保护空气不受污染？”等问题，少先队大队还组织我们开展“到未来家乡去旅行”、“到动物世界去旅行”的活动。这些教育活动促进了红领巾环境保护队活动的开展，也使我们感到保护万泉河、维护首都的清洁是我们红领巾的责任。

去年五月份，我们在环境保护队成立一周年前夕，把万泉河排污单位领导请到学校，我们将一年来检查万泉河的情况编成童话剧向他们汇报，宣传保护万泉河的意义。最后给做得好的单位和支持我们工作的领导佩戴了光荣花。这次活动使我们非常感动，清华大学的代表说：“向少先队学习，为了首都，为了第三代一定抓好环保工作。”

环保行动让孩子们心灵得到洗礼，社会责任感得到进一步加强。同时，也为学校的发展带来重大的变化。通过学校全体教职员工的集体研讨，我们感到：(1) 本次活动选点好。环境问题是关系到人类生存和发展的全球性重大问题，保护环境是我国的一项基本国策。随着社会经济的发展必然带来环境的变化，特别是一定时期经济的发展必然用环境恶化作为代价。我校选择环境问题作为争夺“创造杯”的活动，有着现实意义。(2) 本次活动时机好。本次环保活动正值我国经济发展发生重大变革时期，随着工业的发展，环境遭到破坏，人们在关注经济的同时也关注了环境给社会带来的负面影响。这一时期北京市开展的“知北京、爱北京、用我们的双手建设北京”的活动正是在保护环境的背景下开展的。因此，我们的环保行动惊动了市委市政府，市委市政府也想通过这样的活动对人们进行环保教育，孩子们的做法与市政府工作不谋而合。(3) 本次活动组织好。环境保护不是靠一两个人的力量就能够完成的，需要全民动员，大家齐动手。本次活动在孩子们亲手实践的同时，积极扩大影响，让更多的人和单位参与进来，形成齐抓共管的局面，这是本次活动成功的关键。

环保行动给孩子们带来了接触社会、走向社会、实践于社会的契机，从小让学生受到环境科学知识的教育，对增强学生的忧患意识、社会公德意识，增强他们的时代责任感都有极大的好处。

从 1985 年起两任市委书记、市长连续十年亲临我校参加孩子们的开学典礼，给同学们带来鼓舞的同时，也给我校带来了巨大的变化。1985 年，当市长得知我们的环保行动慕名来到我校看望同学们时，一进学校，他愣住了，破旧的校舍，残缺不全的桌椅与孩子们全身心地投入到环保的激情形成巨大的反差，回去之后他马上筹措资金，指示相关部门选择新校址，为我校新建一所学校。第二年，即 1986 年由海淀区建委投资在现址建起第一栋教学楼，同年 9 月学生正式入住。其后，1990 年又由北京海淀房地产开发公司出资建成了第二栋教学楼，同时修建了 200 米跑道的火山岩操场。1994 年又建成了第三栋综合楼群，至此，学校的建筑面积达到 16 000 平方米，实现了新的飞跃。也就在 1994 年，“万泉庄小学”改名为“万泉小学”。

三、立足变革，不断创新

十一届三中全会以后，海淀区教育事业进入快速发展时期。随着教育改革的不断深入，一些制约教育事业进一步发展的因素逐渐暴露出来，成为教育发展的桎梏。集中表现在以下几个方面：(1) 在领导体制上，中央的权力过于集中，管得过多，统得过死，使学校缺乏应有的自主权，不能从学校的实际出发开展工作。加上长期党政不分，以党代政，党政关系不顺，职责不明，造成学校行政效率低下，效能不高。(2) 在干部制度上，干部能上不能下，形成实际上的干部职务终身制。加之缺乏严格的考绩制，干部“无过便是功”，“铁交椅”坐得十分安稳。(3) 在劳动人事制度上，只进不出，人才难以正常流动。有的学校人才积压，人浮于事；有的学校却严重缺编，完不成正常的教育教学任务。学校无择师自由，教师无择业自由，形成死水一潭。(4) 在分配制度上，一方面教师待遇偏低，另一方面学校的干部和教职工却长期吃着国拨工资的“大锅饭”，习惯于分配上的平均主义，干与不干一个样，干多干少一个样，待遇与工作绩效脱钩，缺乏激励机制。(5) 在工作管理制度上，缺乏严格的考评制，职责不清，赏罚不明，编制不断扩大，效益愈来愈低，相当一部分学校人浮于事。虽然多年来党和政府为改善和提高教师待遇，采取了不少措施，但由于没有从根本上改变教育管理制度，未能收到真正的效果。在这种背景下，1988 年 6 月，北京市委、市政府决定在中小学进行学校内部管理体制改革试点，我校成为试点校，成为首批校长负责制的学校。改革的重点内容是：推行校长负责制；实行教职工聘任制；实行内部结构工资制。

推行校长负责制对于我校发展的意义在于：第一，明确校长是学校行政的最高领导人，是学校的法人代表。多年来，我校由于相对于中关村地区的其他学校发展较为缓慢，干部更换较为频繁，在一定程度上制约了学校的发展。实施校长负责制以后，校长向全体教职工和学生负责，有利于学校自主地开展各项教育教学活动。第二，党组织的政治核心作用得到加强，对学校行政工作起到了指导、支持和监督作用。第三，建立了教代会制度，让更多的教师参政议政，参与学校的重大问题的决策，调动了广大教师的积极性和主动性。

推行教职工聘任制度的意义在于：第一，盘活了内部人事管理。在干部、教职工中形成能上能下、能进能退、任人唯贤、人尽其才、不断优化的竞争机制。第二，激发了学校内部活力，使学校有了用人的权力，教职工也有了选择岗位的权利。在教师中形成了一种努力做好本职工作的心理动因，从而提高了工作效率，提高了教学质量。

实行内部结构工资制是学校内部分配制度的重大改革，虽然当时的结构工资改革幅度很小，但初步形成了“多劳多得，以量计酬，优质优酬”的激励机制。

1989年我校又实施一项重大的课程改革，这项改革对以后的课程改革产生了深远的影响。这年6月海淀区教委与北京师范大学签订协议，北师大出人出力，课程由教育部教育研究中心未来教育研究室设计——“探索二十一世纪的基础教育模式——综合构建普及教育体系实验”（以下简称为“综合构建实验体系”）在我校全面实施。这一教育体系在学制设想中，义务教育包括三段：幼儿园3年、小学3年、初中5年。其年龄是满3周岁入幼儿园，满6周岁入小学，满11周岁入初中，但照顾实际情况，入幼儿园允许提早3个月，入小学允许提前半年，入初中允许提前一年，推迟的时间幅度不限。在课程设置上，有语文、外语、数学、行为指导、社会常识、自然常识、体育、工具使用与科技制作、音乐舞蹈、美术工艺等课程。

这一课程理念的设置具有以下特点：第一，现代的眼界，科学的原理。“综合构建实验体系”以胚胎发育原理为指导原则，依据人类心理结构的多层次性，让各个对应的浅层、表层、深层结构的不同器官同时得到发育，让能够促进不同器官、不同素质齐头发育的不同学科、不同手段在同一时期出现在儿童面前，诱发其多方面的教育能力，彼此镶嵌，形成有机的联结、丰满的整体。第二，美的规范与构建动力相结合的构建原则。“综合构建实验体系”明确指出“处于义务普及教育阶段的受教育者，既不是已完成人格构建的独立主体，也不是只待填充养料的被动容器，而是急切期望通过学会驾驭各种超生物肢体器官而主动构建具人类本质以开发其创造潜能实践主体的青苗”。因此，“综合构建实验体系”反对自由化与填鸭式两种偏向，对学生的养育爱护反对溺爱、放任、姑息、纵容，强调“亲子之爱仍是教育必须坚守的出发点”，要以极大的努力消除对幼儿、儿童、少年的强制、恐吓、侮辱、残害，提倡“发自爱的教育为要得以成全而不至于事与愿违”，提倡“以由人类文明中提炼精选的美的规范，通过多学科多手段的循循善诱，引导受教育者做多器官多素质自我构建”。第三，以优良操作结构的构建为基点。“综合构建实验体系”提出“普及教育工程应以学生优良操作结构的构建养成为各育的基点”。它指出，德育所要建立的远大理想、高尚志趣、历史使命感、社会责任感、深沉的同情心、饱满的创造热情等，都必须基于日常劳动、作业、待人、处世等行为方式的严谨完善，精益求精；智育所要摄取的广博知识、宽阔的视野、敏慧的理解力、深刻的洞察力、解决难题的设计能力，调解矛盾的决策能力，都必须通过对知识信息主动操作予以系统化、条理化，将其纳入灵活畅通的智能活动中，方能获得。体育、美育以及劳动技能教育之不能离开循序渐进的操作练习，则更为明显，不言而喻。因此，设计许多系列、许多等级能有效地塑造智、意、情心理结构的优良操作模式，是普及教育工程的首要任务。第四，树立生态意识。“综合构建实验体系”提出“未来人才应具有生态意识，懂得审察大规模生产所可能造成的生态破坏，及早察觉潜伏的生态危机，抢救面临威胁的生态要素。成长了的人类应该不仅知道要改造和征服自然，还进而懂得要治理和保护自然，让自然投入人类的怀抱，建立人与自然和谐共存的生态新秩序”。

“综合构建实验体系”1988 年在我校开始酝酿，1989 年正式实施，区教委给予很大的政策倾斜，聘任北师大赵宋光教授为指导，选派北师大吴颖慧等八九名毕业生为实验教师。这些毕业生人事关系在海淀教科所，人员归属我校使用，这在海淀教改历史上是独有的，可见区教委对本次实验的重视程度。“综合构建实验体系”虽在我校实施近两年因各种原因而夭折，但它拓展了教师们的视野，激活了教师们的思维，孕育了改革创新的精神，对学校发展有着重大意义。

“综合构建实验体系”虽然没有完整地试验下去，但一些课程理念却深入到教师心中。为更好、更快地发展学校，使学校走出海淀，走向全国乃至世界，我校又制定出新的发展战略：以小学科（除语文、数学以外的学科）为突破口，带动学校全面发展。当时的中关村地区，一些学校已经名声显赫，作为比较弱小的万泉小学要想在大学科（语文、数学）方面有所作为难上加难，只有选择小学科，方能有所为。于是，秉承我校开展环境教育的特色，学校开设了环境教育课，让生态教育进入课堂。

我们在低年级试用全国小学生互动式环境教材。根据低年级学生的认知特点，从身边的环境入手，让学生了解自然环境和社会环境，建立起环境这个概念，从而激发热爱环境，保护环境的意识，孩子们在课堂上学到了许多名词，懂得了保护地球就是保护自己，教育他们珍爱大自然，保护生态环境，养成良好的行为习惯。在中、高年级实施中美环境教育教材，通过《节约用水》、《节约能源》、《减少废物》等教材的讲述，使学生了解人与自然的关系。通过课堂教学，他们知道人与自然是相互依存的，尊重自然，感激自然赋予我们的一切，懂得爱护自然就是爱护我们自己。知道绿色消费，废物回收及循环利用等。

在课堂教学中，我们让学生观察，发现问题，解决问题。讲水资源时，老师拿一个充气的地球模型，走进教室，把地球抛给学生。当学生接住模型时，看看自己的手按在什么地方，10 个学生有八九个是按在海洋上。老师告诉学生地球被人们称为“水球”，因为地球表面大多是海水，海水是不能直接饮用的，人们饮用的是淡水，从而引导学生懂得节约用水的重要性。

我们讲授与实践相结合。讲节约用水后，我们让学生统计家庭、学校的用水量，并找出问题，制定节水措施。同学们在找问题时，发现学校的水龙头有漏水现象，而且所有的水龙头都不是节水龙头，于是提议，收集废品，为学校更换水龙头。提议一经说出，立刻得到全体同学的响应，在一个队日活动中，同学们把旧报纸、易拉罐、塑料瓶等废品集中在校门口。一时间，各样的废品都堆成了小山，我们把废品卖掉，买来了节水龙头。各班派出学生代表在学校后勤人员的带领下，亲自动手，更换了节水龙头。这一活动受到北京市环境保护教育宣教中心老师的赞扬，他们说，这样的活动是实实在在的环境教育，既保护了环境，又为学校办了实事。

在讲水污染时，让学生观察河流，了解污染情况。同学们把自己观察到的绘成幻灯片，在课堂上，利用投影仪把绘制的图片讲解出来，并说出自己的看法以及保护的措施。生动的课堂教学，亲身的实践使学生受到教育。中美环境教育行动的负责人、美国教师及北京市环境教育中心的同志听了我校几节环境教育课后给予了好评，录了像，拍了照片，还把此课的有关资料发在国际互联网上。

我校坚持开展形式多样、内容丰富的环境保护教育活动，以其特有的知识性、实践性、探索性和趣味性紧紧地吸引着全校学生，给校园带来了勃勃生机。

我们办环保小报、写环保征文，吸引大家积极参与。同学们制作的小报图文并茂、内容生动有趣，登在校园的橱窗内，既丰富了学生的知识，又增加了他们的环保意识。我们还在校园中开展“环保一日”征文活动，一篇篇热情洋溢的文章，写出了孩子们对保护环境的肺腑之言，此次活动激励着孩子们为保护环境作贡献。

为了使环保教育趣味化，寓教于乐，我们请来了香港吴方笑薇女士给学生们上环境教育课。吴方笑薇女士是环境保护方面的专家和志愿者，她生动的讲演以及带来的大量资料，给学生们上了生动的一课。我们还在学校给学生讲李皓博士致力于环保的事迹，让学生从中受到教育。我们参加国际性的环保展览，学生的认真态度受到组委会的好评。

我们还召开大队、中队环保主题队会，少先队员把自己开展环保的情况自编成三句半、小品、歌舞等多种形式的节目表演出来。四年级五班“争当环保小卫士”的主题队会曾受到参观者的好评。

环境保护是一项利国利民的大事，保护环境不是空喊口号，要从我做起，从身边的小事做起。在学生中我们发现，对于轰轰烈烈的大活动，学生表现热情高、干劲儿足，身边的小事却不在意。比如，乱扔果皮、纸屑，地上的脏物无人捡，出了校门乱扔废弃物等。为此，我们开展保护环境从我做起，从身边的小事做起，并让学生形成自觉行动。我们带领学生在学校周围捡拾白色垃圾，利用队会清扫绿地，并在全校开展废旧电池回收活动。

孩子们把减少污染、为首都环保作贡献视为自觉行动，而且还主动到社区去宣传、动员，甚至把家长单位同事的废旧电池也都收集到学校。

通过红领巾环境保护的活动，使孩子们学到了很多知识，同时大家感到保护环境是我们的责任。我们环保队员做了 17 个家燕窝，放在学校的房檐下，还引来了 7 只家燕。同年还向市委市政府提出建议，希望市委市政府的领导抓一抓保护鸟类，保护动物的宣传，最好让电视台宣传一下，如新闻广播完后可出现“保护益鸟人人有责”等标语。孩子们向学校提建议，学校的电铃声音大，尤其楼内的电铃，每当下课拉铃，我们的心脏总不好受，请学校和有关部门联系一下，帮助我们设计出电子音乐的电铃，使电铃的噪音，变成美妙的音乐等。这些建议得到学校和相关部门的采纳。

1994 年，加拿大“生命之树”组织①来北京进行环境保护宣传，让人们关爱树木，种植树木来保护自然环境。自此，学校的生态教育活动不仅仅是关注环境，更关注的是人对环境的作用，环境对人和社会的作用，以及如何保护和改善环境，如何防止环境污染和生态破坏等方面的行为，实现社会与自然的协调发展。

在开展“生命之树”教育活动过程中，我们让学生积极参与，每人种一棵树来保护我们的地球，以此作为学校绿色环保教育新的生长点。我们向学生讲解树木对环境的好处、对人类的益处，讲述植树的知识和要求。在全校每人发放树种，发放小盒子，发记录本，教给学生种植的方法。种子种下后，我们让学生查找资料，怎样让种子长成树。种子发芽后，让学生写观察日记，小树苗长出来后，在全校进行评比。

对于此次活动，同学们热情高，干劲儿大，加拿大“生命之树”组织主席等人员多次来校参观访问，对我们的活动给予了较高的评价，并邀请学校师生代表赴加拿大参加环境保护活动。在加拿大，我校教师代表齐春玲老师等一行人受到当时加拿大克雷蒂安总理夫人的亲自接见。

---

① “生命之树”组织由加拿大国际儿童合作“生命之树”（International Cooperation of Children for Trees for Life Canada，http://www.trees4life.ca）1991 年发起，是一个致力于推动儿童环保教育，并为其提供相应资源的非营利性慈善机构。1993 年，“生命之树”活动在加拿大“生命之树”国际合作组织的支持帮助下正式启动。中国环境科学研究院 1994 年开始在中国组织实施。该活动的对象为小学生，每个参加活动的学生将获得一份“生命之树——种一棵树”资料，包括树种、种植盒和植树手册。学生们从树种开始种自己的小树，同时学习有关科学和生态方面的知识，树立环保意识。

1995年5月应加拿大“生命之树”组委会主席偌拉兹蒂（Norrathty）女士的邀请，我们一行11人来到了美丽富饶的加拿大。对于像我这样普通的老师来说，能参加这么高级别的国际会议，是一次非常难得的机会。

在生命之树组委会的安排下，我们参观了几所学校，听了几节有关环保的课，还观看了学生精彩的文艺表演。最使我难忘的是，受中国代表团的委托，我代表中国，代表万泉小学作了“生命之树与环境教育”的发言。在会上，我介绍了我校开展环境教育情况，介绍了北京市委市政府对我校环保的支持，也介绍了孩子们热爱自然、保护自然、适应自然的热情和努力。我的发言赢得了与会代表和加拿大学生们热烈的掌声。

由于我的发言很精彩，引起了大家的共鸣。会后，与会的加拿大学生蜂拥而至，纷纷让我签名留念，我俨然成了“明星”。特别让我感动的是，加拿大克雷蒂安总理夫人在百忙中特意邀请我们到首都渥太华总理夫人办公室进行会谈。

会谈在亲切友好的气氛中进行，总理夫人详细询问了我们“生命之树”活动的开展情况，并仔细听取了我们的经验介绍，最后她用赞赏的口气说：“中国政府对环境保护活动很重视，作出了很大的努力。孩子们全员参与环保教育活动令人敬佩，万泉小学能够从小培养孩子热爱环境、保护环境，对人类的生存作出了贡献。”

总理夫人的热情让我们感动，总理夫人的话语给了我们干好工作的力量。我们深深地感到“生命之树”活动会像生命一样，永远延续，永远充满活力。

（齐春玲老师提供）

1996年，教育部和国家环境保护局在我校联合举办国际环保教育活动。德育主任齐春玲老师作了一节“水污染的来源与影响”的校本课，得到与会的美国、加拿大、香港等国家和地区专家一致好评。美国专家博诺先生在发言中说：“万泉小学很了不起！”

渐渐地，我校的绿色环保行动在社会中有了一定的影响，逐渐让更多的国内外人士了解学校，了解海淀的教育，了解北京的教育发展趋势。环保教育在万泉深深地扎下了根，生态教育在万泉小学如火如荼地开展起来。不仅如此，孩子们和家长们一道清理卫生死角、使用环保用具、开展节水节电等活动，绿色环境教育影响着学生们的学习与生活。“保护环境从我做起，从身边的小事做起”是孩子们的口号。生态教育思想逐渐走进我们的校园，在孩子们的心中萌芽，成为每一个孩子的自觉行动。

1995年，万泉小学进入历史发展的新阶段——成为企业承办的办学模式试点校。海淀区是一个发展区，随着城市化进程的加快，历史形成的学校布局已经不适应教育发展的要求。特别是20世纪90年代以后，中小学生在校人数居高不下，仅1994、1995年全区就净增1.9万人。同时教师离退休人数处于高峰，两年中就有1400名老教师离开教育岗位，这给教育事业的发展和教育质量的提高带来很大困难。我国是穷国办大教育，教育投入不足是一个短期内难以缓解的主要矛盾。教育资源一方面严重不足，另一方面存在着闲置浪费、效益不高的现象。出路何在？区教育工委和区教委认为，必须从改革入手，通过调整教育结构和学校布局，充分挖掘教育的资源潜力，优化教育资源配置，提高办学效益。因此，1994年10月至1995年5月，海淀抓住建设教育改革试验区这一机遇，在全区范围内进行了一次新中国成立以来全区最大规模的学校布局调整。经过学校布局调整对海淀教育改革和发展产生了积极的影响。

为适应社会主义市场经济的发展，充分挖掘社会资源和办学潜力，教改试验区依照《中国教育改革和发展纲要》中关于“要改变政府包揽办学的格局，逐步建立以政府办学为主体，社会各界共同办学的体制”的要求，遵照市委、市政府关于“在教育改革中，体制是关键、教学改革是核心、结构调整是重点、提高质量和办学效益是目的”的指示精神，依据《北京市海淀教育改革试验区规划》，结合海淀实际，在全面推进各项改革工作的同时，抓住办学体制改革这个关键，对多种形式办学进行积极的探索，力争在办学体制改革试验中先行一步，有所突破。在这种背景下，1995 年万泉小学由海淀区房地产开发经营公司承办，实行产权国有、企业承办、自筹资金、自主管理，成为北京市唯一一所国有企业承办的学校，成为海淀区八种办学模式之一[①]。

“企业承办”这种形式是指在学校产权隶属关系不变的前提下，企业承办学校，通过企业对学校的管理，引进职工聘任制等队伍建设机制；同时也为发展企业文化、提高企业的社会知名度和经济效益创造条件。

企业办学，拓宽了教育投入渠道，解放了校长手脚，使校长能够集中精力抓教育教学改革。

四、校本研究，内涵发展

进入新世纪，对于整个社会，“科教兴国”的国策深入人心，实施素质教育是人心所向，但是，素质教育要真正推行起来却是困难重重，因为实施素质教育没有现成的模式可以仿效，只能在探索中找规律。对于踏进新世纪的万泉小学来讲，拥有了宽敞明亮的教学楼和现代化的专业教室和体育馆，这些硬件设备的先进说明了我们这所企业办学的学校，的确在当时是相当“成功”的。但这“成功”的背后，作为教育者我们更加忧心忡忡，素质教育离我们的学生到底有多远？企业办学讲求的是效益，但我们离义务教育的目标越来越远，我们学校的发展立足之地是什么，如何使党的教育方针落到实处，学校应走向何方等这些问题摆在我们面前。

2001 年万泉小学由企业办学回归教委领导，原全国优秀教育工作者、海淀中心学区中共党总支书记兼校长陶升平同志兼任了万泉小学校长，景小霞任常务副校长，这是学校发展新的转折点，教师们有了新的

① 20 世纪 90 年代初，海淀区尝试的八种办学模式为：政企联办、企业承办、校（园）长承办、校际联办、校地共建、私立学校、校企自助、政校联办。摘自：北京市海淀区教育委员会．海淀教育之路 [M]. 北京：中国科学技术出版社，2001.

归属感。由企业办学回归教委管理，与海淀中心其他兄弟学校的教育教学、学校管理工作交流的机会更多了。面对家长和学生对优质教育的强烈需求，面对同一中心名校云集的竞争态势，万泉小学面临着巨大的挑战与压力。怎样才能在竞争中求生存、促发展，做到不辱使命、不负众望？迎难而上，汲取名校的优劣互补，深入客观的思考万泉的发展之路，办一流的学校，出一流的管理，创一流的质量，育一流的人才，闯学校的特色是万泉小学这一阶段新的发展目标。

2002 年，学校召开教代会共同研讨结构工资改革的问题，这一举措给学校带来了新的发展生机，给教职员工带来了无穷的工作动力。面对合理的工资分配，教师们表现出从未有过的工作干劲，把对教育事业的满腔热情和对学生无私的爱毫无保留地投入到教育教学之中，学校掀起了比学赶帮超的局面，教师们在培养学生全面发展的同时，对自身的业务水平的提高有了新的需求与无限的渴望。

2003 年北京市新的督导评价工作在海淀区进行试点，万泉小学作为第一个敢吃螃蟹的人，承担了新的督导评价方案实施的试点工作。要知道，新的督导方法与以往的督导方法有着实质上的不同。其一，在内容上，除检查资料外增添了深入课堂听课；其二，在评价方式上，除关注定性分析外，还增加了动态评价内容；其三，在评价标准上，增加了个性评价的指标；其四，在时间上，由原来的一天督导评价扩充到三天。对于刚刚回归教委管理两年的万泉小学，经受得了吗？如果真的查出“问题”会不会影响学校的声誉？学校领导班子经过反复研究，系统思考，果断作出决策，迎接督导评价。

通过这次督导我们不仅听到了来自本校教师对学校发展的想法与意见，同时也有督导室各位专家提出的中肯、客观、公正的意见。第一，学校目标、监控的管理体制还不够健全；第二，教师的业务素质和学校的整体教学水平有待进一步提高，校领导对教学工作的指导尚显不足；第三，现代化教学手段辅助教学不够普遍，未充分发挥先进教学设备的作用。也正是由于当时的我们不怕暴露问题，敢于面对问题，万泉小学才能抓住这个发展的契机，立足学校实际，统一全体干部教师的思想：

学校面临的不是发展问题，而是生存问题；大家必须拥有开放的胸怀，敢于面对自己，开诚布公地谈问题，不遮不掩地查原因，不躲不藏地找差距，对症下药地订方案；从干部自身做起，加强业务理论学习，不断提高整体的协调能力和对教育教学工作的指导能力，对自己和教师均要进行成长规划，使自己真正发展成为主抓学科名副其实的带头人，同时带动教师集体的自主性、稳步提高与发展。

经学校教代会通过，一套关系到学校长期发展战略的自主发展指标体系诞生了。这套指标体系的诞生使全校干部、教师更加明确了学校的办学目标、办学思路以及学校的发展方向。学校能否持续发展，很大程度上取决于是否有与时俱进的办学理念、明确的办学目标、清晰的办学思路、切实可行的办学方法和办学特色。这是办学的动力、导向和保障。校长明确了不再用“外延扩张”的方式和办法发展学校，而是回归到教育最本质的东西中去，把学校内在的发展作为追求的目标，抓教育教学质量，抓教师发展，把学校办成适宜教师成长的场所，为孩子的发展提供最好的教育服务。中层管理者明确从学校整体发展的角度制订计划，安排工作；努力成为具体学科的研究者、实践者和带头人。教师真正变成实现教育意义与教育价值的人，落实到每一堂课和每一次教育活动中去，在学习中增长知识与自信，分享经验与挫折，学会了解与理解，在学习、实践、反思中不断成长。大家殊途同归，使学校办学目标有计划地真正得以实现。

这次督导检查是我们对建校以来学校的办学思想、办学目标、育人目标以及优势和劣势等多方面的整体梳理的过程，从中我们看到自身的发展前景，看到了学校未来发展蓝图，更加激起全体干部教师办好学校的责任心和自信心，可以说本次督导评价是我校走向办好现代化学校的新的增长点。

督导之后，万泉小学的干部教师借助新课改的推行，扎扎实实地走内涵发展之路，开展校本教研。2004 年 12 月陶升平“和谐、竞争、创新”管理思想研讨会在我校举办，这次研讨会不仅是对陶校长个人管理思想的总结，更重要的是对几年来学校办学方向的肯定，对于我校具有深远的意义：既为学校指明了发展方向，又为学校发展注入新的活力。竞争不是舍我求他，而是寻求新的发展和新的突破。

我校确定的“竞争思想”不仅在人事管理上，还涵盖学校的方方面面。在评先创优活动中，我们要有竞争的干劲；在育人活动中，我们要有竞争的观念；在校内外和谐发展中，我们要有竞争的意识。和谐中的竞争是促进发展。

和谐。生物与环境相适原理指出：“生物都是在特定的环境条件下繁衍、进化演变而来的，长期的自然选择，使物种已适应了特定的自然条件。虽然生物长期受到人为干预和控制，但它们也是长期适应自然环境和人工环境的结果，从而使其生长发育和繁殖过程中，都表现出对生态因子的特定需要，只有满足这些生态因子的特定需要，生物才能完成其正常的生长发育程序，并表现出高产、优质等特征。”[①]学校处在社会大环境之中，学校的发展要适应社会环境的变化。社会在不断地变化，我们的学校也要随之而变，要做到五个和谐，即第一，学校的发展要与社会的发展相和谐，要逐步建立适合于时代发展的学校管理体制和模式；第二，学校的发展要同本地区的发展相和谐，要脚踏实地，结合学校的现状和本地区发展的需要办好学校；第三，学校的物质和精神文化建设要同育人目标相和谐，让学生学会“做人、做中国人、做现代中国人、做现代世界人”；第四，要建立师生之间、家校之间和谐的场，要树立服务思想和服务意识，和谐师生关系，平等家校关系，和睦生生关系；第五，让孩子在德智体等方面全面而和谐发展。

学校是社会生态系统中的子系统，只有系统内外和谐发展才能降低内耗，促进学校全面发展。

竞争。根据生态位原理，对某些空闲或功能效益较差（常表现为物质循环、能量赢动、价值转换等十分脆弱或受阻）的生态位，可通过配套引进新物种，以采取措施强化或充实空闲生态位，提高资源利用率，改善生态系统的结构和功能。[②]在学校这个系统中，引入竞争机制，包

① 邹冬生，高志强．生态学概论 [M]. 长沙：湖南科学技术出版社，2007: 62.

② 同①：64.

括人才的引进和教育评价机制的建立，对学校的发展是非常有利的。但我们应该看到，竞争不是舍我求他，而是促进系统中各元素间形成良性竞争。在竞争中求发展，在竞争中求生存，没有竞争就没有发展。同时，引入竞争机制，促进系统内部实现自我更新，自我完善，自我超越。

创新。在生物环境中，群落总是随着时间的推移而不断被新的生物群落所代替，这种现象称为生物群落的演替。演替中的生物群落，在物理环境发生较大改变时，群落内的生物种类及群落的结构和功能都要发生一次相应的改变，如此不断发展，最终可能形成一个顶极生物群落。把这一生物成长规律引用到教师成长中，同样适用。但它表现的不是新旧教师的更替，而是教师的教学理念和教育行为的创新上。创新是一所学校蓬勃发展的动力源泉。我们的创新不只是停留在技术层面上，而应是在先进教学理念引导下的改革与创新。树立时时刻刻创新的观念，求真、求实、快速发展。要在教育思想、管理理念、课堂教学、德育工作、制度建设、激励机制等方面不断开拓进取，不断探索新路，才能促进教师个体和群体的发展，学校才有竞争力。

“和谐、竞争、创新”三者之间的关系可以用这样的一个场景表现出来：“和谐”就好像一个成长的生物环境，竞争是一种激励机制，仿佛“阳光、雨露”，而创新是生物内在的成长动力，三者构成一个动态生态系统的成长场（如图3所示）。

图3 “和谐、竞争、创新”三者生态系统图

在营造绿色教育生态中，和谐的管理理念发挥着重要作用，它是营造绿色教育生态的基石，是教师共同发展的基础，也是追求教育幸福的首要条件；和谐的生态环境中离不开竞争，竞争是促进教师和谐发展的动力；和谐的生态

环境中更离不开创新，创新使和谐发展更富有生机和活力，是教师发展的动力源泉。

2001年以后的我校正处在由企业管理回归教委管理时期，陶升平“和谐、竞争、创新”的管理思想对学校发展具有重大的现实意义。第一，为学校指明了发展出路。陶升平任校长以后，把他的管理思想融入到学校的管理中，有效发挥了“在和谐中求发展，在竞争中求超越，在创新中求突破”的作用，增强了学校的凝聚力和感召力，改变了“等、靠、托”的局面，引导教师关注教学、关注学生，最大限度地调动教师工作的积极性和主动性。第二，为学校发展注入新的活力。“高枕无忧、不思进取”的生活已成过去，“铁饭碗”的体制已被打破。“竞争”为学校管理带来新的活力。我们的竞争理念并不是简单的优胜劣汰，而是在竞争中发展，在发展中提高。我们开展“三讲”活动，即讲奉献、讲协作、讲绩效，形成能者上、平者让、庸者下的竞争局面。2001年7月新的领导班子成立以后，对原有的人事安排没有作太大的调整，学校除了正校长、副校长以外还是原班人马，在这种条件下如何开展竞争，是新的领导班子面临的一个难题。我们既要优胜劣汰，更要注重培养。首先，我们在领导班子中开展更新观念的学习，竞争不是舍我其谁，而是寻求新的发展、新的突破，实现自我更新、自我完善、自我超越。其次，让优秀的教师在竞争中得到充分的价值体现。为此，我们实施名师工程，推出校级名师为教师们树立榜样。再次，开展多项评价活动。每一位教师的业绩都需要有五方面的评价，教导处的工作业绩评价、德育处教育活动评价、同事的团结协作评价、家长的满意程度评价和学生心中的好老师的评价。让优秀的教师脱颖而出，让后进的教师明确自身的不足。对于后进教师的聘任工作我们坚持“以人为本”、“赏人于外，批评于内”的原则，实行末位谈话制，真心诚意与他们座谈，商讨其不足，并给他们改正的机会。另外，我们也引进优秀的人才，为学校的发展补充新鲜血液。

“和谐、竞争、创新”的管理思想，是我们绿色生态管理的“魂”。它的理论意义在于：第一，在“和谐”中注入“竞争”的成分，使“和谐”更有生机。当前和谐发展是社会发展的主旋律，在学校内部倡导和谐是无可置疑的，在现实生活中往往被错误理解成“你好、我好、大家好”，从而，老师不敢批评学生、对家长的一些要求纵容听之任之、在教育教学中甘做平庸，等等。“竞争”因素的注入，从宏观上引导管理者要正确处理管理中出现的问题和自身发展中的问题。增加了“竞争”成分，使教师更有使命感和危机感。第二，“和谐”需要创新，和谐应更有活力。生态管理系统是一个动态的系统，是在不断变化的世界，创新思想的引入，使学校整个系统运行日趋完善。

2008年7月，我们将陶升平的“和谐、竞争、创新”管理思想正式确立为我校的管理思想。即在和谐中求发展、在竞争求超越、在创新中求突破。也正是在这样的理念指导下，我们认真学习新课程理念，不断地在管理中寻找改进策略，不断地在课堂教学中寻求提高课堂实效性的方法。

在校本教研中，我们发现许多老师课下常常说：“今天的课我讲得很好，唯一遗憾的是学生没有配合好。”“唉，某某同学回答问题时，思维很对路，就差一句话没有到位，怎么引导也不行”等。通过这些言论我们发现，老师们的上课目的不端正，有些研究课变成给领导、专家、同行们看的表演课、作秀课。于是在对学生调查的基础上，我们达成了共识：课堂的质量不在于教师讲的有多精彩，而在于学生最近发展区接受状况如何；课堂效率不在于课堂密度有多大，而在于学生的积极性是否调动。经过研究，确立了我们的课堂教学发展思路，即在课堂教学指导思想上，改变以教师为本的教育观念，树立以学生为本、以师生发展为本的教育理念；在教学环节上，改变生硬、呆板的教学场面，突出课堂教学的生活情境化；在学习内容上，改变学科本位、缺乏整合的现状，体现学科为主、各学科知识相互渗透的学习策略；在学习方式上，改变强调接受学习、死记硬背、机械训练的现状，倡导学生主动参与、乐于实践、勤于动手；在问题的解决上，改革单一的师问生答，好帮差的现象，强化小组交流与合作，相互启发，张扬个性；在学生评价上，改变评价过程过于强调甄别与选拔功能，为学生建立不同的评价尺度，更好地促其发展。

干部们和教师一起进行专业切磋、学术研究、教法改革、资源开发等，形成教师自信、学生自主，教师会教、学生乐学的局面。就像校长景小霞说的：万泉小学正在静悄悄地革命！要说这些改变诀窍，我们可以以下面三个小“招”为例，说一说我们的诀窍：①关注干部教师的研究状态。首先，让大家先“动起来”，因为在先期，状态比研究本身更重要。其次，我们关注研究的技术操作，让研究解决的问题“实起来”。然后，我们关注队伍的建设，让“龙头团队”先“立起来”。接着我们关注理念重构，让研究“深起来”。循序渐进、“小火慢炖”地改变着学校文化。②改变先从领导者开始。我们的干部从开始更多地关注做“事情”，到现在的关注“人”的发展；从先前的更多地关注“自己”的发展，到现在的关注“团队”的成长；从先前的自己是“前台英雄”，到现在的“幕后策划者”。干部们的改变起到了润物无声的作用。③改变在日常生活中。首先，改变我们研究的“行走方式”。干部们变“检查督促”为“主动服务”；变“单项灌输”为“互动研讨”；变“孤军奋战”为“共同攻关”；变“被动应付”为“自主、创新的发展”。其次，改变我们的“话语方式”。干部布置工作更加人文，更加注意工作的艺术性，更加关心教师的心理感受。例如，开学初该检查备课了，我们给教师发了一封信，内容是这样的：“敬爱的各位老师：假期已经结束了，您休息得好吗？上学期，我们及时与您沟通后，进行了备课教案的改革——合作备课（电子版）。经过假期的合作研究，现在，我们很想倾听您的意见，使此项改革更加完善，真正实现为教师们服务，为教学服务。”看到信后教师们更悦纳干部，积极性更高了，工作更主动了。最后，改变我们“已有的习惯”。我们的听课方式由原来的“随意捕捉”，过渡到“有备而听”。过去我们听课评完课，工作也就结束了。现在不同了，我们要结合专题研究有目的地看课反思。通过这一课例我们解决了什么问题？哪些问题没有解决？又遇到了什么问题？以后还要研究什么？总结提出了哪些操作层面的经验……

通过我们不懈的努力，我们的工作在海淀学区崭露头角，课堂教学以追求“朴实、真实、扎实、厚实”的作风闻名学区，学区多次教研活动都在我校举办。正因为如此，我们吸引了海淀区、北京市教科研部门专家和领导的目光。我们的工作逐渐得到区、市教研部门的认可。

2005年、2006年和2007年，我校分别承办了海淀区、北京市、全国三场校本教研现场会，展示我们的工作状态和研究成果。

2007年新年伊始，由教育部校本教研制度建设项目组主办全国校本教研研讨会拉开了序幕，我校作为海淀区小学唯一的代表承办了本次会议。5月24日上午参加会议的有全国众多的课程专家和学者，顾明远、周卫、陶礼光等学者专家齐聚我校。另外全国各地近200名学校代表也参加了活动。在这次会上我校展示了一节研究课，课后我校的语文老师们紧紧围绕着这一节课分组开展了研讨活动。大家针对这节课体现的研究专题以及教学中出现的问题进行讨论，并把主要观点用大字报的形式呈现在会场。之后，各组将研究的成果责成组长向大家进行了汇报。最后，全体语文组教师针对各组在研究过程中的焦点问题集中进行研讨。老师们研究问题的深度和广度、对课题精辟的见解以及针锋相对的发言深深吸引了与会代表，也迎来了阵阵掌声。教育专家周卫在点评时感慨地说："万泉小学教师的精神状态、研究氛围，令人震撼！"

下午景校长针对我校开展校本教研的情况作了"在务实求真中让校本教研走向纵深"专题发言，也正是在这个发言中，正式提出了万泉小学"营造绿色教育生态"的办学理念，在发言中我们阐述了以下几个观点：其一，建设绿色教育生态化的学校要正确处理领导、教师和课堂之间的关系。面对新课程改革，领导要变"检查督促"为"主动服务"，教师要变"孤军奋战"为"共同攻关"，课堂要变"单项灌输"为"互动研讨"。其二，营造绿色教育生态，需要建立一个干群共同成长的环境。我们允许干部差异发展，允许教师异步同行；允许干部迟疑，教师犹豫；允许教师观望，允许不同声音存在，允许教师有消化的过程。我们既为"先行者"提供挑战自我的机会，又为"观望者"保留观察与思考的空间。这种宽容和有差异的管理营造的是自然与自由的氛围，赢得的是一种根本的认同和真正的自觉。其三，建设绿色教育生态化的学校，需要建立学校与高校之间和谐、合作、共赢的关系。随着研究不断深入，我们迫切感到在解决问题的同时也引发出新的困惑，此时教师们迫切需要一种外部力量的介入，引进一种新的思路，占领一个新的理念高地，专家引领是学校校本教研走向纵深和可持续性发展的关键。其四，营造绿色教育生态，需要建立更加广阔的研究平台。在校本教研中我们注重把远程教育资源作为校本教研的一个重要手段，把现代教育技术与校本教研紧密结合。在电子备课的基础上，又依托“组组通”、“班班通”的校园网络，各学科大组相继开办了教研博客，快速便捷，真实有效是它的突出优点。教师们可以随时上网发表看法、提出问题、下载资料，实现了校内交流，资源共享。网络教研为教师学习、交流提供了更加广阔的平台，建构了“校本教研”的立体维度和空间。其五，在解决问题中，做有思想的行动者是根本。当我们让教师反思工作中的困惑时，许多教师面对“年年岁岁花相似”的教师生活竟一时语塞。这恰恰说明教师问题意识不够，反思能力不强。我们要让教师充满思想，让思想充满智慧，于是引导教师讲述自己的“遗憾”。“新入学的学生爱哭怎么办？”“如何才能让课堂讨论优质高效而不流于形式？”“如何实现学生的自主学习？”等，虽然教师提出的问题，有的是值得研究的，有的很难成为研究的问题，但是每位教师已经能用审视的目光重新看待自己的教学了。在实践中，教师们真切地感到：解决教师自己的、真实的、实际的问题，就是校本教研的核心。我们关注的“研究专题”产生的途径是“自下而上”，不是“自上而下”；是教师“自己的问题”，不是“他人的问题”；是教室里发生的“真实的问题”，不是“假想的问题”。渐渐地，教师们乐“研”了，爱“思”了，但是新的问题随之产生。要解决的问题越来越多，千头万绪不知从何抓起。我们意识到研究不能求多求全，要求实求精。因此，我们梳理问题，明确主线、抓住核心，各个攻克。

本次会议之所以选择了在我校举办，原因有三：其一，通过这几年的发展，教师队伍的素质明显提高，我们许多教师在海淀区、北京市现场评优课中崭露头角，青年教师刘莉一举夺得北京市基教研举办的现场评优课一等奖。其二，通过这几年的发展，万泉小学外塑形象，内强素质，逐渐在海淀区乃至北京市取得了良好的声誉，得到了有关专家、家长们的一致好评；其三，万泉小学校本教研工作深入而务实，取得了骄人的成绩，分别举办了海淀区、北京市校本教研现场会，探索出“课堂接龙式的教研模式”，值得向全国推广。

我们承办本次全国校本教研现场会，也有我们的想法。课堂教学是最重要的、最艰难的、最硬的功夫和最大的挑战。课堂教学是学校教育教学的主阵地，是我们营造绿色教育生态的核心环节。我们想借承办本次现场会的机遇，查找问题、弥补不足、总结提高，同时也让我们学习全国课堂教学改革成果，零距离聆听专家见解，零距离接受专家们的指导。

与会的学校代表也在本次会上发了言。大家认为：

万泉小学的校本教研工作做得很扎实、很到位。在本次教研活动中每一名教师都参与了教研活动，打破了领导一言堂的局面。教师是校本教研的主体，是研究者，他们的发言最有权威。他们以研究者的眼光审视和分析教学实践中的各种问题，并用新的教学理念进行诠释。管理者的职能也发生了重大的转变，由“领导”变为“指导”，由“管理”变成“服务”，一切以教师发展为本，一切以学生发展为本，是实实在在的校本教研。

全国校本现场会在我校的召开，是对我们工作的肯定，同时激发了我们干好工作的决心和信心，为营造良好的课堂生态环境打下良好的基础，推动了我校各项工作的蓬勃发展。

2006 年 9 月 3 日裴娣娜教授承担的教育部“十一五”哲学社会科学研究重大课题攻关项目“我国学校教育创新研究”正式开题。本课题的开题对我国学校教育发展有着重大的意义。当今时代，科技进步日新月异，国际竞争日益激烈。各国之间的竞争，说到底，是人才的竞争，是民族创新能力的竞争。学校是培养人才的地方，学校的创新力直接关系到一个民族的兴衰与发展。对于万泉小学来讲，参加“我国学校教育创新研究”课题，从学校可持续发展的角度诠释了学校创新的重大意义，它明确提出学校创新是“以发展为核心的现代教育理念”，是“一种勇于变革、改革的实践活动”，是“一种先进的学校文化”，是“有回应时代挑战的持续发展的生命力”，学校创新的本质就是“变革、超越和发展”。[①]我们参加本课题的研究，其目的在于借本课题研究的平台从国际教育发展的大背景中审视学校教育的发展，明确学校的发展方向；从梳理学校的发展史的过程中分析我们的优势、劣势和努力的方向，实现自我发展、自我完善、自我超越的过程。

本课题的研究为我们搭建了一个成长的平台，一个追求教育完美的空间，为学校发展带来了活力。

在课题的不断研究中，我们的校本研究不再是理念上的翻新，而是理念上的重建。2008 年 12 月，我校语文教师团队依据这些年校本研究的积淀，组织、撰写的《飞翔吧，大雁团队》正式出版，2009 年荣获第三届北京市基础教育教学成果二等奖。

《飞翔吧，大雁团队》一书，描绘的是万泉语文团队七年的工作历程，他们坚持“教师铸就团队，团队成就教师”的理念，坚持“集体研究，汇集问题——集中研讨，逐个击破——实践验证，展示成果”的工作思路，组织了多次大型的“教研日”活动，把教师推向台前。活动由教师自己主持，成果由教师自己总结，结论由教师自我提升，而学校教研管理人员则退居幕后支持教师、帮助教师、引导教师，促进教师的自我发现、自我感悟和自我提升。

《飞翔吧，大雁团队》是原汁原味集体智慧的结晶。它以大量的原生态的材料诠释了语文团队一步步研究的历程，展示着教师们不断探究、不断反思，不断改进的过程，是一本难得的课程改革的成果资料。

《飞翔吧，大雁团队》的出版与获奖，是我校校本教研工作的里程碑。它标志着我们教研团队组织建设的成熟，也标志着我校校本教研工作进入了一个新的阶段。

---

① 摘自《关于构建学校教育创新力指数的研究》一文，刊登在“我国学校教育创新研究”校长论坛文集第 13 集《学校教育创新第四届校长论坛文集》（内部资料）。

时至2010年，万泉小学已经发展成为一校两址，共有77个教学班，拥有3000余名学生，170名教师的学校。近几年，学校教育教学质量逐步提高，办学规模不断扩大，竞争实力日益增强，先后被授予“全国心理健康标兵校”、“全国十佳型创新学校”、“北京市绿色学校”、“北京市健康促进学校”、“北京市校园文化环境示范学校”、“北京市科研先进校”、“北京市课程改革先进单位”、“北京市金帆艺术学校”、“北京市体育传统学校”、“海淀区素质教育优质校”、“海淀区教学管理先进校”、“海淀区德育管理先进校”、“海淀区科技、艺术示范校”、“海淀区阳光体育学校”、“海淀区总务管理先进校”等光荣称号。

开展广泛深入的国际合作与交流是万泉小学打造“开放式、国际化、高品位”魅力学校的重要内容。近年来，万泉小学不断加强国际文化交流与合作，多次接待新加坡、澳大利亚、美国、英国、加拿大、德国、日本、韩国、朝鲜等外国代表团来校交流。在此基础上，学校主动与国外学校建立伙伴关系。2003年，万泉小学与德国布鲁诺·波尔格小学结成友谊校，此后2004年、2006年和2009年德国布鲁诺·波尔格小学师生三次来万泉小学开展活动，2005年、2007年和2010年万泉小学的学生受布鲁诺·波尔格小学邀请回访德国。2006年12月，万泉小学与朝鲜民主主义人民共和国绫罗小学结成“同心结”学校，开创了朝鲜的小学与其他国家的学校建立姊妹校的先河。学校还先后同韩国海淞小学、新加坡新华小学、香港圣保罗男女中学附属小学结成姊妹校，并与日本木下音感学院天使合唱团同台演出。

学校发展的同时，近些年教师队伍也得到壮大和发展，教师的专业水平不断提高：2001年我校仅有8名中心级学科带头人，而且教师们在各级各类教学与科研的竞赛中，获奖情况寥寥无几。2003年接受督导时，我校已有2名中学高级教师，1名市级骨干教师，6名区级学科带头人，18名中心学科带头人。而2010年的今天，我校已拥有一支优秀的骨干教师梯队。其中中学高级教师5名，市级学科带头人1名，市级骨干教师5名，市“紫禁杯”班主任6名，区学科带头人31名，区骨干教师45名，中心学科带头人75名，占全校教师44%。他们不仅成为万泉小学不断发展的中坚力量，而且其中的许多骨干分子已在区、市、乃至全国崭露头角，发挥引领作用，极大地促进了学校的发展。

在孩子的发展问题上，我们坚持“一个也不能少”的原则，改革了课外小组活动方式。每个星期一的下午，仿佛是全校孩子的节日。他们离开自己的教室，兴高采烈地奔赴学校的各个专业教室，开始他们的“快乐之旅”。管乐、民乐、舞蹈、健美操、武术、合唱、棒球、田径、跆拳道、英语、计算机、机器人、科技、种植、绘画、书法、篆刻……凡是孩子需要的，就是我们需要准备的；凡是孩子想学的，就是我们需要传授的；只要是对孩子成长有好处的，就是我们应该全力以赴去努力的。目前，我们学校每个学生都有自己的课外小组，每个人都有自己的一技之长。多彩的兴趣活动，开发了学生的潜能，开拓了学生的视野，增长了他们的知识，提高了他们的创新能力。仅以2008—2009年一个学年的不完全统计，我校2620名学生中，就有1449人次获得国际、全国、市、区奖项，获奖率占全校学生总数的55.31%。2010年新学年开学典礼上，万泉小学拥有了一个特别的“身份”——中国空间技术研究院载人航天总部在万泉小学建立“中国航天科普教育基地”。这是万泉小学多年来推行“营造绿色教育生态”的教育理念、不断发展科技教育和培养创新实践能力的最好证明。

第二章 办学理念——和谐、探索、创新

教育的目的是什么？也许很多人都思考过，但没有一个固定的答案。世界著名的教育家乌申斯基说："教育的主要目的在于使学生获得幸福，不能为任何不相干的利益而牺牲这种幸福，这一点当然是毋庸置疑的。"[①]教育作为培养人的活动，以幸福为目的既是一种实然事实的存在，也是一种应然价值的追求。"营造绿色教育生态，传递教育幸福"是我校办学理念，也是我校办好学校发展学校的理想追求。我们要营造一个充满和谐、其乐融融的校园，为每一名孩子的幸福人生奠基，让每一名师生全面、和谐、健康的发展。同时，和谐的环境需要竞争，否则会成为一潭死水，良性的竞争有利于学校、教师、学生快速和可持续发展。创新是学校发展的不竭动力，是营造绿色教育生态的价值追求，更是幸福人生的价值体现。

一、和谐中发展，办学理念的解读

为深刻理解并践行"营造绿色教育生态，传递教育幸福"的办学理念，我们对"教育生态"、"绿色教育生态"、"教育幸福"这几个基本概念进行了研究。

（一）什么是教育生态？

教育生态可以看作是教育系统内部诸要素之间的交互作用及其与外部环境之间的物质、能量和信息的交换关系。[②]教育生态按照规模大小包括宏观教育生态、中观教育生态和微观教育生态三个组成部分。宏观教育生态是最大的范围，是生态圈，可以指地区甚至国家为疆域的大生态系统；中观教育生态一般指学区、学校等层面的教育生态；微观教育生态可以缩小到课堂。学校教育生态，是我们研究的重点，以下我们讨论的一般都是指中观的学校教育生态。

① 郑文樾．乌申斯基教育文选 [M]．北京：人民教育出版社，1991.
② 王忠武．当代中国社会发展方法论 [M]．济南：山东人民出版社，2001.

由教育系统各元素形成的相互联系相互依存具有能量转换、物质循环代谢和信息传递功能的统一体，称为教育生态系统。教育生态系统是社会生态系统中的一个相对独立的子系统，它有着自身的结构与功能。在教育生态系统内部，人、教育、环境彼此相连，共同构成一个不断矛盾运动的生态系统。教育生态系统与社会生态系统不断地进行物质和能量的交换，与其环境相互作用。教育生态系统在相对不变的输入和输出比的作用下，建立起“稳定态”的平衡。社会生态系统对学校教育系统的输入，既包括人力投入（如教师、学生、管理人员等）也包括物质投入（如建筑、设施、教材以及其他图书资料等）。此外，各种价值与规范，如家长的期望、政策法律、规章制度、社会价值观与规范体系等，也是重要的输入内容。教育生态系统向社会输出的是受教育者的学习收获、态度变化、技术设备、行为变化、批判思维、情感变化等，这些因素集中体现在合格的毕业生身上。同时，教育系统还承担着传播科学技术与文化的职能。[①]（如图 4 所示）

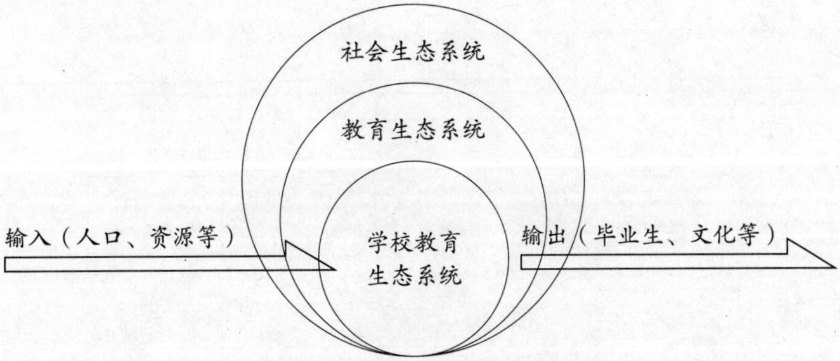

图 4　学校教育生态系统图

学校教育生态是教育生态的重要组成部分，学校教育生态的优劣直接影响着区域内宏观教育生态的发展状态。加强对学校教育生态的研究有利于正确构建学校创新发展的动力机制，形成学校发展的变革能力，

① 范国睿 . 教育生态学 [M]. 北京：人民教育出版社，1993.

在办学理念的形成、学校办学资源的整合、教育教学业务系统的建设、显性和隐性环境的营造以及学校自主管理机制与策略等方面发挥着重要作用。

（二）什么是绿色教育生态？

所谓的绿色教育生态就是优质的教育生态。营造绿色教育生态，我们的理解是要建立一个自然的、和谐的、美好的、多元的和可持续发展的最适宜于师生共同成长的教育生态系统。我们把学校的整体工作看成一个生态系统，这个系统和外部社会系统有着千丝万缕的密切的联系，同时系统内部在不断地优化过程中，形成自我改进、自我完善的运行机制。我们要建立价值目标系统，明确学校的办学理念以及价值目标；加强校长的战略性谋划力，形成领导者品质；凸显育人模式系统建设，在课程开发、教育教学、班级管理等方面办出特色；完善组织管理制度和人事管理制度，促进学校、教师和学生快速和可持续发展。（如图 5 所示）

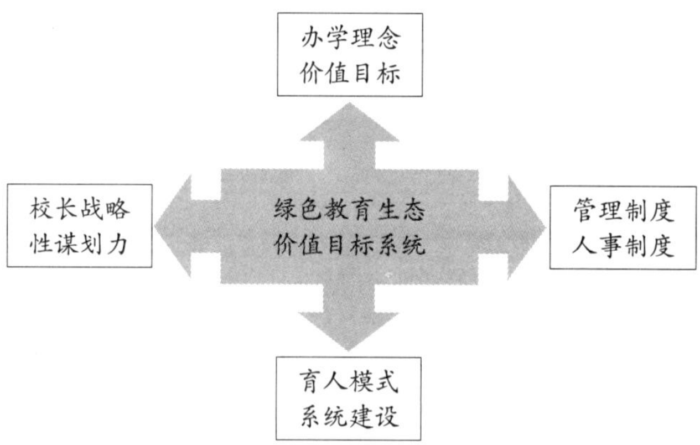

图 5　学校绿色教育生态价值目标系统图

（三）什么是教育幸福？

古往今来，人们都追寻着幸福，向往着幸福生活。幸福是一个宏大、永恒的命题，是人类个体需要得到满足以及理想得到实现时产生的一种情绪状态，幸福是一种感觉，一种敞开心扉的感受。

教育幸福是指学生在受教育过程中获得的理解幸福、感受幸福、经营幸福、保持幸福、传递幸福的能力。一方面“教育者一个极为重要的任务就是唤起孩子具有感情上的敏锐性、注意力和感觉上的精细”，“教育上的一个重要任务就是在于使每一个孩子的心都能受到人的崇高欲望的鼓舞，而给别人带来欢乐、幸福、顺利、好处和安宁”。另一方面，教育的一个特殊任务就是要“除掉青少年思想意识中的那种虚幻的市侩般幸福的理想”。所以“教育技巧的特点就在于使教育的整个过程成为教师过问人的精神生活的整个过程”。苏霍姆林斯基这些经典的语句说明：承认学生有在受教育过程中获得幸福的权利，实质上就是要承认教育活动的幸福主题；必须过问学生的精神生活，就是让学生告别那种享乐主义的“市侩般幸福的理想”。因此，好的教育就是追求幸福的教育，无幸福的教育同无幸福的生活一样不可取。

让孩子享受教育幸福是教育的使命，是教师的责任。一个有幸福感的教师，才能在其教育教学中充分展现出才能与情感，才能表现出对教育教学和学生的极大兴趣，才能充满热情地去上好每一堂课，才能细心地去关注每一个孩子，才能体验幸福的教育生活。

让孩子享受教育幸福是教育目标，是学校的任务。一个创建幸福的学校，要具有幸福的教育思想，要有经营幸福的教育环境。在这一环境中使教师生活舒心、事业安心、工作专心，师生齐心，家长放心。在这个环境中，使学生的潜能得到开发，个性得到张扬，能力得到发展，幸福指数得到提高。

让孩子享受教育幸福是一项整体系统的工程，需要学校方方面面的相互配合，协调发展，需要每一位教职员工更新观念，共同努力。

（四）办学理念的内涵及其对学校发展的意义

基于对“绿色教育生态”和“教育幸福”的认识，我们对“营造绿色教育生态，传递教育幸福”这一办学理念的理解是：建立一个自然的、和谐的、美好的、多元的和可持续发展的最适宜于师生共同成长的教育生态系统，形成人人有追求、人人有享受、人人得以发展的幸福磁场。在这一生态系统形成过程中，使师生感受到愉悦、轻松和欢快。让我们推开教育这扇门，它应满是阳光和鲜花，它能给孩子带来自信和快乐，给老师带来幸福和欢笑，给学校带来全面、和谐、健康的发展。

确立“营造绿色教育生态，传递教育幸福”的办学理念对学校发展有着重大意义。

第一，解决的是学校发展方向的问题。明确了我们今后的工作方向是营造绿色的生态系统，不断地完善学校内部运营机制，理顺内部各要素之间的关系，寻求学校内部各要素之间和谐、健康、多元、安全、无污染、可持续的发展。营造绿色教育生态是我校长期坚持的战略任务；同时用“幸福”的教育理念指导我们的工作。教师要做幸福的教师，教师要把教育的幸福观、人生幸福观传递给学生，要让学生在教育幸福中形成理解幸福、感受幸福、经营幸福、保持幸福、传递幸福的能力，奠定孩子幸福人生的根基，为孩子幸福人生打好基础。

第二，解决的是学校行为方式的问题。学校的一切教育教学行为都要从是否有利于学生的幸福成长，是否有利于学生终身发展出发，拒绝一切损害学生身心健康的行为。

第三，解决的是学校发展理论指导的问题。学校是一个生态系统，几年来我们在有意和无意间做一些“正确”的事。把生态学的原理运用到学校建设上来是学校发展的必然。用生态学的观点和规律解释学校所发生的行为，解决实际问题，无疑有助于按照客观规律办事，有助于学校健康和可持续发展。

二、探索中求真，办学理念形成

学校发展了，在兴奋之余，我们深深地知道，我们还有许多不足，还有很多软肋，诸如提高课堂实效性、让孩子快乐地学习等亟待解决的许多问题。下一步何去何从？如何发展？炫人眼目的现场会、金光闪闪的奖牌只能红火一时。学校发展必须有核心的东西——那就是办学理念！

恰在此时，裴娣娜教授承担的教育部哲学社会科学研究重大课题攻关项目“我国学校教育创新的研究”寻找实验学校，在教委的推荐和我们的努力下，万泉小学非常荣幸地成为总课题组的实验学校。

在参加课题研究的过程中，我们梳理了学校发展的历史，惊奇地发现，自 1985 年我校获得全国少工委“创造杯”一等奖到如今，我们在沿着同样的一条轨迹在发展，那就是——营造绿色教育生态。

从学校发展历程中，我们可以清晰地看出我校绿色教育生态发展分为萌芽期、起步期、确立期和发展期四个阶段。我们感到任何学校的创新发展不是凭一时热情就能形成的，一定是从历史事件或者面临的工作任务中逐步发展起来的。真正的创新发展，不是一蹴而就，而是一个长期的不断积累和完善的过程，是一个“我想发展、我要发展、我愿发展”的自我发展过程。我们营造绿色教育生态的过程，就是一个教育创新的过程。几年来，我们是在有意识和无意识之间运用生态学的原理来开展学校创新工作的。

我们继承历史的发展，确定了“营造绿色教育生态”作为我们的创新活动。最初的研究，我们把“绿色教育生态”与“和谐发展”联系在一起，确定的研究主题为“让师生在绿色教育生态中和谐发展”。当时认为，“和谐发展”是学校发展的重要方面，学校的发展需要学校教育系统中各个元素的和谐发展，和谐有助于稳定，和谐有助于学校整体发展，和谐有助于减少矛盾共同提高，和谐有助于满足群体性和个体性差异发展等。

2007 年以后，我们逐步认识到：绿色教育生态就是学校要创造条件，帮助每一名教师取得成功，帮助每一名教师获取可发展能力，帮助每一名教师拥有完美人生并有幸福感。“绿色教育生态，不但能让学生像花儿一样地艳丽绽放，还能使教师自由地健康发展；绿色教育生态，是每个人都心旷神怡，充满了成就感、幸福感的生命乐土；绿色教育生态，使人人都自主求上进、求提升，是春色满园和百花争艳的良性竞争、共同发展的和谐环境。”“这个绿色教育生态环境里，我们在关注学生成功的同时，也关注教师的成功；我们不只关注教师事业上的进步，更关注教师追求进步时的幸福感受；我们把对教师的评价正从单纯的'工作体'向全面自由发展转轨"等①。

真正把"绿色教育生态"与"幸福教育"联系起来的是 2008 年。记得当时在社会上流传这样一个顺口溜："投身教育英勇无畏，西装革履貌似高贵，当了教师吃苦受罪，急难险重必须到位，一年到头加班受累，劳动法规统统作废，教书育人终日疲惫，学生告状回回都对，工资不高还要交税，从早到晚比牛还累，一日三餐时间不对，一时一刻不敢离位，下班不休还要开会，迎接检查让人崩溃，天天学习不懂社会，晋升职称回回被退，抛家舍业愧对长辈，囊中羞涩见人惭愧，百姓还说我们受贿，青春年华如此狼狈，身在其中方知其味，身心憔悴暗自流泪，人民教师哪有社会地位，全靠疯疯癫癫自我陶醉！"虽然是顺口溜，但它却从一个侧面反映了教师生活实际。互联网里也流传着这样一段话，"现在当教师太难，简直是：教师奴隶化，学生祖宗化，人际复杂化，加班日夜化，上班无偿化，检查严厉化，待遇民工化，翻身是神话"。这些内容可能过于悲观、灰涩，甚至消极负面情绪过多，但之所以如此流行，一定有它的现实性，这也或多或少反映了教师们无奈的生存现状。面对着太多的压力与不解，教师需要理解，需要关心，需要引导，更需要有尊严地活着。作为学校领导怎么让万泉小学的教师幸福快乐地工作、学习？怎么让万泉小学的孩子爱上学，爱学校，爱生活？我们陷入了深深的思考。

2008 年面对家长对优质教育的需求，就如何提高教师素质问题，我们展开了讨论。"怎样当一名好教师？""好教师的标准是什么？"等问题是本次讨论的焦点。教师们积极踊跃地发表看法，最后达成共识，一名好教师应该是：学生喜欢、家长佩服、同事亲近、领导不舍、家人因你而骄傲，你是一个人人都欢迎的"幸福的传递者"。通过讨论更加明确了：虽然教师地位不够高、待遇不理想、处事范围还很狭小、工作烦琐劳累等不尽如人意，但教师的职业是高尚的、教师的人格是高尚的，

---

① 景小霞．营造绿色教育生态，促进教师自主发展 [J]. 北京教育，2007 (7).

教师所从事的事业是造福千秋万代的，没有任何职业可与教师相比！

2009年我们学习了北京师范大学肖川教授的《教师的幸福人生与专业成长》以及刘次林的《幸福教育论》，我们感受到教育与幸福相连，教育与幸福相伴，我们的教育目的是使学生获得幸福，只有幸福的教师才能培育出充满阳光、充满朝气、充满智慧的幸福的孩子。幸福不是物质欲望得到满足的自然性、即时性的快感，幸福是人之为人的意义实现所给予主体的精神性愉悦，获得与感受幸福都是一种需要磨砺和培养的能力。

在研究中，我们感到“营造绿色教育生态”以“传递教育幸福”为目的，而“教育幸福”需要靠“营造绿色教育生态”来实现。基于此，我们确定了我们的办学理念为“营造绿色教育生态，传递教育幸福”。现在“做幸福的传递者”这个口号在万泉小学已成为广大教师们最拥护、不断自勉和自觉践行的座右铭。

三、创新中发展，办学理念实施策略

理念是办学之魂，起着纲举目张的作用，用理念引领学校的发展，是校长办学的重心与关键。在实施办学理念过程中，我们坚持“文化润校、质量立校、队伍强校、特色亮校”为办学发展思路，并把这一发展思路融入到营造绿色教育生态系统建设之中。

（一）文化润校

一所学校对学生影响最大的，不是某一学科的教学，某种知识的传授，而是学校的文化。一个学生在某种文化的熏陶下，会形成他的人生态度、思维方式和行为习惯，这些将决定他的一生。坚持“营造绿色教育生态，传递教育幸福”的办学理念，首先是精神的引领。为此，我们营造“绿色教育生态”，就是通过确立办学目标、育人目标、校训、校歌以及校徽、校花等“校品”文化以实现精神引领，并最终引导师生走向教育幸福。

1. 办学目标——“开放式、国际化、高品位的魅力学校”

所谓“开放式”是指吸收社区企事业单位代表、知名人士、学生家长、专家参与学校重大事项的计划、决策、实施、评价等过程，听取各方面的意见和建议，集思广益，从谏如流，促进学校决策的民主化、制度化、科学化，形成社会、家长、学校教育合力；借助社会力量办好学校，让孩子接受多方面、全方位的教育培训活动；建立多主体评价方式，通过多渠道多角度评价学生，评价课堂，不断地融洽师生关系，协调校园生态与社会生态之间的关系，理顺教学目标和学生发展目标的关系；让教师们走出去，让专家们走进来，形成教师自身发展和专家协助互动的教师专业发展体系；吸收多民族文化形成多民族融合的学校教育格局。

所谓“国际化”是指接纳各民族的文化，尊重各民族的风俗习惯，为孩子走向世界，促进世界和平打下基础；加强与各国间的文化交流，吸收国外先进的办学经验，举办面向世界、走向未来的教育。

所谓“高品位”是指理念思路高站位，以科学发展观为指导，以科学研究为手段，坚持用先进的教育管理思想管理学校，用先进的教育教学理念营造教育，要有新追求、新思路、新措施，努力把学校建成一流学校；日常工作高要求，以科学管理为目的，充分调动教职工的积极性和主动性，圆满高效地完成日常工作；队伍建设高素质，加强现有教师的培训力度，实施名师工程，提高优秀教师的知名度，同时吸引高素质的教师加入我校的队伍；人才输出高标准，培养品行高尚、技能全面、视野开阔的社会主义合格的建设者和接班人。

这一办学目标从多角度、多维度彰显了教育幸福思想。我们为孩子提供更多的、更好的办学资源，让孩子走出校门，走出国门，享受高质量的教育服务。

2. 育人目标——做人、做中国人、做现代中国人、做现代世界人

教育的对象是“人”，所以“做人”是学校教育的最根本任务。“要成才，先做人”。实施素质教育首先要使学生学会做人，这也是日后立

足社会的根基。“做中国人”，这是中国教育面临国际化背景最起码、最光荣的任务。“做现代中国人”，就是要做具有现代意识和技能，自信走向世界的中国人。“做现代世界人”，就是要做有世界胸怀和气魄，不断地促进世界和平与发展的世界人。

“做人、做中国人、做现代人、做现代世界人”源自陈鹤琴教育思想的核心理念——“活教育”理论。“活教育”理论认为应该“爱国家、爱人类、爱真理”，这也成为我们当今对孩子进行德育教育的目的之一。

陈鹤琴强调“活教材”的作用，主张把大自然、大社会作为出发点，让儿童在与自然、社会的直接接触中，在亲身观察中获取经验和知识。我们营造绿色教育生态，就是要把孩子引向生活，将生活引向孩子，逐步形成人与社会、人与自然、人与人和谐共处，协调和可持续发展的新局面。

“做人、做中国人、做现代人、做现代世界人”是我校教育工作的核心，同时也是引导孩子创造幸福，走向成功的目标。

3. 校训——健康体魄，阳光心态，乐学善思

“健康体魄，阳光心态，乐学善思”是万泉小学构建学生教育幸福的三个组成部分，是营造绿色教育生态所追寻的目标之一。

健康体魄，指保持身体和精神的健康。

阳光心态，指要保持平常、积极、知足、感恩、达观、健康和充满关爱的心态。

乐学善思，指喜欢学习，勤于思考。

健康体魄是基础，没有健康的身体和健康的精神很难做好事情；阳光心态是动力，只有保持积极乐观的心态，才能较好地完成所做的工作，才能树立正确的人生观和价值观；乐学善思是方法，让孩子快乐地学习，幸福地感受，才能形成幸福的品质和能力。

4. 校徽

万泉小学校徽由三部分组成，中间部分为我校标志性雕塑。雕塑外

图 6　万泉小学校徽

层似飞翔的翅膀，象征着孩子们像雏鹰一样翱翔；似飞驰的跑道，象征着孩子们努力拼搏，向着未来奔驰，以实现梦想；似绿色园地，预示着孩子们在学校这片绿色教育生态的沃土上，茁壮成长；又似一双巨手，托起明天的太阳。最外一层为一轮闪亮的光环，预示着我们努力营造和谐、宽松、自由、美好的绿色教育生态环境，师生在这样的环境中会幸福、健康、快乐地生活、学习和工作，努力为学校增添新的光彩（图 6）。

本校徽为我校 2003 届毕业生罗智中自行设计。

5. 校歌——《新世纪的校园》

《新世纪的校园》是万泉小学的校歌。歌曲为两段体。第一段，以欢快活泼的旋律，表现了少年儿童热情向上，追求幸福的情感；第二段，以抒情畅想的基调，抒发了孩子们对母校的热爱以及对未来的展望。

全曲旋律欢快、流畅，节拍紧凑、雄壮，令人振奋，歌词贴切易懂，深受师生喜爱（图 7）。

《新世纪的校园》的词作者是景小霞校长，曲作者为中国空军歌剧团姜春阳先生。姜春阳先生的代表作是《幸福在哪里》、《红梅赞》、《军营男子汉》等歌曲和《江姐》、《刘三姐》等歌剧。

6. 校花——玉兰花

玉兰花是我们的校花。每当春天来临，满树的花朵散发出诱人的香气。它颜如玉，象征着师生纯净芳洁的人格；味如兰，映衬着师生高贵典雅的气质；形向上，凸显着师生蓬勃向上的进取精神。它迎风摇曳，满树开花，巍然挺立，体现了每一名万泉人发扬团结奋进的团队精神，追寻幸福、感受幸福的人生姿态。

新世纪的校园

——万泉小学之歌

景小霞 词
姜春阳 曲

图7　万泉小学校歌

玉兰花是孩子们非常喜爱的花，每当初春玉兰花绽放的时候，孩子们围观着，观赏着、欢笑着。2009届毕业生王一然同学的《校园里的白玉兰》，让我们看到孩子们热爱学校、热爱生活的美好心灵。

校园里的白玉兰①

王一然

没有老槐树的粗壮，没有白杨树的挺拔，没有杨柳树的婀娜，没有银杏树的妩媚。一根碗口粗的树干，几条极尽向上的枝条，这就是你，一棵默默无闻的白玉兰。

乍暖还寒的初春，在其他树木还在风中瑟瑟发抖时，你已偷偷地探出尖尖的铃铛般的小脑袋迫不及待地呼吸着春的气息。你用力撑开一条小缝。“春天来了！”你欢畅地叫着。终于，你拨开洁白的衣裳，展开你的迷人的笑颜。“这是什么花呀？好美呀！”校园里同学们围着你赞赏着。你有些羞涩了，用几片衣袖遮住了半边脸，“玉兰花开了，春天来了！”小同学的喊声把你惊醒。“同学们喜欢的是春天，我要让春天更加美丽。”你高高地昂起了头，将洁白的衣裙自然地铺展开来。于是，在初春的朝阳下，同学们看到，纯洁的白玉兰花随着微风翩翩起舞，是那样的清新高雅。既像美丽的白蝴蝶，又像洁白的和平鸽，更像可爱的花仙子，满树的玉兰花朝气蓬勃，朵朵向上。你没有五颜六色的花瓣，没有浓郁的芬芳，但却拥有一颗无私奉献的心。这就是你，一棵热爱春天的白玉兰。

校园中的白玉兰花开了，我们迎来了在这个校园里度过的第六个春天。欣赏着你那迷人的舞姿，呼吸着你那淡淡的幽香，回想着这六年里的点点滴滴。一个个画面像电影一样在我的脑海中流淌。白玉兰你默默无闻地无私奉献着青春和美丽。我们的老师又何尝不是这样呢？每天清晨当我们迎着朝阳走进校园时，老师早已静候着我们的到来。中午，当人们都在休息时，我们的老师仍在为我们批改作业。夜晚，最后一个离开校园的仍是我们敬爱的老师。寒风中，老师给我们送来温暖；暴雨中，老师为我们遮挡风雨；悲伤时，老师为我们擦干眼泪；迷茫时，老

① 指导老师，蒋琳。

师为我们指明正确的航向；失败时，老师向我们投来激励的目光。老师令我们的四季充满春的气息。老师您就像那朴实无华的白玉兰一样，是我们心中最动听的歌，最美丽的画，最优雅的诗。老师，您就是那株热爱春天，默默无闻的白玉兰。

校园里的白玉兰，洁白如玉，清雅如兰；校园里的老师，圣洁如玉，高雅如兰。

7. 标志性雕塑

在学校的中央矗立着一尊用不锈钢材料制成的雕塑——希望之星(图8)。这是由全校教师参与设计，专业设计人员给予修改而完成的寓意深远的成功力作，是我校的标志，曾荣获1996年北京市校园文化建设一等奖。

雕塑表现了这样的意境：

图8 学校雕塑——希望之星

一双徐徐上升的巨手“捧着一颗心来，不带半根草去”，呵护并托起明天的太阳。在太阳周围环绕着几颗小星星，那是太阳发出璀璨的光芒，它象征着我们万泉小学的孩子们从小就阳光、灿烂，快乐成长，在老师的精心哺育下，成为一颗颗希望之星。祖国的未来等待着他们去建设，世界的蓝图等待着他们去描绘，他们是祖国的希望。今日的努力，必将抒写未来人生的辉煌！

在课间、在闲暇时，孩子们尽情地围在雕塑前玩耍、沉思、憧憬，体会着雕塑给他们带来的精神享受。2009年毕业生马冰婵用《校园的雕塑》一首诗诠释着对雕塑的理解。

校园的雕塑[①]

马冰婵

在母校不知不觉生活了六年，
每天都能看到校园的雕塑，
每天都有不同的感受……

刚入学时，同学们说：
“看，那是雕塑！”
“对呀！上面还有小星星呢！”
大家并不知道它真正的意义，
好像它只有雕塑的外壳，
里面空荡荡的……

刚刚会认一些字时，
便看到展板上，
写着那雕塑的意义，
大概就是
“捧着一颗心来，不带半根草去”
但那些说明只是印在纸上，
不是刻在心里……

再大一点时，
就全身心投入学习了，
不再注意这些，心里没有一点概念，
只有广播里的“请到雕塑集合”

① 指导教师，郭爱莲。

好像这就仅仅是一个地点名词……

五年级时，一次与同学玩耍，
无意中看到雕塑的底座上刻了一些字，
因此发现雕塑的真正样子：
两条“丝带”环绕着一个圆球，周围有星星点点……

现在，我终于明白了！
那雕塑中间的圆球，就好比我们，
在每一位老师眼里，都是一颗璀璨的珍珠；
那两条“彩带”，是老师的教导、关心与呵护，
包围着我们，伴我们成长；
上面的星星，是那一个个优秀的榜样，
正所谓：“今天我以学校为荣，明天学校以我为荣”
我们所有同学，都能成为“星”的榜样，“星”的骄傲……

校园还是那个校园，
雕塑还是那个雕塑，
唯一变的，是心中的理解……

（二）质量立校

教学质量是学校发展之基石，是立校之根本。就教学管理而言，我校力求从教学的日常工作入手，探索规律，服务基层，提高质量。我们努力把日常工作做得不平凡；努力为日常工作注入更多的设计成分；加强日常工作的反思与改进，不断提高教育教学质量。

为此，在学校建设过程中我们坚定“一根主线”，抓好“两支队伍”和“育人工程”建设，正确处理“三个关系”，努力实现“三大突破”，达到学校内部生态系统的“四个和谐”和“三个统一”。

“一根主线”指的是，全面贯彻党的教育方针，全面推进素质教

育；面向全体学生，对学生的全面和可持续发展负责。

“两支队伍”指的是，抓好干部教师队伍建设。以“一只优质的管理团队 + 一批好教师 = 一所好学校”工作思路为指导，达到五个目的：建设一个好班子，完善一个好体制，培养一批好教师，创设一个好环境，健全一套好制度。

“育人工程”指的是，抓好三个良好习惯，即良好的行为习惯、良好的学习习惯、良好的生活习惯；落实四个育人渠道，即管理育人、家庭育人、活动育人、环境育人；达到五项基本要求，即上好课、做好操、写好字、学好一项技能、完成好作业。

“三个关系”指的是，要正确处理好三个关系：大面积提高与重点突破的关系、过程与结果的关系、阶段性要求与长远目标的关系。

“三大突破”指的是，实现德育管理创新、课堂教学创新、评价方式创新三大突破。

“四个和谐”指的是，自我的和谐、人与人的和谐、人与社会的和谐、人与自然的和谐。

“三个统一”指的是，学校的发展同社会发展的统一、教师的发展与学校的发展的统一、学生的近期发展与长远发展的统一。

（三）队伍强校

深化基础教育体制改革，全面推进素质教育，已成为时代的必然。要全面推进素质教育，教师素质是关键，因此，建设一支高素质的教师队伍，是学校工作的重中之重，是全面推进素质教育，加快基础教育课程改革实施进程，切实提高教育质量的根本保证。为此，在推进“绿色教育生态”建设过程中，我们重点加强名师工程建设和团队工程建设。

名师工程包括以下方面：

• 通过“传、帮、带”活动，造就一批智艺超群，颇受学生欢迎的青年骨干教师。

• 以人事制度改革为契机，引进与培养相结合，造就、推出一批校级名师。

• 以师德师风建设为突破口，造就一批“紫禁杯”优秀班主任。

• 抓好区级以上骨干教师和学科带头人队伍建设，保持区骨干和学科带头人占学校总人数三分之一的强劲势头，努力实现新的突破。

• 在区学科带头人中培养市级学科骨干和学科带头人，努力保持正增长。

• 实现特级教师零的突破。

团队工程包括：

• 建立学习型组织，实现自我超越。

• 以学科工作为中心打造海淀区知名的“大雁”研究团队。

（四）特色亮校

学校特色发展是引领学校自主发展、呈现学校个性的重要举措，是满足教师专业成长、学生全面发展的有效抓手，是加强教育内涵发展、提升学校品位的迫切需要。我们努力在课程开发、德育、教学、管理、文化建设等方面创出特色，实现自我发展。为此，在一定时期内，我们努力抓好“创新工程”，推进“品牌工程”的建设力度。

创新工程包括以下三个方面：

• 德育阳光工程，让孩子自主教育、自主管理、互助发展、让每一个孩子天天有进步。

• 管理创新工程，绿色教育生态系统的建设。

• 科学评价工程，构建发展性教师评价体系和发展性学生评价体系。

品牌工程包括以下四个方面：

• 保持艺术教育示范校。重点建设“四团、二社”。四团，即民乐团、管乐团、舞蹈团和合唱团；二社，即科技社和美术社。

• 巩固校本教研基地校，通过建设“大雁团队”，进一步完善校本教研工作特色校。

• 建设体育特色发展校，发挥棒球队的优势，带动武术队、田径队和体操队的发展，同时以“校园集体舞”、“少儿禽戏”课程为突破口，形成体育发展特色。

• 建设科研特色发展校。坚持科研兴校的发展策略，稳步推进学校各项改革。

“营造绿色教育生态”是我们工作策略，“传递教育幸福”是我们工作追求的目标。前者为后者服务，后者又促进前者的发展。

绿色教育生态建设的过程既是优质教育资源的开发、积累和利用的过程，也是对影响教育发展的内外各种积极因素和消极因素进行调控的过程。作为一个开放的系统，绿色教育生态要对有利的因素进行吸收、维护和壮大，对不利的因素进行抑制、排除和转化，建立起兴利避害的运行管理机制，形成有利于教育资源开发和利用的可持续发展的良性循环机制。对外要有疏通、过滤和转化机制，及时将更多的社会资源转化为教育资源，同时要建立安全屏蔽系统和免疫系统，防止侵害和破坏；对内要有一种生成和转化机制，激发内部发展活力，保持和谐的环境，约束和抑制不和谐因素增长，及时化解内部矛盾，增强修复生长能力，始终保持稳定发展的态势。

绿色教育生态建设的过程也是传递教育幸福的过程。在绿色教育生态建设过程中，我们坚持“以人为本”的原则，尊重每一个人，关心每一个人，为师生创设一个自然的、和谐的、美好的、多元的和可持续发展的最适宜于师生共同成长的生态系统，让教师走向职业幸福，让学生度过幸福的童年。

第三章 绿色生态课程——健康、阳光、乐学

有什么样的教育理念就会有什么样的教育课程。教育理念是实施课程改革的重要基础和先决条件，而在对课程观理解的各种新理念中，最为重要的便是回归生活的生态课程观。回归生活的生态课程观从本质意义上说，就是强调自然、社会和人在课程体系中的有机统一，使自然、社会和人成为课程的基本来源。它的基本观点是：自然即课程，生活即课程，自我即课程。

我校绿色生态课程的开发基于生态课程观，我们把课程视为一种生命，它始终处在变化发展中。学习者在追寻个人意义的同时，必须考虑在他所处的生态体系与整体社会环境需求间寻求平衡，以维持有机生态层的平衡状态。我们课程内容是动态生成的，课程内容的规定是一个预设系统，而不是既定系统。师生不仅是课程的实施者，更是课程的开发者、设计者。在课程的实施过程中，新教学理念的融入，教学经验的生成，教学程序的设计，教学方法的实施，教学质量的提升，促进多元课程的发展。几年来，为了满足学生发展的需要，我们从基础知识的拓展和综合能力的培养出发，开设了内容丰富的课程。多种课程项目，使学生有了充分选择的可能。大大激发了学生活动兴趣，也激扬了学生的创新发展能力。

一、历史追寻，形成和谐生态课程体系

我校的课程改革经历固定模式期和弹性发展期两个阶段，突出的特点是由教师教向学生学转变，教学方式由死记硬背向重视实践发展，教学内容由单一的几门学科向综合学科拓展。

新中国成立以后，随着我国对学校课程设置采取了“改革旧课程、继承吸收有用成分的课程教材”发展政策，我校选用老解放区的课本或比较通用的旧课本作为学校的课程教材，直至20世纪90年代初，这一时期均为国家课程统一设置的固定模式期。1951—1952年，我们选用1951年出版的第一套由人民教育出版社出版的全国通用的小学教材作为课程内容。1952年以后，随着国家统一课程设置政策的实施，我

们的课程体系没有多大变化，其基本特征是严格遵循国家规定的课程设置实施日常教学，学校没有课程设置与开发的权力。1993 年以后，国家教委第一次将以往的“教学计划”改为“课程计划”。新的计划突出德育为首，德、智、体、美、劳五育并举全面发展的教育方针。第一次将活动课程与学科课程并列为两类课程，随即我校进入了课程弹性发展期。这一时期，我们参与了国家教育发展研究中心未来教育工作室“探究二十一世纪的基础教育模式——综合构建普及教育体系实验研究”课题，在上级部门的领导和北师大的直接参与下，课程分为五类，即在基本符号手段方面有语文（在民族自治地区某些学校中可分为本民族语文和汉语文两课）、外语、数学；在基本知识体系方面有行为指导、社会常识、自然常识；在体格与劳动技能锻炼方面有体育、工具使用与科技制作；在审美熏陶方面有音乐舞蹈（简称乐舞）、美术工艺（简称美工）。另有课外团队小组与兴趣小组活动为学生提供广阔的园地，将德、智、体、美、劳成果融入日常集体活动中。这一时期教育观念比较先进，但存在着课程内容偏难偏繁、德育主要以灌输为主，课程评价强调学业成绩和甄别选拔功能、人文学科比重过低等问题。

2002 年以后，随着新课程改革在我校实施，我校的课程结构也发生了重大变化，建立起“国家课程、地方课程、校本课程”三位一体的运行机制，在课程内容上更加灵活，国家的课程可以在课程纲要的指导下结合地区和学校的实际进行校本化实施，学校有了更多的自主权，开发新的课程成为提升学生综合素质的重要渠道。

我校在新一轮课程改革当中，坚持以国家教育改革与发展基本精神为指导，逐步形成以培养学生“强健体魄、阳光心态、乐学善思”为课程目标的“生态化的多元校本课程体系”（如图 9）。课程分成三类：第一，以“强健体魄”为核心的体育类课程，包括少儿禽戏、棒球、舞蹈、健美操、武术套路、羽毛球、韵律操等；第二，以“阳光心态”为核心的思想、心理和艺术类课程，在国家课程基础上我们新开发的《现代儿童》、《品德与生活》和《品德与社会》教材、合唱、绘画、篆刻、书法、民乐、管乐课等；第三，以“乐学善思”为核心的知识文本类课

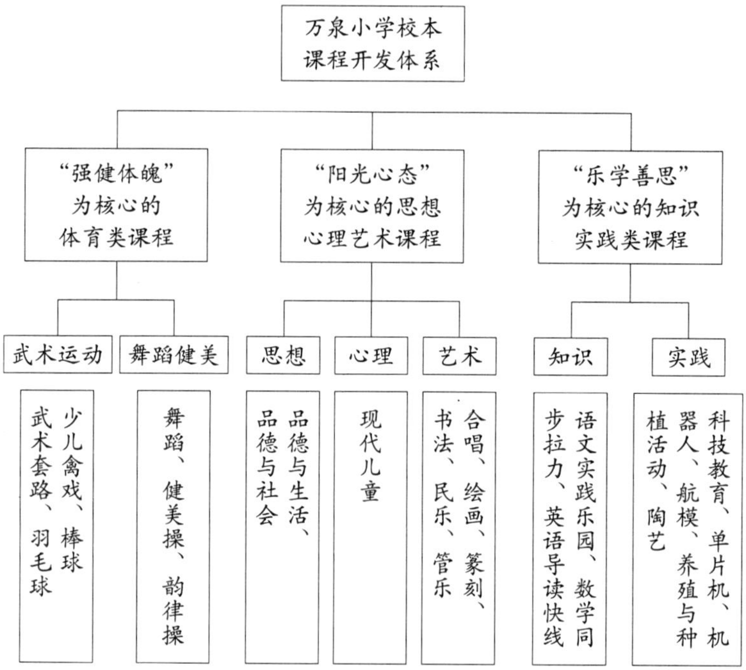

图 9　学校校本课程体系

程，包括语文实践乐园、数学同步拉力、英语导读快线、科技教育、单片机、机器人、电子制作、计算机编程、计算机画图、航模、纸模、养殖与种植活动、陶艺等。其特征是强调课程要促进每一个学生身心健康发展，培养孩子终身学习的愿望和能力；处理好知识、能力以及情感、态度、价值观的关系；重视学生基本经验的积累与学习兴趣的培养；倡导学生在学习过程中主动参与、自主建构、合作探究、沟通交流。

我们将课程视为和谐的生态体系，系统内每一个事物均环环相扣并互相影响，学习者在追寻个人意义的同时，必须考虑在它所处的生态体系与整体社会环境需求间寻求平衡，以维持有机生态层的平衡状态。我们将课程视为一种生命，始终处在变化发展中，它既能保持知识的完整性，又能适应知识社会、现代社会的快速变化，具有自我完整性、课程开放性、主体参与性、课程的发展性、个体多样性与课程的选择性等特点。我们课程的最终目的是增进对自然的理解、尊重与保护，增强社会发展的可持续性，提升文化发展的生态化和促进个体发展的和谐性。

二、强健体魄，让健康伴随孩子的一生

在学校的教育教学活动中，课程是处于中心位置的，它是实现培养目标的载体，而课程标准又是课程改革的核心任务之一，是国家对课程的基本规范和质量要求，它是编写教材、教学、评估和考试命题的依据，也是国家管理和评价课程的基础。在体育与健康课程标准上，将原有的“体育”改成“体育与健康”，把健康放在最重要的位置上，而且将“健康第一”的思想作为最基本理念，它反映的是世界学校体育改革的趋势。

我校的体育课程改革力求体现以下特点：第一，把健康第一的思想贯彻到工作的方方面面，增进学生健康贯穿于课程实施的全过程。我们认为，健康是个体不断发展的机会和前提，是教育的落脚点。第二，在课程内容上体现时代性特征。按照“课程标准”的要求，将部分陈旧的和一些过分强调标准技术动作而不符合学生年龄特点的内容删除，在吸收旧教材精华的同时及时介绍各种新兴的运动项目，精选一些有利于培养学生终身体育观及树立“健康第一”的内容。我们引进了棒球，把棒球作为学校发展特色；我们改编“五禽戏”，将其作为小学低年级学生喜爱的课程，我们将武术套路融进中高年级的教学中，激发学生热爱祖国传统文化的情感。

（一）基于学生个性发展的课程——棒球

我校的棒球队始建于1989年，在20多年的风雨历程中，历届带队教师都把培养新队员作为重要任务。他们采用梯队式培训方式，即在中年级开始培训队员，分为C班、B班和A班三个等级，人员覆盖率达到班级总额的20%。每天下午，队员们均有训练，而且教师们也把棒球课融入日常的教学之中，把它作为日常教学的一项内容。由于

队员们的努力，棒球队几年以来连续多次荣获海淀区中小学棒球比赛冠军，三次进入北京市中小学棒球比赛前三名，多次在北京市参加全国比赛中荣获大奖，2010 年还荣获“钻石杯”全国总冠军。同时，还应邀参加了香港棒球国际邀请赛、中澳棒球友谊赛等，为祖国和学校赢得了荣誉。由于棒球队的佳绩，棒球队的队员往往到了六年级会被一些知名中学全盘招收。我校也先后被评为海淀区棒球传统学校、北京市棒球传统学校。

棒球队采用本校教师与外聘教练相结合的执教方式，原国家队主力队员高峰、李群、杨守忠、杨德新以及现役国家队队员孙伟、李伟良、李磊、张伟（原万泉小学棒球队队员），现役北京队女垒教练李清华、北京青年队教练冯祺峰，都曾来我校面授指导。

棒球队的训练课程主要以教师传授棒球技艺以及队员相互配合为主，C 班主要练习基本动作，B 班主要练习相互配合，A 班主要练习攻防战术。同时，棒球队还以打比赛锻炼队伍，磨炼意志。

（二）立足全员的普及课程——“少儿禽戏”

我校武术队小有名气，然而这些都是在中高年级开展的活动，如何在低年级学生中贯穿“健康第一”的思想，让低年级也有体育特色活动，体验体育运动的快乐，体会中国武术博大精深，通过调查研究，我们萌生了改编五禽戏的念头。

五禽戏相传是汉末华佗模仿虎、鹿、熊、猿、鸟的动作，创造的这一套动功，具有养生保健作用。虎的凶猛、鹿的奔腾、熊的稳健、猿的灵巧、鸟的轻盈，均是孩子们所喜爱的形态，将五禽戏改编成最适合低年级孩子学习的“少儿禽戏”，既让孩子们喜爱，又达到健身的目的。我们从 2002 年开始进行少儿禽戏的研究，并于 2005 年在低年级率先开设了“少儿禽戏”的校本课程。

“少儿禽戏”共分六戏，由鸟、虎、猴、蛇、鹿、鹰组成，每戏动作都是模仿了相应的动物的动作特点，相互对称、快慢相间、形神兼备、气息调理。它不受场地和器械的约束，不受时间和动作顺序的制约，形象活泼，平和制动。其功能是：促进学生的骨骼成长，增强学生柔韧、协调及下肢力量等素质，锻炼学生的平衡器官。

通过几年来的实践，我们的“少儿禽戏”达到了预期效果。第一，学生们掌握了有关身体健康的知识和科学的健身方法，提高了自我保健意识，养成了健康的行为习惯和生活方式。第二，少儿禽戏锻炼要做到：全身放松，意守丹田，呼吸均匀，形神合一。练鸟戏时要表现其展翅凌云之势，方可融形神为一体；练虎戏时要表现出威武勇猛的神态，柔中有刚，刚中有柔；练猴戏时要仿效猿猴敏捷灵活之性；练蛇戏时要在沉稳之中寓有轻灵，将其柔术之美表现出来；练鹿戏时要体现其静谧恬然之态；练鹰戏时要体现凶狠刚劲之性。通过练习可以焕发学生的精神面貌，促进身心愉悦，提高幸福指数。第三，少儿禽戏来源于五禽戏，这一课程从小培养孩子热爱中国武术，更好地加强了爱国主义教育和民族主义教育，树立了良好的体育道德风尚。

（三）陶冶情操的阳光课程——校园集体舞

我们把舞蹈、健美操和韵律操融入课程之中，纳入到大课间教学训练之中，形成校园集体舞。2008 年 6 月 6 日我们的曙光校区承办了北京市校园集体舞现场会。

伴着清晨的阳光，迎着飘扬的彩旗，6 月 6 日上午 8:50 在海淀区万泉小学曙光校区举行了隆重的海淀区“迎奥运阳光体育活动现场会暨万泉小学校园集体舞展示”活动。国家教育部体育卫生与艺术教育司、中国教育学会体育研究会、人民教育出版社、北京教科院基础教育研究中心、北京教育学院体育与艺术学院、北京教育学会体育研究会、海淀区教委、海淀教委体卫中心等 20 余名相关领导和专家以及海淀区 160 余名相关的教研员、主管领导和体育教师出席了本次集体舞现场会。

校园集体舞是教育部组织经验丰富的专家们根据学生的年龄特点创编的融艺术与体育于一身的一种校园舞蹈表现形式，其中的鞠躬、邀请、拍手、旋转等动作设计充满朝气，融入了现代舞、健身操等多种元素，它不仅是一种新的运动形式，更是一种艺术形式，舞蹈中孩子们得到美的体验，也受到了艺术的熏陶，形态、仪表、礼仪，以及节奏、乐感等方面都得到了培养。

万泉小学曙光校区自从2007年9月推广校园集体舞工作以来，校园文化、体育活动都得到了进一步的丰富，学校在学习、推广、展示集体舞的过程中留下了许多闪光的足迹。孩子们的集体舞在中心、区级现场会及北京市运动会上都进行了精彩的展示，得到了家长们的大力支持、社会的极大关注，以及新闻媒体的广泛报道。此次展示活动不仅展示了教育部推广的几支集体舞，还展示了万泉小学自主创编的两支集体舞，充满阳光的校园里，600名可爱的孩子们和着欢快的节拍，踏着灵动的舞步，展开优美的身姿，一起翩翩起舞。舒展、优美的舞姿展现了他们活泼开朗、健康向上的精神风貌，更跳出了童真的欢乐。当欢快活泼的《找朋友》的音乐声奏响，孩子们更是热情地邀请嘉宾和老师们一起共舞，绿色的操场上，大家一起回味美好的童年，体味校园生活的幸福。此刻，现场会的气氛达到了高潮。孩子们优美精彩的舞蹈表演和整齐划一的队列表演赢得了现场与会老师们的阵阵掌声。

在随后的展示中，两位万泉体育老师分别从不同角度结合运动与舞蹈进行体育教学示范。最后的交流会上，万泉小学曙光校区的主管领导张景华汇报了学校“阳光体育”工作的落实情况，专家们对本次集体舞活动进行了精彩点评，与会嘉宾和老师们对本次集体舞活动给予了赞赏和高度肯定。

在全民运动，共迎奥运的日子里，优美健康的集体舞让学校的大课间体育活动充满阳光，使每一个孩子拥有美好的童年、跃动的童心、宝贵的童真。

体育是令人愉悦的、令人欢快的运动，它既能增强体质，同时在心理上给人以放松、振奋的感觉。可以说，这类课程的开展是孩子们身心健康的双丰收。

三、阳光心态，让孩子具有健康人生姿态

20 世纪 80 年代，改革开放之初，针对人口无节制的增长，我国开始实行计划生育政策。从此，中国社会多了一个名词——独生子女。90 年代初，第一代独生子女开始进入学校。随后，我们渐渐发现了独生子女以自我为中心、孤僻不善合作等问题，不会与别人交流沟通，从而引起心理健康问题。而这些不足如果不好好地加以解决、弥补，则很可能影响孩子的一生幸福。如何让孩子打开心扉，走出困惑？如何倡导弘扬人的个性和独立性的同时，追求正确的人生观、价值观？这一系列问题，成为我们德育工作的重点。2000 年我们编写了《现代儿童》教材，2002 年我们编写了《品德与生活》教材，2003 年我们编写了《品德与社会》教材。

（一）关注儿童心理——《现代儿童》教材的诞生

随着国家计划生育政策的实施，独生子女数量的急剧增加，独生子女教育问题成了社会普遍关注的问题。他们在多位长辈（父母、爷爷、奶奶、姥爷、姥姥）的重重呵护和“无微不至”的关怀下，很多孩子成了“温室里的花朵”，养尊处优，一帆风顺，经受不住风吹雨打。长此以往，他们很少懂得去关心别人、尊重别人，至于宁可牺牲个人利益而为别人着想的例子更是鲜为人知。而这些不足，如果不好好地加以解决、弥补，则会对他们今后的发展不利。

在长期的实践中，我们更清醒地认识到，学校作为孩子们学习成长的地方，更有责任自觉地担负起教育教学改革的重任。为了孩子幸福、快乐地成长，去探索开创一门新的课程——“现代儿童”。

我校多次组织领导班子成员及全体教职员工认真学习教育部相关文件精神，并对学生出现的问题进行理性的思考。在此基础上对学生进行了心理测试与发展水平前测，进一步了解学生的发展水平和需求，并以此作为校本教材编写的出发点和主要依据。同时针对学生和教师反映上

来的问题，我们搜集相关资料，静心思考，共同探讨，深入研究儿童的心理、生理特点及成长规律，寻求解决存在的问题的方法。期间，我校还特别邀请了中国人民大学附属中学的靳忠良老师来校指导我们的编写工作。最后，在专家指导、帮助的基础上，我们经过反复修改与校正，出版了我校第一本校本教材《现代儿童》。这本教材从关注学生终身发展的需要这一教育理念出发，根据现代儿童的心理特征、年龄成长规律，针对独生子女教育所面临的种种问题编写的校本教材，共22课书，分为了四个单元。该教材编写成功后，在我校四、五、六年级学生中分别进行了教学实验，均受到学生欢迎。

李丽红老师，在课后反思中这样写道：

我们编写《现代儿童》教材，就是要解决孩子们思想、行为等方面的实际问题，真正学以致用，就是要接触孩子们心理发展上的苦闷与不解，帮助他们健康、快乐地生活、学习。我在用这本教材上课时，深深地感到了，我们在课堂教学中，努力创设的形式多样的教学活动，激发了学生的学习兴趣，确实让孩子们在轻松、愉悦中受到了教育，我也真正体会到了什么是寓教于乐。

我们的孩子在上完了“现代儿童”课后也写下了这样的体会：

“现代儿童”是我们心灵的窗户，当我上完课以后，心情舒畅，精神焕发。“现代儿童”课与我们以前上过的课大不一样，这是沟通我们心灵的课，它给我们帮助和激励，给我们欢声与笑语，给我们信心与力量，我喜欢“现代儿童”课。

学生在实验新教材中的进步，老师、家长们对新教材、新课程的充分肯定，我们感到欢欣鼓舞。研究中我们有意识地把实践中的一个个课例，一次次地讨论修改，不断地完善，同时在实践中，我校又把我们在心理健康课题研究中的思考及实践，写成了近3万字的研究报告，并把我们在研究中编写的实验教材，开设课程后的总结与反思，作为研究成果上报给了全国心理健康研究课题组，我校在全国课题研究中期总结大会上，作了典型发言，受到了各兄弟学校的一致赞扬。这赞扬，这鼓励，孩子们脸上露出的笑容，家长在调查问卷中的高度评价，继续激励着我们在研究中不断实践、探索、反思、前行。我们的校本课程，也在实践中不断地得到补充、修改、完善。我校的心理健康课题研究，也在一步一个脚印扎扎实实地前行，使我校在此课题结题时被评为了“全国心理健康研究标兵学校”。

新教材的编写成功，激励了老师们作为校本教材开发者的那份自信，老师们用心解读新教材，用实践验证新课程。同时将实践、反思中的问题作为进一步完善本教材的依据。可以说，《现代儿童》教材的编写成功，是万泉小学校本开发道路上的一个重要的里程碑。

（二）捕捉日常教育的契机——全新的《品德与生活》、《品德与社会》教材

在教育教学过程中，我们深深地体会到：孩子是个独立的人，在他们很小的时候，就有很强烈的“自己的事情自己做”的愿望，我们应充分尊重孩子的需要，给孩子必要的体验、引导、尝试和选择的机会，帮助孩子走向成功。

我们也发现，每个人先天的遗传基因、后天的生活经历和学习水平，无不深刻地影响着每个人的思维方式和行为风格。孩子今天的生活状态正是他出生以来各种学习经验的积淀。在看到孩子问题的时候，我们认真地反思自己的教育言行，反思我们对孩子的引领够不够，有没有就一些具体的对孩子发展不利的言行进行调解，更重要的是我们能不能担负起自己的责任？

小学阶段是孩子品德、智力、生活能力等形成和发展的重要时期，正确的生活态度、良好的道德和科学素质是孩子未来发展的基础，努力构建出符合儿童身心发展特点的思想品德课程是我们建设校本课程的重要方面。据此，我们深入学习教育部颁发的“品德与生活”和“品德与

社会”课程标准，在国家《品德与生活》、《品德与社会》教材的基础上，结合学生实际自行编写了我校校本教材《品德与生活》和《品德与社会》，分别在一年级和三年级进行试用。

我们的《品德与生活》、《品德与社会》校本教材具有以下几个特点：

主题鲜明。从宏观角度来看，《品德与生活》与《品德与社会》校本教材，内容的选取满足了课程标准提出的要求，课文内容的排列顺序基本上遵循“健康、安全地生活”、“积极愉快地生活”、“负责任、有爱心地生活”、“动脑筋、有创意地生活”四个课程目标的前后顺序。培养学生良好的品德和生活习惯、探究自然的习惯以及热爱生活是贯穿四本教材的主题。我们的特点是：第一，把在现实生活中的典型事例或场景融入到教材当中去，使教育具有实效性；第二，教材中增加了更多的学生参与内容，使学生感觉亲切；第三，把班级管理、家庭活动与教材内容有机结合，实际上成为孩子们的成长手册。

内容生动。本套教材内容主要的特点是以“儿童的现实生活为课程内容的主要源泉”。在全书中坚持选取与儿童思想实际和现实生活密切联系的案例、材料，并且尽可能地选取儿童能够理解的故事、童话、趣闻以及新近发生的生活事例和材料。在内容的顺序安排上以儿童扩展的生活为主要线索。对于一年级刚刚入学的孩子来说，《品德与生活》注重培养孩子的生活能力，引导孩子学会适应学校生活，安排好自己的生活，照顾好自己、做有礼貌的孩子等。而对于已经适应学校生活的三年级学生来说，《品德与社会》则注重引导学生养成健康的生活习惯，并且随着学生对学校生活逐渐熟悉以及自理能力的提高，教材开始引导学生关心周围的人、物、世界，做有爱心的人、学会宽容等。

我们在教材的编写中注意了所选择、所安排的内容是学生生活中需要的，是与学生的生活密切联系的。我们根据“品德与生活”和“品德与社会”课程标准在教材中的每一篇课文里都选取了一个或多个带启发意义的生活事例。例如，第一课“小兔和小羊”我们选取了动物学校开学的事例。这个事例中小猫、小狗、小鸡、小猴、小兔子等小动物高高兴兴上学。小兔子和其他小动物能够主动打招呼、交流，但是小羊不能主动地与其他小动物交流。这些内容与一年级小学生从幼儿园升入小学的内容大体一致。学生看了有亲切感，并且熟悉这些内容。学生可以通过《品德与生活》教材提供的内容看到自己和同学的影子，从富有童趣的小动物身上发生的问题联想到自己身上的问题，从而知道如何与他人交往。

形式活泼。在体例上，《品德与生活》教材共四册，每册由十几篇课文组成，其中每一篇课文里都根据课程标准的要求设计了一个或多个带启发意义的案例或事例。课文内容围绕案例或事例设计了生动形象的插图。为使教材更贴近儿童的生活，增添生活的色彩和情趣，我们还设计了“请你思考”、“让我们活动”、“小喜鹊唱歌”、“小喜鹊招手”四个小栏目。

《品德与生活》教材体例特点是围绕案例或事例，根据课程标准设计生动活泼的教学内容和教学活动。

在课文中设计了师生讨论或学生讨论的主题，并配有相关的游戏、表演或实践活动。同时还针对案例或事例设计了有关练习、问答、作业等活动。我们采用这种教学模式主要是为了突破知识传授型的传统模式，让学生在生动的带趣味性的系列活动中学习、思考、体验。

“请你思考”栏目是引导学生自己对课文内容进行深入思考。

“让我们活动”栏目是组织学生根据教材要求开展讨论、交流、讲故事、情境模拟、角色扮演、画画、写体会、办展览、搞调查、访问等一系列活动。

“小喜鹊唱歌”栏目是教材要求的提示或课文内容的要点，是课程内容的补充。我们选用的有儿歌、警句或简明、通俗的话，主要起到提示和唤醒的作用。

“小喜鹊招手”栏目是教材的延伸内容，也是与其他学科、教育活动整合的活动。在这个栏目中我们补充了与课文内容有关的知识，以及其他学科知识或活动。

图文并茂。作为小学低年级学生的品德教科书，它改变了品德课教科书成人化、呆板、说教的缺点，根据儿童的心理和认知规律，大量采用图画和照片来呈现教科书内容。

在这几本校本教材中，直接呈现的方式，即通过文字直接告诉学生应该履行道德规范的方式，出现的次数并不多，只有三年级《品德与社会》上册的“交通安全小平台”、下册的“自救自护小平台”是直接呈现的，主要是想把这些知识准确明了地告知给孩子。间接呈现的内容在教科书中占了绝大多数。间接呈现是指不直接把道德规范内容告诉学生，而是让学生自己分析故事和图片内容，从而了解道德规范的呈现方式。这几本校本教材中，最常见的间接呈现方式有：①用图片或者照片向学生讲述一个故事，从而引发学生思考，让他们展开讨论；②使用歌谣、儿歌等孩子喜闻乐见的方式，让他们以愉快的心情理解、接受这些道德规范；③在课文后留出一些空白，让学生写写画画，表达自己的体会与感受；④开展小活动、小比赛等。如让学生对周围的生活环境作个小调查；去采访自己的长辈，了解他们做少先队员的故事；利用身边的废旧物品做一些小制作，变废为宝；举行叠衣服和收拾书包的比赛等。这些活动鼓励学生在生活实践中学习道德规范，并在实践中得到道德体会并养成良好的道德行为。

另外，这套教科书内容的间接呈现设计得非常好。虽然教科书使用多达十几种的间接呈现方式，却没有给学生任何混乱的感受。它不是孤立地使用各种活动方法，而是根据教学目标的需要，把各种活动糅和在一起。首先，通过生动的文本，或者是图画故事，或者是歌谣等形式，引发学生对该问题的关注；其次，在课堂上让学生展开讨论、进行思考。在学生对该问题初步了解的基础上，再督促他们在现实生活中做些小事情，在生活中学习并养成道德行为。

活动为主。本套教材注重教学活动。在课文的设计上突出了活动内容的特点，即每篇课文均以活动为主。每次教学以教师组织学生参与教学活动为主要内容，从而改变教师讲授为主的传统教学形式。采用活动导课，活动结课。在课时设计上学生活动约占 2/3 的时间，教师讲解约占 1/3 的时间。

教学活动源于生活又高于生活，我们在设计教学活动的过程中，注意捕捉有教育价值的课题，开展儿童喜欢的活动。我们及时地将社会生活中新的信息、新的成果以及儿童生活中出现的新问题收到课文内容中。

教参设计上突出了对活动教学内容的分析和对活动教学要求的介绍。提倡授课教师从儿童的实际生活中捕捉现实生活中有意义的活动内容，纳入到教材中。

在教学中教师尽可能地创造条件让学生成为学习活动的“主角”。让学生自己活动，自己思考，让学生在活动中得到启发、得到感悟。

我们在编写教材的过程中为活动教学设计了多种方案，并为保证活动教学预设了必要的时间，还补充了必要的辅助教材。为了增加活动，我们还采用了一本多用，一书多种功能的做法。即教材是课本，又是作业，还是活动练习册，一书同时具有三种功能的“三合一”用书。每篇课文均有留白以便学生做笔记、写评论体会、画插图或写作业。

激励评价。《品德与生活》课程标准提出课程评价的理念是：“激励每个儿童的发展”、“强调对儿童学习活动过程的评价，重视儿童在活动过程中的态度、情感、行为表现，重视儿童活动中付出努力的程度，以及过程中的探索、思考、创意等”、“儿童既是评价的对象，也是评价的主体”。

我们根据课程标准在编写《品德与生活》教材过程中，特别注意了评价的过程化、多样化和个性化。

第一课“小兔和小羊”要求“见到同学问声好”。

第二课“猜猜我是谁？”要求“画出或写出你的爱好或特长”。

第三课“铃声帮忙”要求“晚上自己上好闹钟”。

在教材中我们注意在每一篇课文中设计了要求学生完成的活动，我们重点考察学生参与活动的态度和完成活动的感受。这些活动是有针对性的、时效性的行为考察。我们主要考察学生是否参加了活动，是否在活动中有体验、有感受、有收获。

除了教师考察学生是否参加教学活动，并在教学活动中有体验和收获之外，我们还注意收集学生自己评价、互相评价及家长的反映。

第一课教学活动完成之后，我们主要检查学生见到同学和老师是否问好，可以问“你好！”“早上好！”“你早！”“老师好！”“老师早上好！”

第二课教学活动完成之后，我们主要检查学生是否能画出和写出自己的爱好和特长。无论画得和写得怎么样，只要能大胆地贴到班里的墙报上，教师就给予表扬。

第三课教学活动完成之后，我们主要是通过向家长询问学生是否自己上好闹钟，不用家长提醒起床。在这一课的评价中，我们用不同尺度去评价不同的学生。

除了教师对学生参加活动的态度、情感、行为、表现进行考察之外，我们还设计了学生问卷、学生作品展览、师生座谈等评价方式。

另外，“品德与生活”和“品德与社会”课程是综合课程，重点发展学生能力培养、意志训练、情感熏陶、与他人交往、社会发展等多方面的内容。

“蚂蚁搬家”一课，我们要注意不仅根据课程标准培养学生动脑筋，注意观察的习惯，而且还要启发学生与他人合作，共同讨论蚂蚁为什么搬家？在这节课中涉及天气、地理、动物知识，同时还涉及建筑，城市规划。除了让学生动脑筋观察蚂蚁之外，还应注意引导学生观察社会发展的变化。

抓住孩子心弦。总有一个视角可以拨动学生的心弦。在我们的校本教材使用几年来，我们发现：学生或者有了柳暗花明的顿悟，或者有了释疑解惑的愉悦，或者有了凝神屏息的沉思，或者有了热泪盈眶的感动……总之，学生不经意间就获得了一份智慧，一份感动。我们感到这些课程是拨动学生心弦的艺术，让学生在真诚的交流中收获感动。

从下面几个教师写下的感受中，我们可以清晰地发现，我们的教师是多么用心地在作教育。

这是我校梁艳霞老师在上完了三年级“品德与社会”“雨中情”一课三年后写下的文字：

那已经是三年前上的一节课了，可如今我还记得清清楚楚。问起学生，学生呢也会兴致勃勃地和我一起回忆当时上课时的场景和感受。之所以它没有从我们的记忆中抹去是因为它曾经令我们动心、动情，于是我们深深地把它印记在自己的心灵深处。

那是一节普普通通的校本课程实验课，我拿着课本走进教室。那节课的课题是“雨中情”，书上画着一个孩子打着一把伞，冒雨等待家长归来。顾名思义这节课的目的是让学生懂得去关心自己的亲人，去体会父母亲人为自己的付出，而自己要做一个懂得感恩的人，去体味亲人的爱。课后有一个小练习，给家长写一张爱心卡。那是一个大大的红心。故事学完了，课也快结束了，可我知道这节课的真正目的并没有达到，它还只是一个故事。我要借助于这张爱心卡，让学生到生活中去发现爱。

一、让学生发现爱

于是我对孩子们说：“同学们，今天回去之后，大家亲手制作一张爱心卡。爱心卡上要写下爸爸妈妈或亲人的生日，要用最真诚的语言写出你们对亲人的爱。”孩子们喜欢动手，喜欢制作，听到这里有些欣喜，有一种跃跃欲试的冲动。

第二天，孩子们拿来了自己制作的爱心卡，精致、漂亮，但在我看来精致的不是卡的设计，漂亮的也不仅仅是它的色彩，更重要的是这美丽的外表下蕴藏着一个三年级的孩子天真纯洁的心和对亲人浓浓的爱。“这还不算什么。写好后，请你用自己喜欢的方式把它送出去。”然后我给孩子们举了几个小例子。“可以把它藏在爸爸妈妈的枕边；可以放在他们的书桌上，或是双手恭送给你的亲人”。孩子们有些坐不住了，有的面面相觑，有的手舞足蹈，有的情不自禁地说出自己的方式。我等大家安静下来，故作神秘地对他们说：“更重要的是，请你仔细观察爸爸妈妈或是你的亲人收到这张卡后看卡时的表情和神态，请你牢牢地记在心中，明天说说你看到了什么，心里是什么滋味。”下课了，我的心没能平静，我想象着，我期待着，第二天的来临。

二、为孩子制造一个情感共鸣的机会

上课了，我让孩子们述说自己的体会。我还清楚地记得当时的场景和学生的表情。一个小男孩叙说时藏在眼睛里的是无尽的感激；还有那个小女孩眼中充盈着的泪水，这一切反射出来的是孩子那年幼的心灵，而且也告诉我他们读懂了什么，读懂了妈妈的爱，读懂了家长的心。

我知道课不能就在这样的时刻结束。于是我又悄悄地跟孩子们的家长取得联系，让每一位家长在百忙之中为孩子写一封信，可以寄托自己的期望，可以写自己儿时的生活，可以写自己打过孩子之后的心情等，然后将信封好交给学生。

那一节课，我们刻骨铭心。在同一时间里，我让孩子们从书包里取出那封信。孩子们小心翼翼地将它撕开，教室里安静极了。孩子们静静地从字里行间品读着亲人的心声。而我呢，则在一旁仔细观察着每一个孩子的面目表情。然后用摄像机将孩子们读信时的抽泣声和泪水保存下来。教室里静得很，静得只有孩子们翻页时纸张的窸窣声，还有孩子的抽泣声和并不在身边的父母亲人的爱融合在一起的声音。我看到了，也听到了。

三、让课堂有一个圆满的驿站

那一年的家长会，我把录像放给家长们看。告诉家长们：“不要说他们还小，不要说他们不会体谅，看他们眼中闪烁着的泪光，告诉我们，他们已经懂了。多么可爱的孩子们啊，让我们这些大人好好地关心

他们，关注他们的成长吧。”就在我讲完这节课的时候，我同样看到了，看到了那曾经忙碌的忘记一切的家长们的眼中也闪动着泪光。

那节课，我从一个小小的事例入手，让学生动手，动心，动情。使课堂教育从教室走进家庭，最终走进孩子和家长的心里。调动起学生的多种感官，理解，体会，使课堂立体化，向纵深发展。

那一节课，我受益匪浅。我懂得了一名教师有多么重要的作用。从那以后我也用心去做一名好教师。当然今后，自己要做的还有很多，但我深信，要从实事、小事做起，继续品味当老师的骄傲。

这节课出自我校校本教材《品德与社会》三年级上册。正如梁老师抓住了本教材编排的两个特点，“小”与“近”。课文选材来自于生活中的点滴小事——小；故事所选取的实例与学生的现实生活贴近——近。从小事入手，贴近学生生活，以小见大，从形象实例调动学生的情感世界，产生共鸣。

朱清华老师上完“品德与社会”课后，学生在反思中这样写道：

班集体就像是万花筒，我们就像是万花筒中美丽的五彩的纸片，是我们组成了变幻奇妙的图案。每张纸片上写满了优点，转动万花筒，美丽的图案是我们优点组成的。

我们要用一颗宽容的心面对同学，学习他人的优点，这样自己的纸片上的优点会越来越多，我们的集体也就越来越美丽。

我们每个人都有自己的长处，如果你认为自己没有长处，那么就大错特错了，因为长处是需要你去探究，去发现，去寻找的。

全新的《品德与生活》教材的编写成功，使我们更深刻地体会到了，新课标倡导的是构建一种快乐、积极有意义的生活，促使儿童在这种生活中发展，在发展中生活，并从这种生活中得到身体的、精神的满足。学生健康快乐地发展是我们追求的目标，更是我们教育的目的。

总之，我们在《品德与生活》教材的编写过程中，从内容、体例、活动、评价等方面注意了贯彻“品德与生活”课程标准，我们编写的教材注意贴近儿童的生活，突出时代性、针对性，以活动教学、案例教学为主，注意学生情感、能力、知识的综合培养。

绿色生态课程最重要的特征是课程生活化。“课程生活化”作为联结文本与学生思维的桥梁，不仅要准确对接学生实际，对接社会生活实际，还要对接文本内容。推进课程生活化，也就是要通过典型材料来反映文本中的一般原理，让学生从感性入手，来实现理性突破；推进课程生活化要拉近文本与时代的距离，因为文本知识是前人从实践中获得的，而客观事物和实践都在发展变化，文本中的材料也会随着时间推移而慢慢变得陈旧，不能准确反映现实生活，教师有责任把正确的观念传授给学生；推进课程生活化，还要密切关注学生的生活实际，用理性的思维解释学生日常行为，提升学生的思想认识，促进思想和情感的升华。

四、乐学善思，让课程更贴近孩子的生活

新课程的教材一改过去开发和设计主要掌握在少数专家手中、全国“大一统”的管理模式，增强了开放性和弹性力度，给教师留有了充分的开发、拓展的空间，也为学生留有了充分的选择的余地，满足了不同学生学习和发展的需要，使新课程具有强大的生命力。

新课改以来，我们积极贯彻实施“三级课程管理”，依据学校自身的性质、特点、条件以及可利用和开发的资源，在执行国家与地方课程的基础上，实施国家课程校本化的研究，提高课程的适应性，实现课程的多样化，进而提高教育教学质量，为学生的幸福人生打下坚实的基础。

在国家课程校本化研究方面，我们的研究思路是：以语文、数学、英语学科为突破口，以教育部颁发的各学科课程标准为依托，从学校的实际情况出发，依照学校的办学理念和育人目标，以促进学生的发展为前提，以学生的兴趣为动力，充分发挥师生的积极性和主动性对学科课程进行拓展和新编。

（一）破茧成蝶，大雁翱翔——《语文实践乐园》教材

现行的语文教材面向全体学生，其覆盖面包括农村、城镇和城市在内的所有孩子，为了更好地体现万泉小学这个城市小学的特色，扩大学生的知识面，更好地提高学生的语文素养，更好地使学生真真切切地体验到语文的魅力及其带来的快乐，几年来我校语文团队坚持学校“营造绿色教育生态，传递教育幸福”的办学理念，努力推进新课程改革，根据多年来的教学经验，利用暑假研发了一套适合我校学生年级特点的《语文实践乐园》教材。这套丛书是现行语文教材的拓展与延伸，它集课改理念之精华，凝团队之智慧，促进了我校语文课程的改革和发展。

本套丛书在内容的编排上，紧扣课文内容，拓展延伸学生的阅读面，以培养学生语文能力为核心，设计了“看拼音写词语”、“查字典”、“形近字组词”、“同音字填空”、“选择正确字音”、“找错别字”、“选择正确字义”、“修改病句”、“照样子改写句子”、“阅读短文”等板块，内容丰富，既有衔接，又有梯度，拓展了学生思维，提高了教学质量。

在形式的设计上，新颖别致。既有字音字形的训练，又有词语理解、搭配的练习；既有句子的扩写缩写，又有段篇的阅读理解；既有课文内容的填写，又有课外知识的拓展。在注重形式多样的同时，夯实了学生的双基，激发学生的创新灵感。

整套丛书体现了以下几个特点。

针对性强。《语文实践乐园》是根据国家教育部中小学生最新课程标准，配合“北师大版教材”而编写的。编者均是有丰富教学经验的一线语文任课教师，针对学生年龄和教材特点，采取与课文、单元相对应，与教材完全同步的方式。全套共有 12 册，涵盖了小学的六个年级，每个学年分上下两册。每册都紧紧围绕教学重难点，从字、词、句、段、篇五方面进行精心设计，注重学生基础知识和基本技能的训练，做到训练内容、训练形式、训练方法、训练时间更具有针对性，拓展了教材内容，弥补了教材的不足，提高了学生的有效学习，更有利于学生对知识的掌握和能力的提高。

实效性高。新教材的使用，给我们的课堂教学和学生的有效学习提出了新的挑战。如何使学生能愉悦学习，张扬个性，是我们编写《语文实践乐园》中思考的新课题。为了更好地配合语文课改，全体语文教师利用暑假按照不同年级要求，分年级进行编写。每课一个练习，每单元一个训练，每册书后又编排了多套期末综合检测题，便于及时反馈，使老师、学生和家长及时了解学习效果。

趣味性浓。在编写中，我们首先注意了形式的趣味性，卷面活泼，语言轻松。如在每课的课题下，针对不同层次的学生，设计了一个评价表格：一是书写成绩，分“小小书法家”、“认真工整”、“要加油啦”三个栏目；二是答题成绩，分“优秀”、“良好”、“有进步”、“再努力”四个栏目。而在每一单元训练后，都设计了单元自我评价，形式是三个不同的笑脸。这样富有亲和力、鼓励性的语言，使学生心里感到轻松愉悦。

其次注意内容的趣味性，题型丰富，内容开放。如阅读短文中的每一篇短文，都是学生最喜欢的内容，它涉及面较广，或写人，或叙事，或写景，或状物，集语言、认识、情感、人文、知识、趣味、生活于一体。学生兴趣浓厚，喜思乐答。他们不仅了解了祖国悠久的历史，灿烂的文化，饱览了壮丽山河，认识了名人、英雄，而且开阔了视野，丰富了知识，陶冶了情操，提高了自己的阅读能力。

开放性好。语文能力是语文素养的核心内容，掌握语文知识的最终目的是形成语文能力。因此，我们在整体把握教材的基础上，对相关内容进行归类、提升、拓展，使所出题目与能力的考查相融合，让学生摆脱“做死题、死做题”的窘状。这样，辐射面广，综合性强，具有一定的开放性。在《语文实践乐园》中，有关积累运用的综合性题目都体现了这样的理念：注重创设运用的情境，避免死记硬背；注重引导形成记忆的储块，检测是否能迅速地对语言精品进行检索提取；赋予积累的内容以丰富的文化内涵。

学生在使用《语文实践乐园》后这样说道：

我是万泉小学四年级的学生王嘉懿，开学之际，我们还会欣喜地收到一本语文随堂训练手册——《语文实践乐园》。书皮颜色亮丽夺目，图案风趣可爱。打开“乐园”，你会被它独特而亲切的设计所吸引。课题下是老师为我们精心设计的评价栏，评语更是充满鼓励和赞扬。像“小小书法家”、“加油啦”、“有进步”，大家都非常喜欢。在学习内容的安排上独具匠心，丰富多彩，对我们的帮助可大啦！基础知识的练习全是我们平时学习中的易写错、易读错的常用字，这下被我们称为不可一世的“拦路虎”终于和我们“bye bye”了。不瞒你说，阅读理解可是我们语文学习中的“软肋”。上学期的期末检测，我有7分都丢在了那里。这次《语文实践乐园》中的每一篇短文最吸引大家的眼球，内容五花八门，它就像一个精彩的小短片，涉及了自然现象、人文历史、科学知识、人物传记、童话故事等，不仅开阔了我们的视野，丰富了知识，而且在潜移默化中提高了我们的阅读理解能力，润泽了我们的心田，真的是一举多得呢！每一次实践，对我们来说都是一次“快乐”的旅行。《语文实践乐园》每天都伴随着我的学习生活，真是我学习中的小帮手呀！

项曦莹同学在博客中写道：

不是因为“书中自有黄金屋”而爱上语文、爱上读书，而是被美丽的语文深深打动而迷上语文。语文最初让我着迷的是它美丽的语言，“寻寻觅觅，冷冷清清，凄凄惨惨戚戚。”“无言独上西楼，月如钩，寂寞梧桐深院锁清秋。”读来总觉得环珮叮当，怡人耳目。每当我打开充满书香韵味的《语文实践乐园》时，总觉得有一股深深的吸引力，犹如一条自由自在的小鱼，遨游在对语文探索的汪洋大海之中，使我爱不释手。

《语文实践乐园》是我的良师益友。

每当我遇到困难，不知所措的时候，她会轻声告诉我：“山重水复疑无路，柳暗花明又一村”、“保持乐观态度，把握一切转机”。

每当我因贪玩而丢掉自己本职工作“学习”的时候，她会严厉警示我：“少壮不努力，老大徒伤悲。”

每当我做事磨磨蹭蹭，时间从我手中悄悄流逝的时候，她会耐心教育我："一寸光阴一寸金，寸金难买寸光阴"、"光阴似箭，日月如梭"、"不要做时间的奴隶，要做时间的主人"。

每当我遇到挫折，一心想逃避退缩的时候，她会大声鼓励我："努力！相信自己吧！人生就是一个不断攀登、勇往直前的过程。"

《语文实践乐园》是我最挚爱的朋友！教我新知，告诉我做人的道理，不时提醒我自我反省，催我进步，茁壮成长。叫我怎能不爱她呢？

语文老师王亚喆对同学们说：

同学们，走进《语文实践乐园》，你不但可以认识李清照、鲁迅，认识列夫·托尔斯泰、普希金、雪莱……更会体会到老师给予同学们成长过程中的幸福关爱，一花一世界，一树一菩提。走进《语文实践乐园》，你像走进了一座殿堂。在这里，瑰丽的你，用眼睛去读，用心灵去读，你可以自由地翱翔，尽情地享受。读不尽的魅力语文，语文魅力。

（二）涓涓细流，润物无声——《数学同步拉力》教材

新课程的推进是一个开放性的探索过程，每一个教师都是课程的建设者，都应当承担起探索、创新的职责。为使现行的数学教材更贴近我校的教学实际，使各个知识点得到进一步加强与巩固，为让孩子快乐地感悟数学、学习数学、应用数学，我校开发了一套《数学同步拉力》。这套教材是现行教材的拓展与延伸，是符合我校学生实际的创造性使用教材，它体现人文性、趣味性和应用性。

《数学同步拉力》这套丛书呈块状网络结构。全书每一课时共设置6个栏目。

"温馨提示"：每一课前有教师娓娓道来的温馨提示，提示同学们这节课的要点、困难点引起学生的重视。

"赢在起点"：为夯实基础，配合巩固课本知识点而设置的栏目。

“智慧屋”：每个学生由于知识水平不同，社会经历不同，对同一问题的理解和把握也各不相同，基于这一认识，新课程标准特别强调人人学有用的数学，不同的人学习不同的数学，不同的人在数学上得到不同的发展。“智慧屋”这一板块练习内容的选取到练习形式的呈现都可能让学生留有充分的思考余地，能从不同角度，运用不同的方法，对题目进行分析推理，从而获得不同的结果，为了照顾思维能力弱的学生，有的题目还给出思维的引领，培养了学生灵活的思维能力。

“回音壁”：每课最后的板块是令每位数学教师为之骄傲的创意。这一板块是给学生和教师提供互动交流的平台，学生可以质疑，可以反思这课练习中自己存在的问题，可以写出对本节课某一内容的深入思考，可以对课内知识进行补充和扩展……水石相激，水因石而激越澎湃，石因水而圆润璀璨。生态课堂是教师与学生以生命发展为基础，通过对生活世界的关注，使学生得到情感体验、人格提升、个性张扬，同时使教师的职业生命活力得以焕发，师生、生生在交往互动、共同经历中不断发展的过程。古语说得好：师不必贤于弟子，弟子不必不如师。现在学生学习和研究的问题，很多会超出教师的知识范围。因此，作为教师已没有知识优势可言，教师和学生应该是教学相长、双向的互动。学生好问、知识的激增会促使教师加强学习提高能力，教师的博学多智又诱发学生超越教师，激发学生学会学习、学会思考、学会质疑，最终让自己成为学习的主人。这里既是优秀学生大显身手的空间，又是大多数学生与老师交流对话的平台。深受学生喜欢。

“快乐驿站”：每一单元结束后不再是冷冰冰的单元测试，被称之为“快乐驿站”，让学生们停下学习的步伐，及时地查找学习中的问题，把学习感受记录在单元的“加油站”板块，在这里学生根据能力还可以总结这一单元的知识点、学习方法、解决问题的策略等，在每个阶段的学习中要进行整理和归纳总结，把知识的点、线、面结合起来交织成知识网络，便于学生纳入自己的知识体系中，形成能力。

“智慧套餐”：学期结束的时候，更是收获的时候，把一学期的知识点浓缩在一份特殊的“智慧套餐”里，让学生们分享掌握知识的快乐，学生们可以在“我反思、我收获”板块畅所欲言，反思自己的成功与不足，找到努力的方向。教师也在此感受到了成功的快乐和职业的幸福。

这套丛书的特点是：

关注的趣味性。原来的数学练习严肃有余，而活跃不足，练习缺乏人文性，使孩子们一看就产生沉重感、紧张感，这样必然会加重学生的心理负担，不利于学生的发展。本套丛书，涉及全校1—6年级，共12册，每一年级分为上下两册，并用不同的颜色呈现。标题让学生们耳目一新，练习中呆板枯燥的题目名称改为体现人文关怀的导语，增加问题表述的亲和力，使学生感到轻松有趣，让学生在这些导语中充满自信。

欢乐的评价方式。值得一提的是本册练习的评价方式，看不到教师打分了，每一课取而代之的是印着不同表情的评价表，笑脸、平脸和苦脸，由教师来评价。快乐驿站由学生和教师按星级共同评价，期末教师按等级评价。这样的评价方式使练习主体的情感始终处于被激活状态，从而使练习的效果不断提高，最终实现练习的目的。

教师们的创新，给学生的发展提供了更广阔的空间，让学生在自主选择、实践运用中张开智慧的翅膀，使数学作业成为他们放飞潜能的天空，从而赋予数学练习生命的色彩。教师们用自己的创造力，演绎着充满智慧的事业，使研究与实践成为师生的一种生命的体验，让师生沐浴光辉，在工作中享受创造的幸福感!

六年级1班学生使用《数学同步拉力》后这样写道：

它，是一片数学园地；它，是数学老师们智慧的结晶；它，带领我走进知识乐园；它，带领我探寻数学中的奥秘。它，就是万小的特色之一——《数学同步拉力》。

在使用本书这段时间里，我的心里有许多许多的感受。首先，这本书与其他的同年级、同版本的辅助教材大不相同。它分有许多板块，如夯实基础站（一些简单的基础知识）、智慧屋（挑战提高题）……这些板块不但使本书显得清楚明了，而且还能难易搭配，十分方便。它的题型非常全面，基本上包括了课本以内，课本以外的所有题型。与其他练习册相比，如《数学伴你成长》、《每课一考》、《黄冈小状元》……《数学同步拉力》上的题要更新鲜、灵活一些，当我使用一个学期后，发现自己每当思考问题时，思路更清晰了，基本知识掌握得更好了。这样，开阔了我们的视野，提高了解决问题的能力！

此外，老师们在《数学同步拉力》中专门设置了“加油站”、“回音壁”等板块，你可以在这块地方写出你有的疑问，你想与同学们分享的解答方案，或是你今天这堂课收获了什么，这对同学们极为重要，可以大大提高我们的思维水平，让大家积极踊跃地思考。老师判作业时可以看到你的不解，下课后可以对你的疑问进行讲解。这又能避免有的同学不好意思问老师。在同步拉力每一张的顶部，有一个印着不同表情条形评分栏，很特别，我们看到脸的表情就清楚了自己作业完成的情况。

现在我对这本《数学同步拉力》更加爱不释手了，爸爸妈妈也很认同，它就像一个小博士，里面藏着许多的知识，有着无数的知识宝藏，在等待着我们去挖掘。

在我们毕业之前，能够使用母校自己创办出的练习册，我们觉得自己是幸运的。祝愿老师们桃李满堂，母校办得越来越好！

学生马冰婵为《数学同步拉力》写了以下一首诗：

我们的《数学同步拉力》

一

如果红色代表希望，
那么这红色的书皮——
就代表老师对我们的希望。
“同步拉力”四个大字，成波浪线排列在上面，
像一位快乐的小精灵，要带我们探索数学的奥妙。

“每课练习”，“快乐驿站”，“智慧套餐”，
让我们得到了思维的锤炼。

二

你还用担心做不出思考题吗？
不用担心，在我们的练习册里——
有“温馨提示”告诉你本课的知识；
有“赢在起点”让你突破难点；
有“智慧屋”让你挑战数学中的赛点题型。
不怕困难，我们学会了思考
一点点逐级突破，超越课堂，
得到了思维的真正锻炼。

三

复习，也是学习。
每课练习后都有“回音壁”。
同学们可以写出——
对知识的总结；
对知识的疑问；
对本课内容的反思；
对下一课的预习；
真正使大家学得明明白白。
“同步拉力”这套校本教程，
才是我们真正的伙伴！

《数学同步拉力》让我们感受了绿色教育生态给我们带来的知识无限魅力，它用无穷的智慧和创造力，引领孩子们的学习兴趣，拓宽了孩

子们的思维空间，提高了孩子们的解题能力。随着新课程的不断推进，对我们的学生而言是阳光与幸福的，对我们教育工作者来说则是任重而道远的。只有用教育工作者的汗水才能换来孩子们更美好的未来！

（三）在快乐中学习——《英语导读快线》教材

“做现代世界人”是我们学校追求的最高目标。未来的世界是开放的，我们每个人都是世界的一员，做现代世界人要求我们大方得体地与外界交流，而英语作为世界性的语言则是我们必须要掌握的交际工具之一。英语是一种非母语的语言学习，英语的学习具有工具性和人文性两重特点。我们学习英语是为了更好地与世界交流，但在英语的学习中也必定要涉及英语国家的文化和价值观念，因为语言是文化的载体。而我们的学生是没有英语这种语言环境的，仅仅靠国家必修课程里的英语课堂时间对英语学习来说是远远不够的，所以我们专门开发了英语这一系列的校本丛书。

《英语导读快线》教材是我校英语教师集思广益，针对我校高、中、低年级学生不同特点和学习中存在的问题，经过研究讨论，分头广为收集、汇编而成的。这是一本采用故事、笑话、绕口令、脑筋急转弯等形式，主要是加大学生的阅读量，当然对不同层次的学生而言，要求也是不一样的。通过阅读，学生可以温故知新，更有效地在具体语境中复现、复习、巩固、运用词句；有趣的材料会激发学生的阅读兴趣；恰当的问题会启发学生的思维，促进阅读理解能力的提高；更重要的是使学生体验成功的喜悦，人人树立“I can do”的自强意识，展开自信的双翅，在英语学习的广阔蓝天中自由搏击翱翔。

《英语导读快线》教材为学生提供了生动有趣、喜闻乐见的内容。同时针对部分学生对教材听力训练感到有些困难的实际情况，我们在练习册中增加了听力的文字材料，以帮助大家进行有效的听力训练。现在《英语导读快线》已经成为同学们的良师益友，它伴随着同学们在英语学习的过程中不断前进，不断取得新的成绩。

这套《英语导读快线》对低中年级来说，主要是培养他们对英语学习的兴趣；对高年级来说，主要是向学生传授一些学习英语的方法。利用这套丛书，我们还根据学生的英语学习情况，针对不同的学生开设不同类的课程。对学习英语情况很好的学生开设“拓展型”课程，如讲一些英美国家的文化习俗等有利于他们更好地理解英语的背景资料；对学习英语情况良好的学生开设“提高型”课程，主要是告知他们一些更好地学习英语的方法；对于英语学习情况较差的学生开设“补缺型”课程，主要是根据他们的不足进行重点讲解、训练，以求很好地弥补其英语知识的不足。

（四）叩开科技教材创新之门——《科技教育》校本教材开发

21 世纪科学技术迅猛发展、知识经济已见端倪，科技实力已成为一个国家综合国力强弱的内在标志之一，一个国家和民族的科技水平如何，已成为决定其兴衰荣辱的重要因素。学生是祖国的未来，他们的科技教养、科技素质和科技意识，对国家的建设、民族的振兴、经济的发展、社会的进步都有极其重要的影响。因此，普及科技知识，引导学生树立科学精神，掌握科学方法，形成学科技、用科技的良好风尚，提高他们的科学文化素养具有十分重要的意义。

我校地处中关村科技园区，科技活动理应成为我们的特色活动。几年来，我们以中关村科技氛围为依托，以大自然、大社会作为出发点，让儿童在与自然、社会的直接接触中，亲身观察中获取经验和知识，将孩子引向生活，将生活引向孩子，逐步形成人与社会、人与自然、人与人和谐共处、可持续发展的科技特色。在此基础上编写了一套校本教材《科技教育》。

本课程力求体现内容具有综合性、科学性、开放性和创新性，体现科技知识与情感（价值、精神、态度、行为）的有机结合，科学精神和人文精神并重的思想，强调让学生通过体验、感受和经历对“科学探究”和“设计制作”能力的培养。基本定位是：第一，引导学生从日常生活中发现自己感兴趣的问题，逐步形成问题意识；在问题意识中，选择自己感兴趣的课题，自主制订学习活动方案。第二，在课题的探究过程中引导学生要遵循“亲历实践、深度探究”的原则，倡导亲身体验的学习方法，引导学生对自己感兴趣的课题持续、深入地探究，防止浅尝辄止。第三，面向自然、面向社会、面向学生的生活和已有经验，在开放的氛围中促进学生活泼地发展，增长学生对自然、对社会、对自我的实际体验，发展综合的实践能力。第四，引导学生在具体的自然情境和社会情境，或特定的活动场所（如劳动基地、劳动教室等）中开展调查、考察、参观、访问、实验、测量、劳动、服务等实际的活动。第五，引导学生联系个体的家庭生活、社会生活、生存的环境和社会现实来总结、反思，获得实际的体验，深化对自然、对社会和对自我的认识。

“为学生幸福一生作准备”是我们开发本课程的基本理念。通过学生对校本课程的学习，培养人文素养，激发科学精神，在全面发展的基础上发展特长，增强自信，凸显自我发展，让学生在主动参与，学会交往与合作中掌握终身受益的科技能力。

[课例]

走进聪明屋

瓦特、爱因斯坦这些世界著名的大发明家对人类作出了突出贡献，你们知道他们是怎样发明创造的吗？让我们一起走进聪明屋，探索科学的奥妙吧！

一、我准备好了

1. 收集调查资料：瓦特、爱因斯坦等古今中外发明家的故事。

2. 名人的格言警句：如爱因斯坦，1 分天才 +99 分汗水 = 成功。

3. 搜集你看到或听到的新的发明创造。

4. 你有哪些小发明？

二、小现象大发明

1. 你看到过烧开水的过程吗？你想到了什么？

2. 聪明屋里故事多。

水蒸气的启示

在瓦特的故乡——格林诺克的小镇上，家家户户都是生火烧水做饭。对这种司空见惯的事，有谁留过心呢？瓦特就留了心。他在厨房里看祖母做饭。灶上坐着一壶开水。开水在沸腾。壶盖啪啪啪地作响，不停地往上跳动。瓦特观察好半天，感到很奇怪，猜不透这是什么缘故，就问祖母："什么玩意儿使壶盖跳动呢？"祖母回答说："水开了，就这样。"

瓦特没有满足，又追问："为什么水开了壶盖就跳动？是什么东西推动它吗？……"

听了这个故事你想到了什么？你能提出什么问题？那你知道大科学家瓦特，看到这个现象想到了什么吗？又是怎么做的吗？

3. 我的启发

受到的启发 ________________________________

____

____

三、走进聪明屋

1. 芝麻开门：看看小发明家为我们带来了哪些珍贵的礼物？欣赏完了这些，此时此刻，你想说些什么吗？

2. 聪明天地：让我们看看中央电视台"奇思妙想"栏目，从中你受到什么启发？

3. 露一手：展示我的小发明创造。

4. 参观聪明屋（相关网络链接）。

http://www.bloginfo.cn/xiaofaming/archive/2005/11/06/536.html
科学小发明

http://www.xhycxx.com/web/Article_Print.asp?ArticleID=1132

http://www.student.gov.cn/sxyd/index_2.htm 学生科技网

四、我也要发明创造

1.“聪明”的话

如何完成一项科学小发明

完成一项小发明并不是“眉头一皱，计上心来”这么简单，它要经过选题、构思设计、制作、实践检验与改进、成功等步骤。

搞小发明的第一步，就是要确定发明的对象，考虑研究什么问题，这就是选题。对青少年来说，应从自己所熟悉的生活实际出发，在学校、家庭及周围的生活圈中去寻找发现题材。如当你在学习、生活中遇到一些困难时，你肯定会说：“要是有某某东西就好了”。这个你想的所要发明的东西就可作为发明对象。不过，同学们在选题时，一定要结合自己的知识水平和设计制作能力，不要空想办不到的发明体裁。选好后，接着是构思设计。也就是根据基本的科学原理和经验，设计出选题对象的形态、结构、方法与实施方案。构思时尽可能想出多套设计方案，再根据可行性与实用性精选出最佳结构方案以取材简单、巧妙易行、缺点最少为好。构思成熟后，就可以开始制作了。制作时应尽可能利用现有条件，在少花钱甚至不花钱的前提下制作出精巧的作品。某些技术上的问题，可以向老师和家长请教，有时还可以找一些有关厂家帮助制作部分部件。

小发明样品完成后，还要进行实践检验与改进。即将作品拿去使用一段时间，在使用中发现问题，并向家长老师和同学广泛征求意见，看还有没有改进或不合理的地方。然后综合各方面的意见，对小发明加以改进。几乎每件优秀的小发明都是“改”出来的。

2. 我的发明设想

（五）“种植园”体验课程的开发

校本课程是根据学生的需求而开发的，是为了学生的发展而存在的。校本课程开发就是以学生需要的满足为前提，从学生的兴趣与经验以及未来科学发展方向出发，精选对学生终身生活必备的基础知识与技能的一个动态过程，重视学习过程，让学生在学习过程中感受课程所带来的魅力。正如教育心理学家布鲁纳所主张的：“我们教一门科目，并不是希望学生成为该科目的一个小型图书馆，而是要他们参与获得知识的过程。学习是一种过程，而不是结果。”

在我们调研中发现，生活在现代大都市里的孩子，疏远了自然，对植物生长了解甚少，更别说亲自种植了。这种情况引起我们的深思。

在对“小学科学课程标准”的教材分析中，我们发现“植物”这部分内容在小学所占的比重很大。“课标”中知识目标涉及的 141 个知识点中，植物方面就有 12 个知识点，占总知识点的 1/12 左右（如表 1 所示）。从这些数据中，我们不难体会到加强学生实践能力，对于学生掌握知识尤为重要。

表 1 《小学科学课程标准》知识点体系

知识目标		阶段
物质世界		36
地球宇宙		52
生命世界		53
	植物	12
	动物	12
	人	14
	菌	3
	公有	12

从海淀区使用的教科版《科学》教材中，我们也对涉及

“植物”的内容进行了研究，我们也可以发现植物知识所占的比例。（如表 2 所示）

表 2　教科版《科学》中小学各年级植物部分所占课时分布

	三上	三下	四上	四下	五上	五下	六上	六下
总课时	30	27	25	33	39	40	31	31
植物	7	5	4	7	10	8	0	2

从教材的安排看，植物部分的知识在四个年级 8 个学期中覆盖了 7 个学期。可见植物的知识在小学科学教学中是很重要的一部分。

2006 年 6 月科学学科赵东老师带领三年级的学生对学校里的植物种类进行调查。经过两个月的调查发现我校共有植物 119 种，包括乔木、花卉、人工种植和野生植物，其中涉及科属种类 40 多项。在调查中，孩子们走进图书馆，翻阅大量资料，上网搜寻生态特征、生长习性与应用价值等。他们进行了全面整理、筛选、分类，绘制了万泉小学校园植物生长情况明细表，通过万泉小学的植物图谱形式对校园植物的名称、科属、特征、生长地点以及环保作用等都作了详细的说明。活动中学生们不但学习认识了平时极少接触到的构树、桑树、书带草、火鹤、黄瓜、茄子等植物；对不认识的鱼腥草、萝藦、蛇莓等植物，有了更形象具体的认识，而且对它们的科属种的归类以及这些植物的形态特征与习性有了较为详细的认识。面对如此累累的收获，同学们既兴奋又自豪，体验了收获的欢乐。

面对丰硕的成果，他们提出几项建议：第一，为校园里的植物发放“身份证”，便于学生认识了解植物。第二，建议学校多安排学生户外的植物观察活动，配合课本图片及实地介绍，让学生知道校内也有许多相同的植物，知道它们的名字与位置。第三，建议学校在科普园地加强相关知识学习，教育孩子爱护花木，注意安全保护。第四，建议全体学生积极参与校园植物的种植活动，亲身体验植物的生长过程，或通过植物的认养，培养爱护校园中一草一木的情操，感受这生机勃勃的校园环境。第五，建校园植物网页，将各种植物特性陈列在校园网页上，方便教学上使用，也方便有兴趣的同学们学习观赏。还要建立我们万泉小学自己的植物名册图谱，印制后摆放在阅览室供老师学生翻阅，以满足我们学习的需要。

赵东老师的调研，引发了我们的思考，萌生了建立植物园的想法。随之，我们把目光盯在校门口一块不规则的空地上。这块空地上生长着一些野草和几棵树，由于地处风口，两侧被教学楼和大树遮挡，日照时间短。

面对这样一块地，虽不肥沃，但这在楼群林立的北京城来说，也是相当宝贵了。我校开发这块地方的理由是：第一，从学校的角度看，这块地如果开发成为学生的活动基地，既可以充分利用资源又可以为学生提供体验种植的空间；第二，从学生的角度出发，通过植物种植活动，可以充分调动学生主体参与的积极性，让学生在亲身经历种植的全过程中，不但能了解更多的植物种植的知识，而且使孩子们能够学会发现问题、提出问题、解决问题的方法，培养学生的科学探究精神；第三，从教师的角度看，植物园的开发与建设，这里无疑是一块宝地。

在学校的大力支持下，在科学教师的努力下，我们将这块地开发成为了师生体验、探究校本课程学习的基地，开始了种植类校本课程的开发实施。2007 年在这块植物园中，学生们利用阳光不充足的地方种植了阴生中草药，如野草莓、蕨类、玉竹、玉簪、鸢尾、铃兰、景天、三七、鱼腥草、当归等。利用阳光充足的地方种植了黄豆、地豆、向日葵、小麦、空心菜、花生等。随着种植活动的开展，2007 年为了普及和加强种植活动的实效性，我们还开展了系列活动："我心目中的植物园"（美术作品展）；"我心目中的植物园"（场景设计图）；"植物知识知多少"（制作手抄报）等。其后又将植物园分成四个区域：草药区、蔬菜区、树木区、香草园。在植物品种的选择上也考虑到有教学需要的桑树、野花（可采摘）；供观赏及品尝的西红柿、辣椒、黄瓜、生菜等蔬菜；有丰富学生认识又便于管理的当归、玉簪、鸢尾、薄荷等草药和香草等植物。

在校本课程种植的实施过程中，教师们注意有针对性地和学生一起仔细观察植物的整个生长变化过程，为每个参与种植的学生准备观察记录本，并设计植物生长记录单，带领学生观察记录植物的每一个变化，随时交流观察中的新发现。小小的种植园，变成了孩子们探索研究的圣地。孩子们就像一群真正的科研人员，在观察、测量、实验、记录……感受着研究所带来的乐趣。在汇报、交流时，孩子们把自己用相机照下的植物每个月的样子，进行观察比较，相互交流，孩子们又提出了不少新的问题，如为什么豆角上长有那么多小虫？这是什么虫子？为什么我们种出来的土豆那么小？

通过种植园校本课程的开发过程，学生了解到了当季适合种植的蔬菜，并规划蔬菜种植的准备及记录工作，学习种植的技巧，并能解决在种植过程中遇到的问题。更重要的是，学生在种植的校本开发过程中培养团队合作的精神，体会生命的可贵，珍惜生命存在的意义与价值，并分享生命成长的喜悦。种植与收成，在一系列的活动课程开发中，体会生命的奥妙，完成快乐的分享与回馈，并在亲自动手操作中体验解决问题的方法。

植物园的开发，为校本教材的开发提供了非常便利的条件。为更好加强植物园体验课程的建设，我们利用中科院植物研究所特有的植物资源，请来了中科院专家关秀清老师亲自指导，并适时开展植物知识讲座，激发学生探究植物世界的兴趣。我们还聘请了学生家长、国家蔬菜工程技术研究中心专家张宝海做我们的蔬菜种植辅导员，对我们的种植活动进行技术上的指导和支持。北京首都师范大学初等教育学院叶院长，特别是北京市基教研中心陶礼光主任、彭香老师，海淀教师进修学校小教研王思锦老师也经常深入到我校教育教学实践，与教师们共同研究和探讨，同时我校教师也把这些问题，作为教师进行校本课程开发的重要资源，教师们紧紧围绕着课程开发，把这些问题，或教师自已在主题研究中遇到的疑难、困惑问题，记录下来，通过教研组专题研讨等形式进行集体“会诊”，编辑成校本教材，为了探讨有效的教学策略，我们充分利用学校设备的优势，采取录像回放、定格分析的方式进行校本教材中的典型案例分析。听课者、作课者共同面对屏幕，边听看、边评析。有时针对学生种植过程中出现的问题，我们即席研讨。有时我们又将新课程的理念通过校本课程直观地表现出来。同时引导听课教师讨论，整个课堂变成一个学习与交流的场所。我们的教师经常走上讲台，自觉地拿自己的课例开刀，让教师们“会诊”。教师们坦诚地畅谈自己的内心感受以及课后的反思。大家以平等的身份畅所欲言、相互启发、唇枪舌剑，已成为校本课程开发中真实而感人的画面。教师们亲历了校本课程开发的全过程，用审视的眼光欣喜地看到课堂呈现的变化，教师们感触颇多。一位教师在反思中写道：“这样的课程开发我感到充实而投入。领导们坦诚相见，教师们实话实说，每个环节都看得实在，议得清楚，学得明白。”

经过这个阶段的课程开发，我们更深刻地意识到了：学校校本课程是为学生而存在的，学生的兴趣与需要是校本课程开发的重要依据。课程内容的选择必须同学生的内部条件结合，使学生能掌握课程内容呈现的生动、活泼、能动的思维与活动。我们的种植园体验性学习作为我们学校校本课程开发的一大亮点，以其直观、动手操作性强的特点符合了学生认知发展规律，激发了学生的学习兴趣和探索新知的欲望，培养了学生动手实践的能力。在这一阶段中我们根据学生认知发展的特点和需要，开发的体验性校本课程，不但激发了学生的兴趣，满足了学生发展的需求，而且促进了教师的团队合作、教研活动的开展。在这一过程中，我们的校本课程的开发逐渐变得顺利和有目的，从这一过程中，我们又找到了开发多元化校本课程的方法和思路。

（六）“三角插接”活动课程的设计延展

新课程改革后，国家与地方相继出版了小学美术实验教科书，这是全新理念下的教材，是具有普遍意义的。但是，国家课程与地方课程在开发的过程中也存在着不能满足每所学校自身发展需求的问题。另外，新课程美术教材内容较少，需要教师根据实际情况进行课程开发来加以补充。由于以上这些原因，我们万泉小学进行了美术的校本课程开发，

"三角插接"就是我们在这样的理论基础上设计出的一门美术活动课。

"三角插接"是利用纸张作为原材料，将它们进行折叠插接，形成全新的作品。我们课程开发有以下设计理念。

第一，美术活动课开发过程中以学生的兴趣为导航。"兴趣是最好的老师"，选择学生自己感兴趣的材料教学，学生便会主动地、积极地参与到教学过程中，从而使教学达到事半功倍的效果。现行教材不能满足每一个学生的兴趣，因此，教师必须"蹲"下去悉心研究学生的兴趣爱好，帮助学生获得知识和能力上的提高。我们发现学生喜欢自己动手制作一些感兴趣的新奇的作品。于是我们在低年级开设了"三角插接"，实践证明这种建立在学生兴趣基础之上的课程，带来了学生学习激情空前的高涨。同时学生通过对这些课程的学习，对发展自己个性，提高动手动脑能力以及增强学习美术的兴趣也有极大促进作用。

第二，课程设计中关注学生人格的发展和社会责任感。三角插接这种艺术形式简单、易学，对于小学低年级学生来说接受起来比较容易，能够引起学生较大的兴趣；对于高年级学生来说又能够有创新的机会，具有挑战性；对于个体来讲可以创作出独立、小型的作品；对于集体，又可以齐心协力创作出比较有气魄的大型作品，可以说是一个很好的创意。它弥补了美术课程内容少，形式单一的不足，更加体现了以点带面的特点，让学生不仅能够学懂、更能够深入学习，所有接触三角插接的学生都能够通过实践感受领悟到纸造型制作设计中的乐趣。

三角插接的过程也是一个废物利用的过程。学生都想尽办法收集了各种废旧的纸张，有的是家里的废旧杂志，有的是银行、电信发放的宣传资料，有的是家里的挂历等，学生中有负责收集的，有负责整理的，有负责挑选颜色的，霎时间，一种久违的热火朝天的景象充满了学校的每一个角落。孩子们在研究中增长了智慧，在创新中学会了思考。

第三，课程设计中关注学生享受挫折与成功中的幸福感。让孩子经历学习的整个过程，在亲身操作中去经历挫折与成功，提高学生生命过程中质的感悟与灵动。

老师们用业余时间带领学生参加美术活动课活动，孩子们不仅在活动课上表现出极大的热情，还经常在早晨、中午、放学后都会来到美术教室，他们从三角插接中学会了思考，学会了研究，学会了发现问题，并通过自己、同学、老师找到解决问题的方法，主动找到打开智慧大门的金钥匙。一次次的实验，一次次的失败，都没有动摇我们必胜的信心。孩子们在幸福中快乐成长，师生们在整个教学的过程中感受到愉悦、轻松和欢快，应该说只有师生是幸福的，教育才是美丽的、才是成功的。我们希望人人都有追求，人人都能享受，推开教育这扇门，它应满是阳光和鲜花，它能给小孩子带来自信和快乐，给老师带来幸福和欢笑。

孩子们从开始创作的笔筒、花瓶等简单的造型，到有些情节的手枪、小花篮等，所有的作品中都融有孩子们的心血与智慧，最终《金龙》、《火龙》、《玉龙》三件一米多长的巨型作品作为六年级的毕业留念展现到了我们眼前，教师们和领导们都无不震惊。孩子们举着巨龙高兴地和老师领导在相机前合影留念，相信那个兴奋的瞬间已经永远地留在了孩子们的心田。

在美术活动课中，不仅增长了学生的动手能力，在制作的全过程中学生还学会了感恩，学会了合作，学会了环保，更学会了团结起来干一件事情的好习惯。我相信这些好习惯，会使孩子们享受到幸福。

我校美术校本课程开发的着眼点就是尽量贴近学生的生活，调动学生学习的积极性，美术老师们多渠道地挖掘有关内容，让学生在体会到美术的多彩内容、丰富内涵之余，也多了些美术方面的知识，提高了美术方面的技能。同时，使学生在愉悦的氛围中，主动地获取了知识，陶冶了情操，提高了文化品位。

总之，几年来我校绿色生态课程建设坚持以人为本的理念，关注课程本身的生命价值，着眼于学生健康精神的培育和完全人格的塑造，关注每一个教育对象的个性发展，让每一个受教育者得到全面健康的发展。坚持课程内容“综合与开放”，我们增加了面向社会、面向未来的内容，提倡利用一切可利用的课程资源（图书馆、报刊资料、影视和其他媒体信息、民俗文化等），采取学科交叉、学科渗透、学科整合等方式，开设综合实践课程，启发学生发现问题，综合分析问题，提升综合实践能力。坚持自主与合作的学习方式走向，我们改变接受学习、死记硬背、机械训练的状况，让学生自我发现，自我感悟，让学生走出课堂，走出校园，走上社会，亲自去调查研究，让每个学生在实践中得到真实的感受和体验。坚持课程评价走向“激励与多元”，改变评价过程过于强调甄别与选拔的功能，为学生建立不同的评价尺度，由单一的、定量的静态评价，变为激励性的、多元的动态评价，评价的内容侧重于个体成长中的创造性和个体在团队合作中表现出来的非智力因素的变化，建立教师、同学、家长和自我多元的评价体系。取得良好的效果，具体表现在以下几方面。

1. 促进了教师的专业化发展

我校地处高新科技区——中关村，周围名校云集，要想在众多的名校中脱颖而出，必须要具有自己的特色。所以我校一直致力于校本课程的开发。我们借着课改之风，让学校飞起来。从刚开始作为“全国心理健康教育课题”的试验校，我校自行编写《现代儿童》开始，到我校自己独特的《品德与生活》、《品德与社会》校本教材，再到体验性的种植园的开发多元化的校本课程体系的构建，我们走过了一条曲折的校本课程开发之路。实践使我们深深地认识到校本课程开发，不仅是促进课程改革的重要举措，同时也是促进教师专业成长的有效途径。校本课程正在通过赋予教师一定的参与课程决策的能力，极大地推动教师专业水平的提高。万泉小学的教师在校本课程开发中的成长可以从以下几方面看出。

从“消费者”到“生产者”。长期以来，教师被当做课程实施的工具，是课程的使用者，或者说是“消费者”，教师考虑的只是如何将国家规定的课程内容有效地教给学生，至于为什么要教这些内容，则不是教师应该考虑的范围，国家“三级课程”政策的出台，教师的定位发生了深刻的变化，教师们开始尝试开发符合校本实际的校本课程，并从中逐渐形成了极具学校特色的校本课程，如“现代儿童”、“少儿禽戏”

等，教师也不再单凭国家教材教书，而更多地使用自编教材教书。我校的教师已经形成了一支充满活力的研究型教师团队。在整个课程开发的过程中，教师们以满足学生发展为己任，积极参与课程开发的全过程，促进了师生的共同成长，促进了学校特色的形成。

从“教书匠”到“研究员”。真正的教育理论“源”于实践，“生”于实践，又“长”于实践。我校校本课程的开发中，教师们一方面按照新课标、新教材的要求进行教学，同时，老师们又自觉地根据学校发展特点与学生身心发展的特点与需求，对国家课程中没有涉及的但却是本校学生的问题进行了深入的研究，从而使校本课程的开发与使用不仅不会与国家课程相冲突，而且又能有利于学生生命的成长，有利于师生的教学互动。老师们在实践中，既是一个教育教学的实践者，同时也是一个课程的开发者与研究者。为了满足学生成长的需求，校本课程的研究与开发在我校已蔚然成风。

从“点菜者”到“菜单提供者”。面对课程改革，教育的飞速发展，学生的生命成长，传统教学的教师“点什么菜”，学生就得“吃什么菜”，自己没有“点菜”权利的时代已成为过去。在校本课程开发中，我们大力倡导的是，学生的个性张扬以及满足学生成长的需求。因此，学生可以参照校方提供的校本课程“菜单”圈点自己喜欢“吃”的“菜”，教师不再是“点菜者”而成为了“菜单提供者”，“点菜”的权利则交还给了学生。不仅如此，学生还有修改菜单的权利，他们既可明确告诉教师自己想“吃”什么，不想“吃”什么，让教师选择，学生还有权和教师一起对“菜”的配料、制作工艺等进行改造，即尊重学生的兴趣和经验，要求课程具有选择性，这样就为学生的个性发展，潜力的挖掘，创造了非常广阔的空间。

在这一理念的引领下，我们的教师不仅能对学生的“菜单”进行细致的统计与分析，又能对学校教职员工进行个人“私家菜”的调查与分析。其次，将学生点的“菜单”与教师的“私家菜”进行对照、比较，我们欣喜地发现，学生的“菜单”与教师们的“私家菜”菜单有极大程度的对应关系，学生完全可以通过教师私家菜的展示获得对这种需要的满足。基于此，学校开设了20多门适合学生口味的校本特色课程。在这种校本课程中，我们为学生提供了一个自我特长发挥与个性张扬的平台，每个学生都可以对自己想学的内容作一个系统的安排，根据自己将来发展的需要选修具有独特个性的个别化课程，或者说是提供差别性“菜单”，而我们的教师们，就是这样一个丰盛“菜单”的提供者。

从“独奏者”到“伴奏者”。建构主义理论认为，学生的学习是获取知识的过程，而知识不是通过教师的传授而得到的，而是学习者在一定的情境中，借助他人的帮助，利用必要的学习资料，通过意义建构的方式获得的。这就需要我们的教师根据学生生活中遇到的问题，成为一个学生学习的设计者，包括学习情境设计、信息资源设计、协作学习的设计，还要引导学生在情境中自己主动地建构知识。校本课程的开发很好地实现了这一理念。学生的演奏离不开教师的伴奏，教师的伴奏使学生的演奏更完美。就这样，适合学生需要而开发的校本特色课程架起了师生间的桥梁，教师在这一过程中，成为了学生学习的伙伴，协作的朋友，从而营造出适合于新课程理念的民主、平等、和谐的课程与教学氛围。

2. 提高了教师的课程实施能力与课程创生能力

课程实施能力和课程创生能力，作为教师专业能力的核心构成部分，事关教师课程能力提升的潜力大小，事关教师教育教学水平和质量的高低。我校高度重视这一点，力争通过使教师全员、全力参与校本课程的开发来不断提高教师的课程实施能力与课程创生能力。

就课程实施能力而言，由于我校校本课程的主体是一线教师，他们对新开发出的课程特别熟悉，对于教学目标定位与教学过程有着较好的把握。因此，当他们带着自己开发的教案走进课堂的时候，就如鱼得水，游刃有余，尽管过程中仍然会有不完善之处，但这并不奇怪，因为教学本身永远是一门留有遗憾的艺术，更因为我校在校本课程开发中追求的是学生需要的满足，追求的是教师课程实施能力的提高。我校教师在课程开发中，自觉地把研究与实践有机地结合起来。自觉地实践、学习、反思、互助、提升，不断提高着自己的理论水平和教学实践水平，课程创生能力也得以大幅度提升。

3. 促进学生个性化成长

每个人都是独一无二的存在，因而每个人都应当有自己的独特个性。教育既是培养人的活动，更是发展人的活动，关注学生的发展成为教育的最终极目标，而课程是为培养人服务的。人的发展规律对其教育与课程的制约和影响突出表现在差异性上，人的发展在范围、水平、速度上存在着明显的差异，而且在发展类型上的差异也是极其明显的。校本课程开发为学生的个性发展提供了一种现实的可能。最大限度地满足了学生发展上的各种不同层次和水平的需要，因而能有效促进学生在原有基础上获得充分的、可持续的发展。

发展学生的兴趣与特长，张扬学生的个性。校本课程开发的主体是教师，教师与不同资质、不同个性特点的学生朝夕相处，因此他们最能根据学生个性发展需要，来设计相应的教学内容与教学活动，以满足不同个性学生发展的需要。这样就能使每个学生的潜能得到充分开发，很好地促进了学生的发展。

拓宽学生的知识面，开阔视野，提高动手能力。学生的成长，需要实践的沃土，我校的办学理念是“营造绿色教育生态，传递教育幸福”更需要孩子们在实践中体会，人与自然的多元、共生的关系也需要孩子们在实践的沃土中加深理解。从这一办学理念出发，我们的校本课程在实践中，一方面重视培养孩子课前搜集资料的能力，同时更重视培养孩子处理信息的能力。另一方面，在体验中，重视培养孩子动手操作能力。以我校开发的一年级教材中的“种子发芽”一课为例，当教师把课程的主题告诉给孩子们的时候，孩子们就要在课后，搜集大量关于种子的科学知识，孩子们从中获得了大量信息，他们也学会了如何查找并利用信息资料，当教师带着孩子们走进试验田时，孩子们要根据自己查找的资料，设计自己的种植园，并按照有关知识，培育植物的种子，在此过程中，孩子们还要定时到园地观察，随时尝试处理种植中出现的各种问题，或查资料，或咨询教师和专家等，方法多样，在此过程中，孩子的动手实践能力得到了极大的提高。

在学习方式上，改变了学生的学习方式，为学生提供学习过程中的空间选择和内容选择，体现了教育内容的多元性和选择性。学生主动搜集信息、学习知识的积极性高，真正变“要我学”为“我要学”，真正成为了学习的主人。

在情感态度上，我校通过对学生进行符合校本特色的课程教学，学生的面貌焕然一新。这里的学生，特别是那些需要特别关注的学生，在经过学校开发的课程的学习以后，转变得非常成功，他们正在向着阳光少年不断地迈进。

4. 成就学校的特色发展

创建学校特色是我国深化基础教育改革的一个突破点。由于课程与教学是学校工作的核心，因而学校特色的关键在于学校的课程与教学工作是否有特色。只有课程与教学工作有特色了，为学生发展提供了更广阔的空间，这样才真正体现学校特色。那么，什么是学校特色？学校特色是指管理者和教育者根据社会发展需要和先进教育理念，从学校实际出发，在教育实践中努力挖掘、继承发扬并积极创造某一方面的优势，所形成的有鲜明个性，独树一帜，成效显著的办学理念和模式。当今世界面临多元化挑战，对学校教育也提出了新的要求。高度集中、整齐划一的教育和管理模式使学生个性发展被忽视，创新精神和创造力被束缚，教师工作积极性被否定，学校特色被磨灭，学校的生存受到威胁。学校要发展就必须走多元化之路，办出学校特色。

课程是体现学校办学理念和办学特色的重要载体，我校办学理念是“营造绿色教育生态，传递教育幸福”。基于这一办学理念，校本课程的开发与实施是基础教育课程改革的一个亮点，是学校利用本校及社区资源为学生选择课程的支撑点，也是打造学校特色擦亮学校品牌的新的生长点。为此，我们在研发校本教材上作了积极有益的探索和实践，我们本着立足于学校的特色，使其成为学校文化建设的重要环节。

校本课程教学成为师生双方共同建构课程的过程。我们在校本课程的开发中，尊重教师和学生的主体性，倡导“生态”主题，从而引发了教师和学生行为的变化，转变了师生之间、同学之间、教师之间的关系。自活动开展以来，从校长到教师的教育思想、教学方法以及教育管理等体现学校文化特色的要素都发生了显著的变化。一种彼此尊重、互相协助、追求创新的风气在校园内悄然形成。同时为了丰富学生的学习方式，满足学生的实际发展需要，我们还在大胆创新，本着为学生生命成长奠基的原则，我们将进一步开发新的校本课程，使校本课程的教育环境更为宽松，形式更加活泼，活动更加丰富，让学生在自然、社会、自我三个领域里自主探究、自主发展。

校本课程的开发，在我校的课程发展史上，留下了重重的一笔。

第四章 绿色生态课堂——生命、发展、人文

在历次教育改革中，课堂教学都作为最重要的改革内容。2002年随着国家课程改革在北京市全面启动，我校非常荣幸地成为教育部第一批课改基地校。带着欣喜，带着办好学校的信心，带着教师的责任，我们进入了新课改。然而，“全新”的课改理念、“全新”的教研方式、“全新”的教学行为、“全新的”课堂评价等等，似乎一夜之间要发生“根本性”的改变！困惑、焦虑接踵而来，彷徨、无奈紧跟而至，我们无所适从了！

我们的教学为什么突然变得“陈旧”了？“全新”的教学理念如何落实到教学行为之中？我们的课堂应该是“怎样”的课堂？“路漫漫其修远兮，吾将上下而求索”，带着众多的疑问，带着执著的追求，我们踏上了求索之路。

一、反躬自省，叩问课堂

2002年7月，我们参加了新课改为期一个月的培训。一时间铺天盖地、名目繁多、层出不穷的新理念、新名词扑面而来，犹如“狂轰滥炸”，以达到教育理念“根本性”的转变。培训过后，头脑中既有新课改带来的欣喜，又有对未来教学的一片茫然。新的理念有许多都留在笔记本上，头脑里只记得“以学生为主体，教师为主导”、“课堂是活跃的，富有生命力的”；只记得新教材与旧教材有明显不同，新教材的教学思路，基本上是从一些现象或事例入手，设计问题，引发大家思考或讨论，从中发现问题，再得出结论，而旧教材正好相反，是先给学生结论，而后让学生运用其原理分析现象；新教材知识的结论不需要死记硬背，只要理解和明白，能用它解答一些问题就行了，重要的是通过发现知识的过程，掌握正确的学习方法，而旧教材强调背概念、背原理。教学理念的不同、教材编写思路的不同，必然引起教学方式、方法的改变，而教学方式、方法的改变对于从事多年教学的教师无疑是最困难的一种转变和最大的挑战。

（一）以怀疑的目光审视课堂

2002 年 9 月，当开放的充满活力的新课程浮出水面，当老师们置身于无限的发展空间，原本新课改带来的欣喜却让我们陷入了前行无路的迷惑。时间不久，一位老师这样评述新课堂："如果你教学重点突出，他说你目标不全面；如果你教学面面俱到，他说你蜻蜓点水重点不突出。如果你教学紧凑，他说你没给学生自由发挥的余地；如果你设置"空白"，他说你教学结构松散。如果你当堂训练效果明显，他说你教学开放性不强；如果你顾及课内外联系，他说你双基训练不牢固。如果你没用多媒体，他说你缺乏现代意识；如果你用了多媒体，他说你哗众取宠。这样不好，那样不行，这课该怎么上？！借我一双慧眼吧！让我把这教材看得清清楚楚、明明白白、真真切切。借我一颗慧心吧！让我把这教学搞得简简单单、快快乐乐、实实在在。"困惑、彷徨、不知所措困扰着老师们。

原来的备课，我们汲取了许多老师的营养。优秀教师几十年如一日对工作兢兢业业，教案中自然有许多高招，学习前人成了我们工作的法宝。有的教师工作勤勤恳恳，每次教案都精益求精，再加上学习一些新的方法，教案会更加出色。还有的教师干脆"拿来主义"，把好的教案"原封不动"地抄下来。我们的思维，就是如何教好学生，如何把课讲得精彩。

新的课改来了，一切都变了。备课主导思想变了，从关注"教"的方式向关注"学"的方式转变。备课的格式也变了，不仅要有"教"的主线，还要有学生"学"的主线。备课的思维变了，首先要对学生进行前测，进行学前分析，然后再设计教案，要有设计意图等。有位教师在工作笔记中写道：

我尝试着备了几节课，唉，真不知从何下手。费了九牛二虎之力，才把几节课备完。满怀喜悦的心情，我拿去给教学主任看。主任看了以后对我说："以前的备课思维方式对你影响太深了，这样还是'教'的多，学生的积极性调动不起来，要更多地关注学生的‘学’。”我又回到办公室认真地研究起学生的“学”来。第二次又找到主任，主任又指出：“学生真的会按着你的思路走吗？你是在牵着学生鼻子走呀！”唉，教了几十年的书了，这课真的难备啊！

好不容易得到了主任的认可。正巧我们学校来了几名课改教授听课，我非常有幸被选为作课教师。我满怀着喜悦的心情讲完了这节课，可是评课的教授把我的课说的一无是处，什么课件运用不好、什么没照顾全体学生、什么没有放下教师架子和学生讲话等等一大堆缺点，总之是新课改理念没有转化为行动。再看其他的作课老师，没有比我好到哪里去，都是毛病，归结起来最主要的是备课不行！唉，下了这么大的工夫，我的备课错在哪里？

新课改给我们带来的是什么？课改让我们怎么做？课应该怎么备？应该怎么上？带着这些困惑我们再一次学习了新课改解读，越学越迷茫，越学越无从下手。难道过去的课程和教材“太差”、“太笨”、“太傻”，所以才需要“大变”、“大改”、“突变”吗？新课程理念太好了，但我们无法操作！理念太高了，我们难以实施！教师们发出心底的呼唤：教师该怎样当？一位教师说过这样的一些话：

从我懂事时候起，我就知道上学要听老师的话，按照老师说的去办，老师的话永远是对的。事实也是如此。多年以来，老师把自己当做了知识的“主宰者”。“传道、授业、解惑”是老师的职责，老师时时刻刻都处于高位，学生是被动的接受者，处于低位。学生只要违反了老师的意志，就理所当然应该得到老师严厉的教训。课堂上，总能看到老师绷着脸理直气壮地指责、呵斥孩子，而孩子低头垂手一副畏畏缩缩的样子。这种“暴风骤雨”式的教育方式存在了2000多年，可以说中国的教育史有多长，这种方式就存在多长。老师们始终认为自己在课堂教学中具有权威地位。认为在课堂中，学生没有能力、也没有权利对老师说的话进行补充、争论、辩驳，一切都要听老师的安排。有的老教师更是呵斥孩子说："你的爸爸都是我教的，你更得听我的。"这就是老师的"特权"。

然而，新课改来了，教师所谓的"尊严"一败涂地。记得有一次我在讲"落花生"时，我让学生谈一谈为什么要做像"落花生"一样的人，意思是想让学生歌颂具有像花生"外表不好看而对人类有用，默默奉献"品格的人。但是有位学生站起来疑惑地问："老师，为什么非要做花生这样的人？我想做像苹果这样'外表好看又对人类有用'的人不是更好吗？"当时，我一下子就懵了，不知该怎样回答。我很有些恼怒：你这不是成心给我捣乱吗？要是过去，我非得立刻把"捣蛋鬼"的帽子扣在他的头上。可是现在新课改来了，我不能这样做。于是我非常尴尬地说："你的想法也有一定道理。下次再解决这个问题好吗？"先应付应付再说吧。

课下，我同其他老师讨论这件事的时候，几位老师也有同感。自然老师说，我讲的天文知识学生都会，比我的教材还丰富。接着，他又抱怨说，上自然课，干脆就让学生都上网算了，现在要老师都没用了。另一位老师说，学生都不用上写字课了，电脑各种字体都有，还上什么"写字"课？还有一位老师更逗，他说："将来，'老师'这个行业要消失，各种网络公司要大量出现。我要及早办个自然科学的网络公司，为学生服务。现在不下手，将来再想办，就发展不起来了。"我们老师该怎么当？我们出路在哪里？

新世纪的孩子变了，变得我们都不了解了。他们知识视野更开阔了，能力更强了。此时，我们的老师就显得相对知识贫乏。在上课过程中，只把目光盯住教材或教案，或只是关注教室里前几排的学生，或是只专注于知识而忘却了学生的课堂表现，这样"目中无人"式的教学已经违背了教学新理念了。在知识经济到来的今天，在社会迅猛发展的现在，我们需要反思自身的教学方法是否适合时代的要求，"一刀切"、"权威化"已经不适合时代的发展。

我们深知，课堂永远是教学活动的生命线。课程改革带给我们的不仅是机遇，更多的是挑战。课改不只是换一换教材，让课堂变一变模样，实质上更是一场涉及学校教育教学管理深层的变革，从而辐射到教育培养目标、学校课程设置、教师教学方式等方方面面的改革。课堂教学的变化折射出的是教师新的教学观、教师观与学生观的形成。只有每位老师都在自己的主阵地——课堂上不断锻炼自己、超越自己，才能提升每位教师的教学能力。

就这样，我们带着“前边没有路，走的人多了便成了路”的探索精神，潜下心来认真研究新课改的理念，研究新理念如何与我们的教学行为相结合。我们感到教师要做到以下四个转变：教师由学生的灵魂工程师转变为学生的精神教练；教师由知识的传授者转变为学生全面发展的培养者；教师由知识的传播者转变为学生自主学习的促进者；教师由“导师”转变为既是教育者又是学友。通过实践，我们欣喜地发现课堂变得越来越有“温度”了，学生们“小眼发光，小手直举，小嘴常开”了。这相对于过去课堂的单调、沉闷，无疑是巨大的进步，无疑是给课堂插入了“时尚元素”，教师们都在努力学习和实践着新课程改革所倡导的理念。

然而，随着课改的逐步深入，我们从兴奋、盲从中渐渐冷静下来，发现一些“美丽的课堂”被虚华、浮躁充斥着。学生内在的情感和思维并没有真正被激活，与教学倡导的“朴实、真实、扎实、厚实”相距甚远，违背了课改的初衷。

2002年秋天，正当我们刚刚步入新课改的门槛，还没有真正把新课改的理念转化为教学行为的时候，大规模的教研课、公开课、观摩课和示范课扑面而来。作为第一批课改实验基地，我们自然要起到引领和示范作用，今天这个学校来听课，明天那个专家来指导，今天举办这样的研讨会，明天又参加评优课，等等，非常热闹。在这些课当中，有我们自身组织的活动，更多的是校际间交流和上级压下来的任务。为了不让学校丢脸，“课要上出‘彩’来，要有‘亮点’”成了一条不成文的规定。似乎只有“课要上出‘彩’来，要有‘亮点’”才能体现新课改的理念。

一时间，为了真正上出“彩”来，生成出“亮点”来，老师们在课下做了大量的工作。为了让学校的活动办得有声有色，体现出课改的成果，提前几周就开始准备。反复试讲是常事，从其他班调遣学生时有发生，有的老师干脆“下水”，把问题提出来也把问题答出来，让学生记下来，然后指名让学生答；对课堂提问的所有问题逐一作了安排。课终于达到了预期效果。

看到这虚假的、无奈的、顾及面子的“课”，我们痛心了。我们扪心自问：“这是在干什么？这样教育出来的学生真能高素质吗？这是关注孩子的生命成长吗？”诚然，用新课程理念，新的课改思路贯穿于课堂当中，做到了生生互动、师生互动，充分发挥了学生的主体作用，这些无疑是对的。但是光有表面文章做，实际上弄虚作假，对学生心灵的影响将是巨大的，是无法弥补的。我们陷入了深深的自责。

我们期待着常态的课堂教学，我期待着不是揠苗助长的课堂教学。课堂教学我们需要研究，需要探索，“作秀课”只能从外表解决问题，不能解决课改的本质。

老师们也发出了心底的呼唤。

不要为亮点而“亮点”

朱清华

随着新课改的进程，一个新的词汇出现在人们视野——“亮点”。亮点就是课堂上的精彩点，就是有新意的地方。

每次做研究课，我都犯难。我的亮点在哪里？“没有亮点”意味着什么？它虽然不能和失败划等号，至少意味着平庸！每拿到一篇课文，还没读两遍，我便考虑怎样上出“彩”来——做什么样的课件，哪里可以表演，哪里可以“小组合作”，哪里可以拓展、发散，哪里可以“多元解读”，如此等等。我这样做，就是企图以花架子来制造“亮点”。我明知道这样做不好，可我又有什么办法哪？“专家喜欢”、“同事佩服”、

“领导认可”，这三班人马，我都得罪不起。犯难只是我一个人的事，我何必一个人得罪大家哪！

说实在的，对教学“亮点”问题，我是有看法的。一节好课需要亮点，那是通过“亮点”让学生的思维得到充分发挥，而不是让大家有看头。然而，为“亮点”而“亮点”的行为，有时就变成耍花架子了，有时候学生思维到不了那个高度和深度，就需要我们事先“安排”了。这种为亮点而亮点的课是要不得的，要还课堂教学的本来面目，做简简单单的课，让学生简简单单地学，让学生切切实实地发展。

作为推进课堂教学改革，不应让老师们搞一些形式上的事情，表面看热火朝天，实际是弄虚作假。设计一节课不是设计一件艺术品，课堂是师生间心灵的碰撞，内心的感悟，而不是给什么人来欣赏的。一节课是有一定的时间限制的，它也不可能面面俱到。只有将教学设计拿到课堂中进行试验才能知道那样设计是否合理，是否适应学生。而学生的学习能力、接受能力是有限的，也是千差万别的，因而教师的教学设计放到课堂不可能是一帆风顺的，也不可能是尽善尽美的。如果想要追求尽善尽美，就只能弄虚作假，就只能“作秀”了。现实中没有真正完美的课，只有不断完善的课。

（二）以负责任的目光探析我们的课堂

新的课堂究竟是怎样的一个课堂？什么是一节好课？我们相信拙劣地赶时髦，在课堂上耍弄“花拳绣腿”，多说几句“你真棒”，追求花里胡哨的虚伪美丽，不是一节好课。课堂上的喧嚣，教学上的热闹，给课堂加了太多的“调料”，而我们的学生却很少在课堂上享受课堂的美好，使我们的教学失去了原来的味道。混杂的味道，失去的是享受，增加的是负担。我们也深深地感到，课堂应回归本位，回归自然，回归原生态！一节好课、一节高效的课、一节给人以美的享受的课，一定是一节简约的课，一定是要把语文课上出语文味道，把数学课上出数学味道，让学生、老师、教材、学习环境和谐健康地发展，还课堂教学以“朴实、真实、扎实、厚实”的风貌。

分析作秀课产生的原因，我们感受到：那是领导、教师的虚荣心在作怪，是对研究课的本质认识在作怪。作为研究课，希望成功，但也允许失败。真正的研究课是原生态的，而不是那些经过渗透、重复、灌水的所谓的“完美”的课。“完美”课是领导和教师为了学校的荣誉，为了自身的脸面采取的应对措施，实际上损害的是学校的信誉，伤害的是学生。

课程改革需要渐进式，而不是那种“运动式的”、“突变式的”、“大跃进式”的激进方式。我国改革开放最成功之处是采用“渐进式”的改革。教育改革同样需要“渐进式”，那种“根本转变”需要一定的时间和必要的过程，否则就会出现“揠苗助长”的尴尬局面。

我们进一步反思我们的课堂：我们发现我们的课堂过于活跃，缺乏从容与娴静；我们的课堂也常常缺少积极而细致的精神引领，学生在这里学不到多少值得他们永远珍藏的东西，尤其是公开课、展示课，功利化的色彩过于浓厚。面对这样的现实，我们在想：应该教给学生什么？学生学会了什么？我们的理想课堂是什么？于是，我们再一次陷入了思考。

2004 年上半年，我们组织老师开展“我心目中的课堂”大讨论，老师们认为：

“理想的课堂应该是尊重学生的个性感悟，尊重学生的独特体验，允许学生有自己独立存在的信念和意识，老师对学生充满了尊重、期待、赏识和包容。”

“理想的课堂应该是师生在和谐中享受生态的温馨并自然生长，教师的主体精神和学生的主体精神都能得以充分展现的课堂。”

“理想的课堂应该是有节奏、内容、语言、活动等，都应是动态变化的课堂。”

“理想的课堂应该是用口去表述，用心去感悟，用脑去思考，是一种情感体验和心灵沟通的课堂。”

“理想的课堂应该是平等和谐的课堂。需要一种良好的心理环境，使学生思维自然地得到激发，思想意识不由自主地积极行动，真正地参与学习而不是静止地旁观。”

“理想的课堂应该是充满关注生命，充满生命力的课堂。”

“理想的课堂应该是充满人文情怀的课堂，是闪耀智慧光芒的课堂，是洋溢成长气息的课堂。”

……

生活在课堂中的教师和学生都是活生生的人，他们的品质、认识、情感、意志、行为等相互联系与配合，构成我们富有活力的课堂教学。这就需要我们教师把课堂变为学生顺利成长与发展的土壤，使课堂充满学生情感、智慧和人格成长所需的阳光雨露，最终让课堂成为师生生命的绿洲。这就需要教师在课堂上创造平等、和谐的气氛，以自己的精神力量为示范，以生命激情为引领，以对未来更美好生活的渴望为最大的期待，鼓励和唤醒学生内心深处的潜能，让课堂真正成为自由之路的起点，让我们看到从课堂走出来的是和谐健康富有个性的人。反思我们的教育行为，课堂上是否关注学生的生命存在？教学作为人与人之间活动的交往，学生是否在参与课堂活动中获得多方面的满足？

我们的课堂需要的是师生人格完全平等的富有爱心的交流，是人与人精神的配合，是相互尊重与创造，是个性彰显的过程，是师生间在和谐的氛围中畅所欲言，处于最佳的学习状态，用师生的才智共同创造一个和谐的生态课堂。在课堂教学过程中不仅仅是学生的自我实现，也是教师的自我实现，师生双方共同在课堂中实现自我的超越，让课堂成为师生潜能释放与升华的地方。这样，我们才能实现我们的教育目标，真正为师生的生命发展负责。

二、返本开新，寻求路径

面对课改中的困难，我们没有退缩；面对课改中的问题，我们没有放过。几年来，我们努力探索，大胆实践，将新课改的理念逐渐渗透到教师的工作中，融入到教育教学行为中。

（一）从纷繁复杂的问题中梳理

在校本研究过程中，我们学校努力引导老师们用审视的目光重新看待自己的教学，捕捉教学中一些纷繁复杂的问题，进而提高自己的问题意识、反思能力。例如，语文课程的性质就是工具性与人文性的统一。我们知道，语文课程的工具性是源于语文的交际功能，而其人文性是因为语文是人类文化的组成部分。语文学科从语文学习活动的形式看，语言是生命活动的显性符号，它是可外显的。语言有声，文字有形，都是可以外显的。俄国教育家列戈维也教授说过："全部了解一个作品的最好的方法就是好好地高声诵读。作品一被高声诵读，就成了好懂与易解了。"于是，我们关注小学语文阅读教学中的朗读问题。但是，我们发现有些课的朗读流于形式，浮在表面，朗读没有层次，唤不起学生的思考和体验感悟。

记得一位三年级老师执教的是"小镇的早晨"一课。老师上课开始先问学生："同学们，你们喜欢小镇的早晨吗？谁知道小镇的早晨有什么特点？"学生们七嘴八舌，众说纷纭，畅所欲言，热情非常高涨。接着老师开始讲课。由于老师以为只要教会学生把课文读流利就可以了，结果也没有提出任何要求，就让学生开始读课文。学生读完后，教师就问："课文写得美不美？"学生回答"美"，"既然美，那我们就美美地再读课文。"

一堂课下来，就这样读。整堂课虽然是书声琅琅，看起来却好像是把朗读贯穿在了整堂课的教学中，学生在这一堂课里收获了什么？学生从这篇课文中品味到了什么？每一遍的朗读学生在能力上有多少提高？这一系列问题实在是无从说起。也许是由于教师对新课程标准的一种错误解读吧。

有些老师课堂上经常对学生说"用自己喜欢的方式朗读"，可是很多时候都是注重形式。教师放手让学生用自己喜欢的方式朗读，看起来似乎教师尊重学生的个性，体现了个性化朗读。但学生自己没有任何经验，缺乏教师的指导，结果他们都用高声朗读来代替喜欢的方式。

在实践中，我们真切地感到：解决我们自己真实的、实际的问题，才能让教师走出“雾里看花”的困境。于是，我们关注自身的课堂，罗列问题：“语言文字怎么品？”“如何实现工具性与人文性的统一？”“小组合作究竟怎么办？”“尊重学生是不是学生说了算？”“课程资源是怎么回事？”“新课程的课堂教学究竟怎么上？”“课本上练习内容大幅度减少怎么办？”“新课程是不是不要基础了？”“语文课上老师该不该讲？”“语言文字分析如何不碎？”“课外资料如何适时加入？”等。要解决的问题越来越多，千头万绪不知从何抓起。我们意识到研究不能求多求全，要求实求精。要解决亟待解决的问题，要解决能够解决的问题。于是，在梳理问题的同时，明确主线、抓住核心，各个攻克。

随着校本教研工作的深入开展，在纷繁复杂中梳理出主线，确立研究主题。例如，语文组“阅读教学中的感悟与体验”；数学组“在积极的情感下学习数学”；英语组“提高课堂教学的实效性”；科学组“学习资源的开发与利用”，等等，这种专题研究真真切切地解决了我们教学中的真实问题。

（二）从小问题、小现象研究起步

教师对日常工作太熟悉，往往对日复一日的教育教学行为变得习以为常。事实上，恰恰是在这些日常的点滴小事中，蕴涵着许多有价值的课题。只要细心留意小问题，就可以以小见大，真真切切地解决教育教学中的大问题。

我校低年级老师针对一年级小学生刚入校不久，不了解学校要求这一急需解决的小问题群策群力。他们通过分析一年级学生的年龄特点和心理特征，从小朋友喜闻乐见的形式切入，编辑小儿歌。“身坐正，手放好，认真听讲很重要。”“有见解，敢提问，你是智慧小宝宝。”“小朋友，会倾听，会动脑，这样学习才会好！”……

低年级老师自己编儿歌、学生熟读儿歌，让学生尽快适应学校的生活，这种办法解决了新生入学不适应的问题。事后大家共同就这一教育中的现象进行反思，认为取得这一教育效果的根本原因是关注了孩子，寻找到一个最佳处理课堂教学中的师生关系、生生关系的途径，营造了良好的课堂氛围，从而使课堂由无序变成有序。

在体育课上，一年级学生刚入学要完成“原地三面转”这一最基本、最简单的常规内容都很难，如何使小学一年级学生在较短时间内掌握原地转法？这一小问题也引起了体育老师的研究兴趣。体育组老师意识到：教学过程是师生交往、共同发展的互动过程。如果只研究教师的教法，不重视学生的学法，不利于调动学生的积极性，提高教学质量。因此，体育组老师注重教学方法的研究，在研究中总结出解决这一问题行之有效的方法：

方法一，学生听口令作反应。教师在学生面前叫口令，学生听到口令后，第一时间作出反应。练习时，要注意让学生面对不同的方位进行练习，练习过程中重点要求学生做到“快”、“准”。

方法二，学生听口令做练习。教师口令叫向左（右）——转，学生先举手确认左边的方位，然后放下手再做向左转。动作要领：（以向左转为例）左脚为轴，右脚掌前部同时用力，使身体和脚一致向左转体90 度，重心落在左脚。右脚取捷径迅速靠拢左脚，两脚并拢，上体保持立正姿势。练习时，先分解，后完整练习。

方法三，节奏变换法。为了提高练习兴趣，可采用节奏变换法教学，也就是通过教师所发出的口令长短结合，不固定间隔节拍，在教学中比如“向左——转”教师通过延长预令时间让学生们有一个考虑的空间，分辨出左边位置，这样，可以照顾一些反应差的学生，给他们一个锻炼的机会和选择方向的余地，从而提高班级的整体素质，学生练习时注意力高度集中，又觉得兴趣浓厚。

经过训练，孩子们完成了这一动作。但是体育老师们并没有停歇，而是深入研究这个问题，“原地三面转”并不难，但孩子为什么做不好呢？“难”在哪里呢？通过分析研究他们发现“难”就难在学生听觉与动作协调问题上。新入学的孩子身体机能发育还不完善，特别是神经系统肢体配合方面需要反复强化训练。问题找到了，体育老师们对这一问题进行了拓展，开展了“一年级动作协调能力培养的研究”。从而把小的问题变成大的研究。

在课堂教学中我们存在着许多有问题的小现象，但是课改刚开始的时候，由于不知道新课改是什么样子，一是模仿别人的做法；二是感觉我们应该出一些新鲜花样，以示自己的创新和独特。随着时间的推移，以及我们对问题认识程度的加深，这些不是“问题”的“问题”，倒成了“问题”，归结起来有以下几个方面。

第一，教学方法方面的。如“用你最喜欢的方式读课文”，从表面上看是尊重学生，实际上大部分学生只知道朗读、默读两种形式，而真正缺乏的是对“读”的内涵的理解。读什么？怎么读？是有重点的读，还是全篇读？学生不明确，老师也不明确。再如“大家分小组合作学习吧”，这一句话在我们课堂上普遍能够听到，乍看起来学生分成无数个小组凑在一起认真合作，细看起来也只有几个同学发言，小组分工失去意义，成了名副其实的“合伙学习”。

第二，教学内容方面的。如“请出示预习资料”，新课程提出的“跨学科的学习，使学生在不同内容和方法的相互交叉、渗透和整合”，这一观点非常正确，但具体到课堂教学中就完全变味了，有位老师在讲“草原”一课时，孩子们从网络收集到的草原图片一一展现在课堂上，同时把草原退化以及如何保护草原的相关知识都讲出来了。一节品赏名家名篇的语文课变成了环境保护课，失去了语文的味道。

第三，教学评价方面的。如“你真棒”，每当同学们回答非常好的时候，老师们会说：“夸夸他！”一时间，大家伸出大拇指齐声说：“嘿！嘿！你真棒！”这招虽好，时间一久就成了走过场，学生们变成机械地毫无表情地应付了。

综观这些问题的出现，其原因是教师在课堂生态系统中输入不协调的因素，引起课堂生态的失衡，使课堂原本相对稳定的环境变得不稳定，系统的相对稳定性特征又促进其走向新的稳定态。作为教师，我们要不断地发现这些不利于课堂平衡的因素，及时纠正并保持课堂的动态平衡。对这些小问题、小现象的研究有助于我们促进课堂趋向积极的稳定态，提高课堂的实效性。

俗话说得好："泰山不拒细壤，故能成其高；江海不择细流，故能就其深。"像这样的一些小问题，其实也是我们教育教学中的困惑点，我们只有关注教学生活中的小问题、不经意的细节，才能让我们的教学研究走向深入，最终让我们的课堂焕发生命活力。

（三）让教师成为研究者

随着课改的深入，随着对小问题、小现象的研究，我们慢慢意识到我们的角色在改变，教书匠已成过去，研究者正在出现。渐渐地，老师们感到教学"有思想"了，不再是"教会"而是"会教"了，学生们也由"学会"转向"会学"了。其实作为教学第一线的教师，有很多研究的条件，有研究主体，就是我们的学生；有研究的时间，我们每天从事的教育教学本身就是教育科学研究；有研究的空间，那就是我们的教室；有研究的组织，教研组就是我们研究的共同体。老师们在这些条件下实践与反思，学习与研究，创新与提高，合作与分享。教师的成长沿着"反思→研究→行动→提升→再反思"的螺旋式上升的轨迹前进。7年来，我们的老师在静悄悄地改变，成为教学活动的"引导者、启发者、参与者、促进者"，成为教学工作的研究者。

2006年3月13日，语文团队40余人聚集在六（6）班教室，就夯实学生的"双基"，提高教学实效性进行探讨，研究气氛异常热烈。

当各年级组长汇报时，大家的目光都聚焦在大屏幕上，仔细地聆听着每一位组长的讲述，让我们把镜头对准他们。

首先发言的是一年级的梁艳霞组长。她将他们组从开学至今学生在学习中的易错点进行了总结归纳，让各年级段的老师对该年级学生学习中遇到的问题有一个粗略的了解。

二年级的组长许春玲老师是第二个发言的。她在汇报二年级语文1–3单元的知识点梳理时，在汇报过程中，许老师抛出了低年级老师抓“双基”过程中遇到的指导学生书写上的困惑。二年级要求学生会主动查字典，书写音序时，许老师提到“G”书写时到底怎样写才是规范的？问题的抛出，大家各抒己见，许老师自己认为应该按照课本上的书写形式：用大写英文字母的印刷体，可是大多数老师认为印刷体和手写体是有区别的，认为既然我们是手写就应该教学生写手写体的“G”，大家有的查找字典，有的查找其他手头已有的资料，最后还是集体决定：这个音序应该是手写体的大写字母“G”。

当三年级的组长白红健老师梳理知识点时，她提出了在平时的教学中遇到了学生组词练习中所组的词是否规范的问题。她说：“何谓‘词’，在《辞海》中是这样解释的‘语言结构中的基本单位，能独立运用，具有声音、意义和语法功能’。”接着白老师提到在用“套”组词时，能否组“一套”？白老师阐述他的观点：“我们大家都知道‘一套’是一个数量词，这肯定是一个词，可是，我们的工作是小学语文教育，我们要让学生在平时学习中积累更加丰富的词语，打好扎实的语文基础，以备学生在以后的学习和生活中更好地运用，我认为要让学生尽量不要组成量词。经过激烈的研讨，最后大家认为在平时的组词练习中不提倡学生组数量词。

也许，在外人看来会觉得我们有些太较真；也许，在外人看来我们的研究显得肤浅；也许，在外人看来像这样的问题根本不是问题。但是，我们觉得，我们的教学对象是幼稚懵懂的孩童，正确地传道授业也是我们义不容辞的责任。

老子曾说过：“天下难事，必做于易；天下大事，必做于细。”我校的教研团队一直坚信：要让课堂充满活力，教师要善做研究者，研究的团队一定能成为一个最能战斗的集体。

教学需要不断推陈出新，需要我们以求真务实的态度，从“乱花渐欲迷人眼”的盲目追风中找到自我，用自己的思想探索教学的真问题，大浪淘沙，从中“沉淀”出有分量的教育思想，体现教学的本真，让教学实实在在地为学生的真正发展服务。一个教师要使自己的教学成为一门艺术，形成并享受自己的教学风格，就必须苦苦地追寻自己的教育主张，形成自己的教学思想。

团队的组建，为老师成长搭建平台，让每一位教师都感受到职业的尊严。我们的理念是“教师成就团队，团队铸就教师”、“个人力量终有限，集体力量大无边”。“虽然团队中的每一位老师不一定是最优秀的，但是我们的团队是最优秀的。”我们的每一个团队都是一个学习研究的共同体，每一个团队就像是一个向南飞行的雁群，都在互相合作，共同奔向远方。

三、立体发展，走向纵深

经过几年的研究与探索，我们深深地感到课堂应尊重学生人格，尊重学生情感，尊重学生的创造欲，尊重学生的体验表现，关注学生的生命成长，提升学生的人生境界；应让学生自己去探究、去领悟，去以大观小、由小窥大，进而掌握所学的精髓，领略所学的美妙。课堂应该是充满爱意的课堂、富有诗意的课堂、饱含情意的课堂、体现创意的课堂、充满写意的课堂。课堂应该是师生信任和平等的关系，彼此敞开自己的精神世界共享知识、共享智慧、共享人生的意义与价值，共同创设自由对话的“心理场”。在这个心理场中，教师应改变以往只关注灌输和讲解的惯例，教师要用宽容、理解、欣赏的目光去发现；老师是学生的学习伙伴，与文本、作者对话，进行思维和心灵的碰撞，感受生活的多姿多彩。

我们组织丰富多彩的研究活动，把校本教研推向深入。

（一）“教研沙龙”——倾听同伴的教育智慧

“教研沙龙”是一种可以自由发言的专题讨论会，营造出宽松自由的学术研究氛围。“教研沙龙”能够为教师提供这样一个舞台：教师们之间能够畅所欲言，展示才智，相互启发，彼此欣赏，以求扬己之长。大家在自由轻松的环境中探讨教育教学中的“疑点”、“难点”、“热点”、“焦点”。比如，有时大家会围绕“真正意义上的自主学习有什么特点？”“一篇新课文开讲之前需不需要花费时间去创设情境？”“如何开展有效的合作学习？”等“热点”话题进行自由讨论。每次就一个话题展开讨论，这种讨论不强求统一的结论，旨在开阔思路，引导思考，分享教育智慧，加深教师对某一问题的认识，寻求更多的教学策略，探索课程改革中的新方法、新模式。

下面是二年级的刘老师讲《雨铃铛》一诗的课堂情境的回放：

刘老师面带笑容地走上讲台，她神秘地抬起右手，手中托着一个铃铛，温和地对同学们说：“孩子们，你们知道这是什么吗？”孩子们大声回答：“铃铛。”于是刘老师接着追问：“你们知道铃铛在古代有什么作用吗？”孩子们面面相觑，摇了摇头。刘老师说：“铃铛在古代……”

这一教学细节引发了教师们激烈的讨论：

观点一，认可刘老师的这种导课方式。课堂是一个向未知方向挺进的过程，既然是学生不懂的方面教师就有必要向学生解惑，虽然这些知识与“雨”联系不大，但是刘老师通过“铃铛”一词给了学生课本以外的知识，拓展了学生的知识面。

观点二，教师的课堂教学各个步骤的设计就要为学生能够更好地理解本节课所学内容服务，应该向宝贵的40分钟要质量。显然，在本节课上“铃铛”这一教学细节的设计不能为学生理解诗中雨的形状、雨的声音等内容起到铺垫作用。我们的导课应该更密切地与课文内容相联系……

在这一次“教研沙龙”活动中，教师们相继表达了各自的观点，有的教师从课堂效益出发，认为刘老师的处理方式是正确的，有的教师从教学设计出发，认为这样的处理可能耽误了宝贵的教学时间，可以选择课后以适当的方式给学生讲解铃铛在古代的作用，认为刘老师的处理方式不太妥当。本次“教研沙龙”活动，仅是我校开展“教研沙龙”活动以来的一个缩影。

“教研沙龙”还能融洽教师之间的关系。“教研沙龙”能让老师们在碰撞中寻求平衡，在对话中产生共鸣，在“教研沙龙”活动中能品味到真诚相伴，风雨同路的愉悦。让我们来听听老师们参加“沙龙”后的感言吧！

如果用一个词来形容我们的沙龙，我想：那就是真诚。

那天，我静静地坐在位子上，聆听着组长的发言，想着他们一路走来的历程，为每个年级组感动。二年级组真的在教研的路上演绎着她们成长的精彩，课前的深入探讨，课后的研究反思，一堂语文课，处处见真情。张莹是教研的冲锋者，刘珂的教案多次易稿才定型，王艳改课件到深夜两点，刘莉拖着带病的身体教研忙不停。她们的话语朴实，她们的神态平静，多么团结的集体呀，成长的路上泪水与汗水交融。六年级组的老师都曾是我的战友，稳重、扎实是他们一贯的作风，为了一节课，调查问卷、查找资料、评议优点与遗憾，想得周到，做得充分，讲得成功。教研中的密切配合，使得新人脱颖而出。教研中，一件件微不足道的小事，两个组的老师都牢记心中，学习着、合作着、沟通着、感恩着，用心教研，真诚沟通，使他们成为今天耀眼的明星。

（李莉红）

下午的沙龙活动，我细心聆听了每位老师的肺腑之言，一次次被感动，一次又一次地流下泪水。可以说，这是一次心与心的碰撞，使老师们进一步增进了了解，增进了彼此的感情，更让我们感受到了领导对语文团队的厚爱。在今后的教育、教学生涯中，让我们共同努力，做一个勤于思考、善于研究、忠于职守的教育工作者！让我们共同期待教学课堂的研究更加欣欣向荣。

（刘淑明）

自由是思想成长的良好土壤，老师们在宽松的、相互信任、彼此尊重的环境中真正地实现思想的交流。“教研沙龙”为老师们自由交换意见提供了机会，促进了教师之间的交流，使老师之间能相互获得同伴的教育智慧。

（二）“我们的教研日”——让平凡教师走向前台

“我们的教研日”是各个教研团队阶段研究成果汇报的日子，它展示的内容包括研究足迹，成果汇报，常态课展示等。在这一天，每一位老师都是“舞台上的明星”，每一位老师都是活动的主人；在这一天，哪怕是默默无闻的绿叶教师也会亲历鲜艳夺目的灿烂；在这一天，即使是年过半百的老教师也会焕发出青春的朝气。

2008 年 4 月 11 日，难忘那一天。每一位语文教师都成为整个活动的主要角色。王艳琴、郭爱莲老师自然大方的主持；王申、王燕老师精彩细致的汇报；梁艳霞、刘利老师情浓意深的动人感言；魏志勇、刘珂老师精益求精的课堂演绎；曾萍、孙燕老师充满自信的评议总结，无不展示出我校语文教师的风采，那一刻，相信在座的每一位教师的心自始至终都被这种感动充溢着，他们才是万泉小学最亮的星！正像一首歌中唱的那样：“每一个人都是完整的故事；每一个脚印都留下独特的足迹；每一个人都能改变地上的道路；每一个记忆都有未曾翻开的日历……”他们坚信：梦想在心中，创造在手中；要想成功，一步登天做不到，但一步一个脚印能做到；一鸣惊人不好成，但全心做好一件事可以成；一下子成名不可能，但每天进步一点点有可能。

有了“我们的教研日”活动，每一位教师都能找到他在团队中的位置，“红花教师”将会更加鲜艳夺目，“绿叶教师”也能仰起头享受阳光的和煦与温暖。

（三）“校际送课”——提升教师的生命价值

“校际送课”是指把我们学校的优质课送往我们的手拉手学校。在手拉手学校上完课后，两校的领导和教师相互交流，分享智慧。“校际送课”使教师们感觉责任更重大，于是对自己的课更加精雕细琢，在磨炼自己心智的过程中提高自己的教学技艺。正如送课老师白红健在她的反思中所说：

接受了讲课任务后，我陷入了深深的不安之中：如何能完美地展现我们已经商榷N次最终定稿的教案？如何能把这节课上出自己的特色？如何能出色地完成任务、给学校争光？回到家后，我马上开始着手准备。虽然说“野草”的教案我们全组人都参与备课评课和一次次修改，但毕竟不是自己上课，一旦由自己来上这节课了，我才发现上好这节课并不简单：一是教案给魏老师量身打造的，很多话我说着觉得很不适应；二是我怎么才能讲出自己的特色呢？三是既然是接龙课，总不能一棒不如一棒吧？我该如何超越呢？坐在电脑前，我首先查阅了关于《野草》、关于夏衍的一系列资料，并对资料进行了梳理，使自己对文章有了更新的认识。拿着教案一遍又一遍地读，把自己觉得不顺的地方标画了下来。随后，我又找张主任改教案，张主任毫无保留地倾其所有，逐句逐字帮我修改教案。特别是我觉得不适应之处，张主任和我一起一句句地试，她往往能说出好几句来让我比较着选择，而从不说“你自己看着办吧，你觉得好就可以”这样的话。其实，当时她是非常忙的，而且这个教案已经是她几次修改的了，完全可以让我自己背教案或是让我自己稍加修改，她的精益求精、高度负责由此可见一斑。拿着改好的教案，我又进行了试讲，在试讲过程中，组里的老师们又来帮我评课，指出了我在上课过程中的种种问题。我深深地知道，大家都清楚上好这节课是多么重要，这节课已不仅仅是我们组里老师们的荣耀，它更代表着我们语文团队、我们万泉小学。领导的关心与帮助、同事们的支持与鼓励，都是我前进的动力，在大家默默地关注下，我一次次地熟悉教案，一遍遍地背熟课文。这是一种磨砺，更是一种责任。

“校际送课”使我们把相对新鲜的信息带给手拉手学校，把成长路上的点滴体会和教训传给他们；他们把自身的教研感悟展现给我们，这是一种生命相互影响的过程。“予人玫瑰，手有余香”，不管送课的时间长短，留给手拉手学校的是我们把教育当做事业的那种无私奉献的精神内涵。送课老师刘莉在她的感言中写道：

这次活动一直到5点半才结束，但是西二旗小学的校领导和老师都听得津津有味，不想离开。如果说给西二旗小学送去了什么？可以说是送去了万泉小学老师研究的意识、拼搏的精神和无私、实实在在的帮助，同时我们也从西二旗小学的校领导和教师身上学到了积极、踏实、纯朴、上进的精神。

从这次活动中，我们深深感受到了交流对于教学所产生的强大的促进作用，并且以身为一名万泉小学的语文老师而自豪！

这种经历，当你没有体验过，你就无法具体想象；这种情感，当你没有交流过，你就无法感受；这种感动，当你没有经历过，你就无法理解其中的真谛……

（四）网络博客——沟通无限，展示自我

“网络博客”具有快捷、方便等优势，老师们可以利用博客及时将自己教学中的点滴感受与同仁沟通交流，共享教学资源，促进有效教学。老师们还可以随时上网发表看法、提出问题等。“网络博客”为教师学习、交流提供了更加广阔的平台，大大地延长了教研交流时间，无限地扩大了交流的空间，建构了“校本教研”的立体维度和空间。下面是我校利用“网络博客”的一点尝试。

第一，利用“网络博客”进行反思与评课活动。“网络博客”不需要花费太多的时间，不需要集中组织，就可以为老师们搭建方便快捷的反思与交流平台。每逢上完“接龙展示课”后，做课教师把学情分析、教学设计、课堂效果的自评发到博客中，参与听课的老师们都自觉地把

展示课上的得与失发到博客上，共同探讨课堂的成功之处，提出修改意见，进行教学反思与交流。比如：刘珂老师上完“迷人的夏天”一课后，便把对教材的解读，学情分析，教学设计，课后反思全套资料上传到博客上，与大家交流，以求更好地改进自己的教学。老师们也纷纷与刘老师在网上进行交流，比如：有的老师说：“在今天的课上，刘老师在讲读‘夏天是多彩的’这一部分时，抓住‘多彩’一词，对学生进行色彩词语的积累，通过出示四幅不同颜色的花，让学生进行描述，通过这一训练，不仅让学生理解了课文，还使语言文字训练落到实处。”有的老师说：“刘老师在讲读‘夏天是有趣的’时，学生兴趣高涨，学生有很多话要说，但是由于教师讲得过多，导致学生说得还不够充分。”还有的老师说：“我感觉在这节课上，刘老师让学生对文本本身的朗读少了些。课文中的植物多美啊，小动物多可爱啊！作者写萤火虫，采用了拟人、比喻的手法，惟妙惟肖。让孩子反复读读，增强语感，积累语言，真正发挥文本的作用。”每堂课下来，无论是做课老师还是听课老师都能从这种交流中获益。

第二，利用“网络博客”分享教学资源。利用“网络博客”，我们可以获取到经过精心收集和整理的教育信息、教学经验、优秀案例以及优秀教师的教学实录等。比如有时市区等有优质课展示活动，外出听课的老师便会把优秀教师上课的课堂实录整理成稿，上传到博客中，以供所有老师分享。

第三，利用“网络博客”展示自我，沟通心灵。“网络博客”成立以来，老师们经常会把自己的得意之作在博客中与大家共同分享。每一次大型活动之后，每一件重大事件发生之后，老师们都会把自己的感言拿出来在网上与大家交流，虽然它来自于教学，但是它却是老师们从心底发出的一种感慨。

比如“我们的教研日”活动之后，新教师刘丹娜在博客中是这样说的：

魏老师的课我曾经听过，那次的古诗复习课让我充分感受到了魏老师的古韵悠长，而这次的“野草”，却让我更加赞叹。原来，课堂的氛围可以这样大气磅礴，可以这样激情豪迈；原来，对同一个自然段，竟然可以有这样多的理解与感悟；原来，教师的魅力既藏在那书生意气的儒雅做派，又藏在那挥斥方遒的潇洒风格。反观二年级的刘珂老师，仿佛一道温温的涓涓细流，缓缓滑过心尖，熨平了所有的烦躁，只留一片宁静与温馨。刘老师的每一个微笑，每一个眼神，仿佛都透露着她对孩子们的爱，透露着对此次研究成果的自信满怀。还有那精彩的点评、优美的语言，巧妙的设计，都让我久久难忘。看着同为低年级教学的刘老师，我真是好生羡慕啊！

市级骨干教师高凡在博客中这样写道：

在这次活动中，我看到了青年教师的飒飒风姿，听他们的课，或给人以昂扬的激情，或让人不知不觉地融入缓缓的小溪……但我更感到他们背后的力量，那就是团队的力量——竞争中的团结，合作中的提升。我也是从我校的这支语文教学团队中走过来的，回首走过的路，没有一个强大的基石，我们又怎能攀上高峰？其实靠的不就是我们与领导、教师与教师之间的这种彼此的心心相印吗？如果没有团队的合作意识，又何谈成功呢？

“网络博客”让老师们的心走得越来越近，让我们的团队越来越有凝聚力。

在反思探析问题的过程中，我们恍然发现：以往的那些所谓的教学经验，已经远远地落在了新教育的后面，我们的教育教学工作几乎没有去关注学生的体验，没有去关注学生生命发展的需求，教师们似乎太注重生命发展以外的东西，而没有把人的生命发展放在重要的位置上。从某种程度上说，忽视了学生生命激情的需要，淡化了对学生的心灵和智慧的开发，对情感的熏陶和对人格的培养。因此，我们似乎感觉不到教育的生机，体味不到教育的生趣。

“为学生的生命发展负责”是我们生态课堂坚持的理念，是教育能够生动存在的灵魂。我们的教育只有为每一个学生的生命发展服务，才能展现出它的无尽魅力；我们的教育只有为每一个生命发展服务，它才变得神圣和崇高。我们的教育只有尊重每一个学生的生命发展，关心每一个学生生命发展，才能让教育真正成为唤醒心灵的音乐，让学生享受教育，享受生活，这样才能真正体现教育是以促进学生终身发展为目的的。

在教育中，我们面对全体，尊重差异，为每一个学生的生命发展负责。苏霍姆林斯基认为：“每个儿童就是一个完整的世界，没有重复，各有特色。”我们认为，每一个学生都是独一无二的，是一个个鲜活的个体，每一个学生都可以做得最好。这最好的标准并非是个个都能成为伟大的科学家，而是找到一条适合自己生命发展的路。在当今社会中，各行各业呼唤多种知识激荡交融，许多领域都有许多不需要科技天才去完成的工作，需要多种多样兴趣各异、才能各异的人们去缔造时代的五彩缤纷。所以面对不同的学生，不同的个体，我们为他们提供不同的教育，提供不同的发展空间和条件，为每一个学生的生命发展负责。

教育的宗旨呼唤教师们改变自己的教学理念，提升课堂教学的生命价值。

（五）课堂接龙——体味破茧成蚕的成长

面对课改，我们大胆实践，经过几年的努力，我们在教研模式上探索出一条新路，那就是“课堂接龙”式的教研模式。

“课堂接龙”是指多人同课循环。就是围绕研究专题，以课例为切入口，不同教师连续多次上同一课，内容重复，但行为不断改进，一堂课接一堂课，循环往复就好像一条龙一样在万泉河中自由遨游。每位教师都针对前面教师课堂存在的问题，围绕专题进行改进，每次新方案的产生都是教研团队集体智慧的结晶。过去我们听课评完课，工作也就结束了。“课堂接龙”则不同了，我们要结合专题研究，有目的地看课反思，分析前一课的得失，即通过这一课例我们解决了什么问题？哪些问题没有解决？又遇到了什么新问题？以后还要研究什么？总结提出了哪些操作层面的经验……

整个“课堂接龙”过程，聚焦于课堂，着眼于老师的发展，为教师的终身发展服务，使研究的学科性质和教学本意回归，促进了教学质量的提高。“课堂接龙”的关键在于教研团队的互动和问题的跟进！

每学期初，各年级组选定了各自的研究专题，就可以开始“课堂接龙”了。那么，怎样进行“课堂接龙”呢？具体操作方法如下。

1. 设立专题，明确课例

“课堂接龙”的教研模式首先要有总的研究专题，每个教研组每学期选择教师公认的有难度、有困惑的一两篇课文作为专题进行研讨，教研组每一位老师都要求积极参与。如我们曾经选择的一个专题“阅读教学新的增长点——语言文字的感悟与体验”。在总专题基础上，每一个年级段还可以设立分专题。如针对“语言文字的感悟与体验”的各个分专题如下。

低年级段的专题：

- 让语言文字训练情趣化。
- 联系学生已有经验，感悟文本语言。

中年级段的专题：

- 把握整体，紧扣词句，切入训练。
- 语言文字的训练要有梯度。

高年级段的专题：

- 积累语言的有效方法。
- 语言训练与情感熏陶的和谐统一。

专题设立好之后，接下来就是明确课例，选择教材中大家公认比较难讲的、有困惑的课文。比如：低年级的诗歌怎么讲，如何才能让学生学习诗歌时能品味出语言文字的内涵？大家选择了“雨铃铛”作为低年级进行接龙的课例；如何通过文章得到语言文字的训练，中年级的老师选择了“炮手”作为接龙的课例；对于短小精悍、寓意深刻的小散文应该如何讲，高年级的老师选择了“野草”作为接龙的课例。不管怎么选择，都是围绕语言文字训练的总专题。

2. 集体备课，集思广益

选好课例，拿到课文，大家先集体备课，从以下几个方面进行研究：①对重点、难点的分析：学生能否顺利理解？如何分解难度？如何突出重点？②学生情况分析：学生已有的生活经验和能力？对过去所讲知识的掌握程度？在此基础上怎样引导启发学生？③学生的学习动机和兴趣水平的分析：不感兴趣，采取什么方法？在共同备课过程中，有时大家会感到茫然，有时会觉得束手无策，好像走进“山重水复疑无路”的境地。但是，每逢问题出现，经过大家的思索、讨论后，总会有“柳暗花明又一村”的顿悟。

有人说：“一千个读者心中，就有一千个不同的哈姆雷特。”同样的，对于一篇文章的阅读指导，不同的人会有不同的方案。在教研活动中，我们经常会有激烈的争论。集体备课不是一言堂，而应该时时刻刻出现思想的激烈碰撞，而碰撞出来的美丽火花，正是集体智慧的呈现。让我们来看一组老师们集体备课时的镜头吧！

镜头一（六年级教研组）

这身长不过5厘米的小鸟，真的给我们带来了不少的难题。“怎样通过作者的表现来体现‘信赖’这一主题？”“信赖是双方面的，怎能丢下对珍珠鸟的描写而置之不理呢？”针对课文内容，应提出怎样的问题，引起了大家的思考，我们陷入了沉思。一时间，办公室里的空气仿佛凝固了，眉头紧锁成了大家共同的表情。蒋琳是第一只“珍珠鸟”啊，她的焦虑可想而知。“那我们可不可以提出一个问题，贯穿两个方面，问题不就解决了吗？”于晓桓说。对！有了头绪，我们结合课文内容，抓住作者对珍珠鸟和雏儿的表现两条线，齐头并进，问题解决了一大半。“我们还要找准这篇课文的语言文字训练点，这也是关键。”张哲的一句话，提醒了我们。能体现文章的中心，又能发散学生的思维，培养学生语言表达能力的句子在这样一篇散文中找出来，也是有难度的。在关键的时候，张主任像天使一样出现了，她以自己丰富的教学经验为我们指出了几处可训练的语句，一下子使我们茅塞顿开。第一只“珍珠鸟”就要在蒋琳的手中起飞了。

镜头二（二年级教研组）

刘莉：下面我们一起来说说“迷人的夏天”这篇课文，哪些地方可以挖掘，哪些词语需要重点理解的，从而能够通过对这些词语的理解，更好地理解文章。

刘珂：我觉得“迷人的夏天”这篇课文最主要的就是抓住“炎热、多彩、有趣、悠闲”这四个词来理解“夏天是迷人的”。“炎热”这一段可以抓“火辣辣、尽情、不必……也不必”这些词。许多孩子都认为夏天很热，不喜欢夏天。在这可以和“下起雨来，就在小雨中奔跑，洗一个痛快的凉水澡”，进行一个“冷”、“热”的对比，让学生体会“炎热”也会带来快乐，从而突出“迷人”。

张莹：“不必……也不必”这个句式可以用“夏天”和“春天、秋天、冬天”做一个对比练习，让学生找到夏天虽然炎热，但也有有利的一面。

刘莉：夏天是“多彩”的，这一段我想这么处理：让学生先找一找书中直接给出的描写颜色的词语：碧绿、绿色、五颜六色、黑、红。再让学生找一找书中暗藏着的“颜色”。比如盛开的鲜花，让学生说说有哪些颜色。另外，“那感觉真好”可以安排一个练习。问问学生，究竟是什么感觉真好？吃西瓜的感觉，看到那么多色彩带来的感觉，还是看到好朋友的感觉，还是聚会的感觉。

刘珂：夏天是“有趣的”和“悠闲的”这两段，比较容易混淆，不容易分清楚。我打算把“夏天是有趣的”这一段读一读，不再进行细致分析，因为这一段离学生的生活比较远。

刘莉：我觉得这一段可以挖掘得深一些，可以让学生说说看到的和听到的。

王艳："听知了悠长的鸣叫，看点点光影在地上闪耀"这句话中，前半句可以看出，孩子们听到知了的鸣叫声，就知道知了在哪了，就可以去捕捉知了了，在捕捉的过程中，也能体现夏天是有趣的。"点点光影在地上闪耀"，是不是地上的碎玻璃、金属片在阳光的照耀下闪闪发光。

刘珂：也可以看成夏天树荫下，阳光透过密密层层的树叶，透射在地上的光影，也是十分亮的。

张莹：青蛙、萤火虫这些动物，在城市中很少见了，所以让学生体会，以这些来突出夏天的"有趣"，不太好理解。

刘莉：我觉得这段还是应该讲解，否则就会出现前重后轻的现象。

……

集体备课的阶段是教师感悟文本，探究教材的阶段。大家从不同的角度去钻研课文，对课文挖掘也有不同的深度，只有这样，才能做到在课堂上淋漓尽致地发挥。如果对教材的挖掘都还不够深刻，又何谈做到课堂上的深入浅出呢？在集体备课中，集思广益，我们将集体的智慧凝聚；通过课堂教学，我们将知识的精华传递。大家体会到团结的力量，感受到美好的境界。

3. 聚焦课堂，重建课堂

"课堂接龙"的核心是聚焦课堂，在不断地改进中重建课堂。一个年级组里有几位老师，就将有几堂内容相同方式不一的课，老师们习惯把第一位上课的老师称为"第一棒"，第二位上课的老师称为"第二棒"，依次类推，"第三棒"、"第四棒"……每一位老师都要参与上研究课。"课堂接龙"的第一棒老师根据大家的探究结果写好教案，进行第一次上课，全组老师听课。第一棒的老师往往带着重托走进课堂，带着大家的期盼走近学生，因为大家都想明白经过这种深思熟虑的研究到课堂实战中又能收获到怎样的效果。我们以二年级“迷人的夏天”为例来看看老师们是怎样进行“课堂接龙”的？

二年级以“迷人的夏天”为载体，以“以字词理解促文章感悟”为研究专题进行“课堂接龙”。“第一棒”的张莹老师上课，上完课后张老师是这样说的：

教学时，我抓住课文的重点词语和句子来理解课文，引导学生感受夏天的“迷人”和“快乐”，激发学生对大自然的热爱之情。说说自己最想在夏天做什么事情，多方面培养学生的“认”、“听”、“读”、“说”、“写”能力。从整体上看，这堂课较好地体现了以学生发展为中心，以学生主动探索、体验为主。导入时利用学生的生活经验和体验积累，事先为学习新课作了潜移默化的铺垫，让学生感觉到学习不是枯燥的。比如：看到落叶，想到秋天；看到雪花，想到冬天；看到冰淇淋，想到夏天；看到夏天，想到什么？（西瓜、大太阳、裙子、救生圈、游泳、萤火虫……）

通过这样比较好地贯彻了低年龄段语文阅读教学的“读、悟、抒”的模式。所谓读，即观图读、自由读、同桌比赛读、个性喜欢读、表演读等多种方式让学生在课堂内渐渐形成语感，把读书当成一种享受。所谓悟，即通过语言训练拓展思维空间，从而提出问题，解决问题，给课文换个标题。通过悟，实现学生和作者、文本的对话。所谓抒，即拓展开去，说说对夏天的感觉，畅想着什么。

这节课中也有一些遗憾，课堂的节奏掌控不太好，前松后紧。对学生的朗读技巧指导不够。应加强学生之间的互动评价。以后的教学中应加强对学生质疑能力的培养。

“课堂接龙”在第一棒老师上完课后，他把自己在课堂实战中的得与失提出来，大家再对第一棒的课例进行评议，这种评课并非简单评议课上的好与坏就结束，而是要就课堂中的得与失进行思索，指出可以继承的优点，提出必须改进的缺点，给出下一棒的建议点，商讨第一棒课例中出现的困惑点，商议的过程中大家各抒己见，出台改进的方案。让我们一起来看看二年级“第一棒”上完课后的评议！

刘莉：“迷人”的含义能否用查字典的方式进行，或者让学生选择词义的方式进行？“尽情”或“洒”是否可以挖掘一下？悠闲这一段的处理，没有突出抓词语的理解来促进课文的感悟这一专题。

刘珂：迷人的含义能否用查字典的方式进行，或者让学生选择词义的方式进行？老师带着学生走进课文，牵的痕迹太浓。“你从哪儿看出夏天是炎热的？你能找出哪个词最能突出炎热吗？火辣辣是什么意思呢？”这几个追问过于生涩，能否再润色语言，让学生在读中体会？“那________感觉真好！”这个设计很精彩。学生畅想完，能否再点一下，你们这种自由自在的想，就是畅想。

王艳：课堂上，师生都很投入，教师时而提问、学生时而读书，学生的学习积极性很高，学习兴趣浓厚。你读、我读、齐读、自由读、边画边读、教师范读等等，就在这读中、说中、画中、想象中……孩子们体会了多彩的夏天。

刘珂：“说说你为什么喜欢炎热的夏天？为什么我们不必穿着厚厚的衣服，显得笨手笨脚的呢？”追问太多。“说到荷花，让我们想到了诗人杨万里笔下的《小池》，我们一起读读吧！”这里加上“诗”感觉有点生涩。“同学们，相信课前提出的问题你们已经知道了。让我们伴随着优美的音乐，再来赞美这迷人的夏天吧！”（师生配合接读课文）配乐有点牵强，不用配乐。

讨论中，大家各抒己见，直言不讳地指出第一棒试讲课的优缺点，闪光点可以保留，不尽如人意的地方，要进行改进，第一棒的老师为下一棒做了很好的铺垫工作。于是，第二棒的老师根据大家的改进意见进行思考，根据大家的修改方案写好第二棒的教案，再次上同一内容，但是方式改变了。

“课堂接龙”就是这样，人人都参与，人人都是实践者。大家在一次次的上课，一次次的评议，一次次的改进中，感受到“课堂接龙”的魅力，感受到学生乐学的喜悦。正如郑新平老师在感言中写道："走在接龙之路上，痛并快乐着。"

4. 课后思索，教学相长

古人云："为学之道，必本于思，思则得之，不思则不得也。""课堂接龙"教研模式也是如此，注重教师的课后反思，每一棒老师上完课后，除了要进行评议、讨论之外，上课教师要根据自己上课时的得与失进行思考，写出反思，写出改进措施。教师的课后思索，往往能带来长久的效应。

正如《学记》中所说："是故学然后知不足，教然后知困。知不足，然后能自反也；知困，然后能自强也。故曰，教学相长也。"这里讲的"教学相长"并不是指现在理解的师生彼此可以得到促进，而是指通过教学来学习，以教师之教促教师之学。因此，在教学互动过程中，受益者不仅仅是学生，教师也是师生互动的受益者。通过学生，教师可以更好地理解教学；通过学生，教师可以摒弃自己许多预先的假定；通过学生，教师会把教学当做一项研究来对待，从而切实改进自己的教学，在"课堂接龙"的模式中，前一棒教师的反思可以更好地为下一棒老师作很好的铺垫。

总之，每一点不足和遗憾，都将成为新的研究重点。这些不足和遗憾随着接力棒的传递，一个又一个地被克服，课堂也逐渐变得丰富和完善起来。研究—行动展示—提升—反思—再研究—再行动展示—再提升—再反思……老师们的教研水平在提高，老师们的教学水平也在提高——这就是教研真正为教学服务的内涵。

有人把"课堂接龙"比做是接力赛跑，而我们觉得"课堂接龙"的研究过程更像是在荆棘中探路，全组的老师集思广益，披荆斩棘，开辟道路；再由第一棒老师进行趟路，大家评议得失，解决出现的新问题，反思；后面的几棒老师继续探路，一棒接一棒，循环往复，最后把最完美的东西展现出来。

课堂教学接龙的流程如图 10 所示：

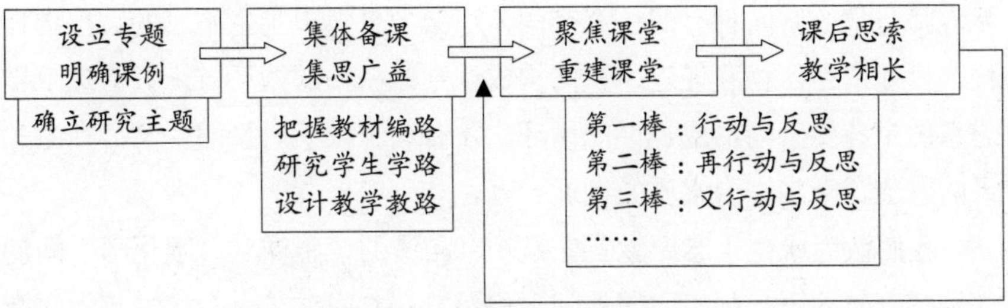

图 10　课堂教学接龙流程图

“课堂接龙”的教研模式提倡人人是研究者，人人是参与者，人人是实战者。每一棒上场的老师带上讲台的，不仅仅是个人的智慧，更是集体教研的成果。“课堂接龙”让教师由个人奋斗者转换为团队合作者，“课堂接龙”让教师体会到破茧成蝶的成长快乐！

四、人文情怀，绿色生态课堂

我们的课堂经过“盲从期”的疑惑与不知所措，又经过“浮华期”的焦虑与无可奈何，一路坎坎坷坷、摇摇摆摆地走来。从梳理问题开始，从小问题、小现象研究起步，让我们逐渐成为研究型教师。课堂成为主阵地，教室成为研究室，教研组成为研究共同体，课改逐步深入，我们的研究渐出成果，我们感到课堂应该是：凸显学生发展的课堂、彰显教师成长的课堂、蕴涵人文关怀的课堂。理想的课堂是学生发展的课堂，是有效课堂，是高效课堂；理想的课堂是师生之间交往互动与共同发展的过程；理想的课堂是蕴涵人文关怀的课堂，教师需要言传身教将“真、善、美”的真谛展露，使学生成为一个能够自制的人。建设这样的绿色生态课堂成为我们课堂的追求。

课堂不是教师的表演场，而是师生之间交往、互动的场所；课堂不是对学生进行训练的场所，而是引导学生发展的场所。因此，我们认为课堂是一个生态系统，它是教师、学生在课堂环境中相互作用、智慧分享、共同发展，充满着人文情怀的生命场。课堂是实施教与学的场所，是教师与学生共同拥有的生态空间，正像大自然中生生不息的动植物那样，相互依存，相互促进，从而构成课堂体系中的循环链。只有这个生态系统中各要素间形成良性的循环，才有利于教学质量的提高，师生关系的融洽，学生综合素质的发展。

我们认为绿色生态课堂首先是一个和谐的情感课堂。强化师生间的内心感受与领悟，师生、同伴间互相激发、共同参与、合作交流、质疑探究，在浓郁的、生成的、互动的、幸福的、体验的学习氛围中开展学习。第二，是一个自主探究的兴趣课堂。学生是课堂的主体，教师是主导，是闪耀智慧光芒、洋溢着成长气息的课堂。第三，是生生合作的有效课堂。在自主学习的氛围下开展生生合作，相互交流、相互合作、彼此分享，充满温情与友爱、互助与竞赛的课堂。第四，是拓展思维的创新课堂。创新，意味着超越与突破，它的特点是外向与开放。培养创新精神永远是课堂追求的目标。第五，是多元评价的差异课堂。课堂是多元的，学生是有差异的，课堂要满足不同学生的不同需求，建立相互尊重的、催人奋进、可持续发展的课堂。总之，绿色生态课堂是一个多元的，尊重生命发展，充满人文情怀的最适合于师生共同成长的课堂。

（一）绿色生态课堂是师生和谐的情感课堂

教学的艺术不在于传授的本领，而在于激励、唤醒、鼓舞。试想：没有生气勃勃的精神怎么鼓舞别人？没有振奋昂扬的情绪怎么激励别人？没有清醒睿智的大脑怎么能唤醒沉睡的人？师生之间，一种互相怀有好感、互相尊重的气氛，将有助于教学和教育任务的完成。所以，我们要营造师生和谐轻松的氛围，让情感在课堂上飞扬，要让课堂因拥有情感而焕发光彩，因流淌情感而富有生命。正如苏霍姆林斯基所言：“感情如同肥沃的土地，知识的种子就播种在这片土壤上。”

面对新的形势，我们认识到教师要富有情感，更要善于表达情感，才能拉近师生间的距离。苏霍姆林斯基认为，教育的艺术在于能激发出学生心灵的感情，而且这种工作做得愈细致，愈有感情，从孩子心灵深处涌出的力量便愈大。课堂上，我们的情感通过语言、动作、表情、神态等多种形象的教学活动来表现。我们用饱满的情绪带动课堂，用期待的目光鼓励学生，用生动的语言传递情感，用热情的微笑指导帮助，还有那竖起的大拇指……无不带给学生无限的自信和思考的空间。

2008年9月27日，我校进行“青年教师展示风采”评优课活动，李磊老师作了一节一年级的体育课“可爱的兔子——跳单、双圈”，在孩子们因天气热、小兔子头饰又太紧而不愿带头饰的时候，她巧妙地用情感感染孩子，取得了较好的效果。

为了使学生能尽快而且更好地进入教师设置的情景，我在课前制作了可爱的兔子的头饰，上课前发到了学生的手中。学生爱不释手，美滋滋地戴在了头上。上课15分钟了，突然有一个学生大声地对我说：“老师，这个小兔子太紧了，把我的头都弄疼了啊！”我这才意识到，由于制作头饰时，没有考虑到学生的头大小的问题，导致部分学生戴着的头饰肯定会感到不舒服。我歉意地对他笑笑说：“那你把它摘下来吧，放到后面。”本以为这样以人为本的行为会使这件事情圆满解决，可没有想到麻烦的事情还在后面。没过几分钟，我又听到声音：“老师，我的小白兔也不舒服啊！”还没等我说话，好几名学生七嘴八舌地说：“我也是。”“我也是。”当时，我的头感到“嗡”的一下，心想：难道都让他们摘下来吗？从他们的表情可以看出，有的学生是由于怕热而想摘头饰，但也有的学生是在跟着起哄，不觉有些气恼。但是冷静一想，孩子们怕热并不是错，决不能在课堂上跟他们发火。怎么才能恰当地解决问题呢？我灵机一动，搂住离我最近的一个学生，大声说道：“兔宝宝们，天气比较热，我们的兔宝宝有的头饰也不太合适。但是我知道，你们这些兔宝宝是最坚强、最勇敢的，你们一定能克服困难，对不对？”孩子们听到我的话，精神一振，立刻带好自己的头饰，站得笔直，谁也不提头饰不舒服的事情了。他们继续认真地上课，和我配合得默契极了。直到下课后，他们还是戴着可爱的小兔子头饰。我觉得孩子们的笑脸真像头饰上可爱的兔宝宝。

课中李磊老师用巧妙的情感语言化解了一场危机。我们倡导老师要俯下身子，放下架子，走近学生，在对学生的小举动中蕴涵爱与关怀，做到“四个多”：多轻抚摸孩子的后脑勺，多轻拍孩子的肩膀，多牵牵孩子的小手，多对孩子绽放微笑。在这种和谐的情感氛围中，学生们能自由地在知识的海洋中寻觅真理，天真地在情感的交融中陶冶身心，轻松地在活泼的学习中成长自己。老师的情感付出，换来的是纯洁可爱的孩子们的情感回报，我们的课堂因此而美丽动人。

（二）绿色生态课堂是自主探究的兴趣课堂

人有学习、探究的天性，青少年天生好奇，喜欢问为什么，喜欢展现自己。正如教育家苏霍姆林斯基说的：“人的内心深处有一种根深蒂固的需求——总想感到自己是发现者、探究者、探索者。”这种天性，是人创造性发展的基石。我们认为教育的责任应当是激励、保护和发展这种天性，而不是扼杀、泯灭这种“天性”。我们认为，所谓“自主探究的课堂”是指课堂中以探究为主，教学过程在教师的启发诱导下，以学生独立自主学习和合作讨论为前提。让学生亲身参与，用脑思考、用心感悟、用耳倾听、用嘴讲话、用手操作，从而激发学生生命活力，促进学生生命成长。

绿色生态课堂注重自主感悟，因为感悟是主体对外部知识、信息的深层次的内化过程，是头脑中对事物的重新组织、选择和建构的过程。同时，在我们大力倡导学生个性张扬，并善于自我表现，我们同时也希望学生拥有全新的思维角度，因为我们的教育和教学要在不断增强自我，发现自我，形成自我中，打造一个优秀的自我。

在情境中探究。在课堂教学中，我们提出教师应该重视创设情境，让学生在浓烈的情境氛围中，在一个又一个新奇而有趣的问题情境中，通过自己的手、自己的脑去探究、去发现、去创造。学生积极地参与课堂教学活动，主体意识得到强化，在广阔的思维空间里敢想、敢做，敢于创新，充分体验了创造的快乐，在思维能力、情感态度与价值观等多方面得到进步和发展。

注重音乐体验，获得审美愉悦

陈 宏

正当学生对歌声与游戏意犹未尽之时，我及时调整话题提问学生："除了跳绳，你还喜欢什么游戏？""我喜欢踢毽子！""我喜欢投沙包！""我喜欢……"同学们争先恐后地说着。我趁机追问："这么多好玩的游戏，我们经常在什么时候做？"（课间、放学……）"没错，那谁愿意展示一下？"在展示中，我启发学生一边观察同学踢毽子、投沙包、跳绳等游戏的动作，一边分析游戏的节奏动律，及时与黑板上出示的伴奏音型与这些游戏的节奏进行比对，通过观察与分析学生得出：x o| x o| 节奏像是踢毽子的节奏动律，x —| x —| 节奏像是大家在玩投沙包游戏，o x x x |o x x x | 节奏像拍手游戏，o x | o x | 像跳双摇编花……在进一步探究、选择适当的打击乐器为歌曲伴奏的实践活动中，同学们通过反复聆听、演奏各种打击乐器总结出：这些打击乐器由于制作材料的质地不同因而音色也有很大差异。同学们在敲击鼓皮、鼓埗、研究响板、沙锤等打击乐器的演奏方法来模拟适合上述游戏节奏动律的实践中，对游戏动律与音乐节奏以及声响模拟方面进行了深入探究，并根据伴奏音型的不同，选择了不同音色的打击乐器为歌曲伴奏，教室里此起彼伏的"沙沙声、咚咚声、啪啪声"及小木棍清脆的声响与歌曲音乐交相辉映，萦绕在教室上空，形成一首动情的交响曲……

儿童的知识不可能从阅读或听别人谈话中直接派生出来，只能从他们作用于环境的动作中去构造，只能从有关客体的经验中去获得。陈宏老师在这次教学中多次创造让学生亲自尝试与体验的实践活动，并在活动中进行分析探究、进行深度音乐体验，在游戏似的学习中获得了音乐知识与技能，在情感共鸣中增强了音乐表现能力，使音乐课堂焕发出绚丽的光彩。

在活动中探究。不少人玩过魔方，一定曾被它的"魔力"所吸引。

小小魔方，这个由匈牙利建筑学教授鲁毕克设计的小玩意儿，为什么能风靡全球，令众多人如痴如狂呢？原因就在于它有非常多的变化，有很强的开放性和可探究性。我们是否也可以尝试在教学中运用这一教学方法，让学生在玩中学，学中玩呢？基于这一想法，我们进行了思考和研究，总结出活动教学的几大特点：趣味性（游戏要新奇有趣，使学生乐于接受）、可操作性（要充分考虑小学生的知识差异和接受程度）、开放性（对培养不同差异的学生均有较大的利用价值）、拓展性（发现新的问题，引发进一步的思考和探究）和生活性（应与学生的生活实际相关或联系）。

在语文课上，我校低年级语文老师也尝试着运用活动带领学生在课堂中探究，为了让学生认识“家”这个字，刘莉老师设计了猜字游戏：

一上课，老师就边说边画：“一个小小烟囱（家字上的一点），一座尖尖房顶（家字上的宝盖头变形），美丽的天花板（中间一横），一盏小台灯（第一个撇的变形），中间站着爸爸（弯钩），他保护着我和妈妈（弯钩中的两撇），爸爸背上还背着爷爷、奶奶（一撇和一捺）。同学们，你猜这是在什么地方？”（出示“家”字卡片）“快来读一读”，这时学生早就乐了，争先恐后举手，气氛一下活跃起来，只一遍就解决了这个难题，而且“遗忘率”低。当要求学生用“家”字说一句话时，有的说：“我的家特别美丽、温馨。”有的说：“家里最辛苦的就要算爸爸了。”正是因为给了孩子一个熟悉的、形象的情境，才能为他的思维拓展空间，取得了很好的教学效果。慢慢地，许多学生自己也能试着用自己的想象来记字了，如“画”字，学生自己编道：“一支铅笔手里拿（‘画’字中第一笔横），田格纸铺上（中间的田字），下面是个小画架（竖折和竖）。”老师们还根据不同的内容，采用不同的游戏形式带领学生学习。例如：“找朋友——若干个音节放到若干个生字中去，各自找出自己的伙伴。”“换衣服——给一个字连续换几个形旁，让其余同学分别读其音、释其义、讲其用（造句）。”“捉敌人——即一群字词到另一群字词中找各自的对手（反义词）。”

新颖有趣而又轻松愉快的探究性活动，不仅增长知识，启迪智慧，又给学生带来学习和探究的乐趣。但是，热闹的同时我们还要关注课堂教学的实效性。就像芮雪老师在课后反思中谈到的：通过活动探究课，我认识到课堂活动仅关注外在的活动是不够的，仅有热闹的场面是无效的。我们要兼顾活动的需求性、全面性、主导性、挑战性，寻求活动与教学内容、教学目标之间的和谐统一，不仅关注活动的内容和形式，更应关注活动的目标和效益，这样就能使我们在活动中探究的课堂少一些浮躁，多一些实效。

在生活中探究。孔子曾说过："不观于高崖，何以知颠坠之患；不临于深渊，何以知没溺之患；不观于海上，何以知风波之患。"学习必须置身于生活之中，唤起已有的生活经验，才能更好地理解它，领略其中的真谛。从语文学习的内容和范围看，可以毫不夸张地说，人文世界有多大，小学语文所涉及的范畴就有多大。

在我校低年级的语文课堂中，老师们充分利用校园文化，让学生自主识字。开学第一周，我们带一年级刚入学的新生参观校园，边参观边指着教室门牌上的字告诉学生这是"美术教室"、那是"科学教室"、还有"音乐教室"……学生在参观中就认识了不少字。第二周再带领学生参观一次，作为巩固。两周之后，让学生自己参观，带回自己认识到的字与同伴讨论，在讨论的过程中，同伴互相学习，自主认识了很多生活中的字。在低年级，我们还提倡同学之间互相自我介绍，把自己的名字告诉小伙伴，小伙伴把同伴的名字写在自己的记事本上，让学生在生活中自主识字。在数学课程中也是如此。我们学校的数学教学强调从学生熟悉的生活现实出发，使生活材料数学化，数学教学生活化，从而加强学生学习数学的目的性，增强学习数学的趣味性，拓展学生的思维空间，培养学生数学能力。在教学中，我们的教师成功尝试了利用生活体验去探究数学问题，启发学生从生活中寻找数学规律、数学思想方法，及时引导学生去捕捉，使学生从生活经验和已有的知识背景出发，主动探究数学问题。

知识来源于生活，这样教学，消除了学生对知识的陌生，激活其学习热情，体现学习的价值，有利于培养学生初步的创新能力，让自己的课堂教学焕发出精彩的生命活力。我们认为，教师要创造一切条件，让学生感知生活中处处有知识，引导学生把已有的生活经验和课堂所学的知识互相结合起来，再回到生活中去。这样的课堂，才是具有实效的课堂。

（三）绿色生态课堂是“生生合作”的有效课堂

曾经，我们的课堂教学只是学生与教师之间单向的交流，学生的学习处于一种很被动的状态。“独学而无友，孤陋而寡闻”，随着信息时代知识爆炸式的增加，教师已不再是知识的权威，因此高高在上的单向传输式教学风光不再。“三人行，必有吾师”，新课标则明确提出要积极倡导自主、合作、探究的学习方式。“自主探究”与“生生合作”是两种不同的学习方式。自主学习的突出特点就是学生在学习过程中的主动性和独立性，是个人独立的单向静态的学习活动。而“生生合作”提供课堂平等情感交流的机会，培养与人交流协作的能力，它是体现团队协作的多向动态的学习活动。如今，合作学习冲破了以往的教学模式，成为教师与学生、小组成员之间以及小组与老师之间多角度的学习交流活动。

在实际的课堂教学过程中，有些教师片面地把自主学习理解成为自由学习，名义上是把自主权放给学生，实际上进行的是“放羊式”的教学，对学生实行“大撒把”。究其原因是教师的点拨和指导不到位，根本不能激活学生的创造思维，不能激发他们丰富的想象力和创造力，很大程度上影响了教学效果。

合作学习是现代教育的精华。有些教师简单地把它理解成为合伙学习，也就是同桌或者前后左右同学之间互相问答和讨论而已。表面上轰轰烈烈、热闹非凡，但实际上只是部分人在真正讨论问题，大多都是看客，毫无合作之味道，只是走了合作学习的形式而已。

因此，在合作学习过程中，教师一定要明确思路，注重激发学生合作的欲望，分工细致、责任到人。既要精心设计合作学习的内容、要求和呈现方式，还要注意合作学习的时机。既要促进小组成员之间的互动，又要充满互助与竞赛、温情和友爱，使合作学习在一种流畅和严谨的氛围中进行，使合作学习成为学生求知的科学快捷的通道。

一年级的学生在学习“My classroom”这一课时，我首先让学生观看英文卡通片段，自己发现多种已学颜色，学生巩固已学知识，情绪高昂，表现欲强，为新授过程作了很好的铺垫。我并不运用简单的出示单词卡片的形式让学生接受新词，而是明确任务，采用小组合作讨论的方式，让学生自主学习，主动观察，自主探究，学生的答案从 a window 到 a door 再到 a yellow door，在整个探究性语言学习活动中，学生的思维始终处于积极的探索状态中，学生以前没接触过的“形容词短语”，在这时从他们活跃的思维中迸发出来，同时体会到与他人合作所带来的愉悦，小学生的智慧火花让我既惊喜又兴奋。我由此将难度加深，运用英语长句举例，让学生保持学习语言的兴趣，继续激发学生学习、探究的欲望，学生能说出“It’s a yellow door.”的好句子，并将其灵活运用到其中，学生在此过程中积极并主动的求索，将课内知识向课外延伸，将自己的知识、方法、技能、意识在此次英语课中充分得以展示，实现了词汇和句子的自主探究，并由此活动展现自身的个性与创造力。

（英语教师　黄娜）

记忆是语言学习中最重要的认知能力，英语学习离不开记忆。此教学片段中教师能够采取小组合作的学习方式，对学生进行记忆学习策略的指导，鼓励同学之间彼此协助、互相支持，以提高个人的学习效果，并达成共同的目标。

通过实践，我们发现，学生在和谐友爱的教学氛围中，乐于参与学习，充分体现了他们是课堂上真正的学习主人。同时，在小组合作学习中，每一个组员不仅自己要主动学习，还有责任帮助其他同学学习，让全组每一个同学都以学习好为目标。教师则根据合作小组的总体表现进行奖励，学生是因自己与过去比较而获奖励。心理学家格拉塞博士强调：教室里的学习应当充满乐趣，否则学生就不肯下苦功学习。因此，有的老师还在黑板一角画有“互帮互助、共同进步”的积分表，让组与组之间展开竞赛，使全班学生在学习上出现你追我赶的局面，小组成员形成一个密不可分的整体，对那些学习动机、毅力、责任心相对较弱的学生会产生积极的群体压力，从而产生学习的动力，自觉地从事学习活动。

（四）绿色生态课堂是拓展思维的创新课堂

发现问题是创造的前提，一切发明创造都是从发现问题开始的。儿童的好奇心极强、求知欲旺盛，是培养创新意识的极好契机。动手能力是创造力之母，教育家陶行知说过：“人生两个宝，双手和大脑。”在教学活动中，注重操作教学，让学生在拼拼、剪剪、折折操作过程中，学习新知，发现新知。

在我们一年级数学课上有这样的一个环节：

这是一节两位数加两位数的数学课。上课引入后，老师没有像往常一样和学生一起探讨算法，研究算理，而是先让孩子在课前发的一张小纸条上用已有的知识去发现，去探索计算方法。真的没有想到一年级的小孩子已经能够这样严谨地表述自己的思考过程，共归纳 5 种算法，其中用画线的方式表述个位加个位，十位加十位的算法更是简明清晰。

一张纸，一个舞台。作为低年级的数学老师，我们往往过于谨慎，怕孩子不会思维，怕孩子无从下手，担心孩子做不到。其实，我们真的太低估了孩子们，太缺少“眼光”去重新发现我们的孩子，原来他们并不简单！运用“小纸”，把思维的空间还给孩子，它能呈现出孩子无数的思维火花。课后，授课教师在评价这节课时说道：

为学生提供一张小纸条很容易，不是我们做不到，而是没想到。没想到对于一年级还不能完整、有条理地表达自己思维的学生来说，竟然能利用小纸条尽情地将自己的想法与做法展示出来，表现直观，一目了然，思维清晰。小纸条的使用说明学生有独立、完整的完成整个思维过程的能力，我们真的应该把思维的自主权还给学生。这张小纸条解放了学生的思维，给予学生充分的自由想象，学生可以在纸上将自己想到的写出来，利用已有经验大胆思维，使学生变得聪明又自信，并释放出创新思维的火花。学生通过自主探究，理解了算理，一张小纸条不仅培养了学生思维的多样性，灵活性，学生还学会了用不同的策略解决问题。一张纸条使我想到，在教学中，把学习和探索的时空留给学生，让学生在学习中享受乐趣，在自信中享受学习。

想象比知识更为重要，因为知识是有限的，想象力是无限的。没有想象，就没有创新。我们的老师借助形象思维和富有激励、吸引式的情绪，去调动学生这一学习主体的主动性、积极性，变学生的被动学习为主动学习，促使他们独立自由地思考问题，精神自然地生长起来，使学生在积极思维中认识事物，提升感受力、判断力、联想力和创造力。学生一旦有了创新欲望，就会如饥似渴地捕捉自己未知的知识，而成为学习的真正主人。魏志勇老师在讲授夏衍先生的名篇《野草》一课时，就很好地体现了这一点。

师：从这一段中，你对哪些语句感受深？你来说说吧。

生：它的根往土壤里钻，它的芽往地面上挺。这是一种不可抗的力，阻止它的石块，结果也被它掀翻。我体会出小草不可抗的力，任何东西也阻挡不了它生长。

（教师出示课件：野草的画面）

师：请把你的感受读出来。

（再次读这句话）

师：其他同学谁来谈谈你的感受？这位男生，你来。

生：为着向往阳光，可以看出它的意志非常的顽强。

师：你从哪儿看出来的？

生：掀翻。

师："掀翻"是什么意思？

生："掀翻"的意思是将特别重的石块翻过来。

师：同学们你们在日常生活中或者在电视中看见过"掀翻"的情景吗？谁来说？

生：我看到过一个实验，把一个南瓜用铁箍套住，那时南瓜还很小，然后给它温度、给它湿度种到地里，后来南瓜越长越大，这个铁箍被撑破了，撑力有五千多磅。

师：他讲的是"撑力"，咱们说的是"掀翻"。同学们在电视上，看到过海浪把行驶的小渔船"掀翻"了，这种子的力量居然把压在它上面的石块掀翻，它的力量怎样？谁来读？你来。

（学生读句子）

师：其他同学还有不同的理解吗？

生：我找的是"钻"和"挺"。芽往土壤里钻，往地面上挺，说明它的力量大。

师："钻"什么意思，从中你感受到野草怎样？

师：在日常生活中，你们见过钻头钻水泥墙吗？钻头是螺旋形的，水泥墙十分坚硬，可是当你用电钻往墙里打的时候，很容易把墙打透。此时小草的根就像这样，"往土壤里钻"怎样读？

（再次读句子）

师：同学们那小草的芽到底什么样呢？咱们看一看（出示课件），用你们的语言说一说，这是怎样的芽？

生1：生命力顽强的芽。

生2：坚强的芽。

生3：会奋斗的芽。

生4：不畏艰难的芽。

师：那它的外表呢？

生1：嫩小的芽。

生2：小小的、嫩绿的芽。

生 3：柔嫩的芽。

师：是呀，这么柔嫩的外表，却具有这样的力量，让我们把它的不可抗的力量读出来。谁来？

（学生读句子）

师：对，这就是一粒种子可以显现出来的力，简直是——

生："超越一切"。

师：不管上面的石块如何——

生："重！"

师：不管石块与石块之间如何——

生："狭！"

师：它必定要——

生：曲曲折折的，但是顽强不屈地透到地面上来。

师：让我们想象这样的情景，不管大雪纷飞，它必定要——

生：曲曲折折的，但是顽强不屈地透到地面上来。

师：不管电闪雷鸣，它必定要——

生：曲曲折折的，但是顽强不屈地透到地面上来。

师：不管狂风呼啸，它必定要——

生：曲曲折折的，但是顽强不屈地透到地面上来。

师：同学们理解得真好，请你继续往下谈。你来——

生：这种力，是一般人看不见的生命力，只要生命存在，这种力就要显现，上面的石块，丝毫不足以阻挡。因为它是一种"长期抗战"的力，有弹性，能屈能伸的力，有韧性，不达目的不止的力。

师：怎样理解？

生：看不见的生命力，它的芽很小，人们都不会注意它，但是它把阻止它的石块都掀翻。

在课堂教学中，教师和学生是教学中最活跃的两个因素，任何教学理念的落实及效果的产生，都离不开对教师和学生的关注。在这个教学片断中，魏老师创设情境，激活学生已有的经验进入教学过程，使学生能在已有经验的基础上主动建构知识，带领学生品读语句，理解含义，从形象的、生活中的场景入手，拓展学生思维的广度，体会“掀翻”、“钻”的意思。师生接读，感情一句比一句强烈，进而使学生深刻感悟野草的顽强生命力。这个教学设计，带动了全班学生的学习热情，使学生不自主地被老师领进了野草的精神境界。

不但是语文、数学老师重视拓展学生的思维，我们的科任老师也很注重在课堂上为学生搭建拓展思维的空间，让学生在这一空间中展示自信，演绎精彩。比如梁亚楠老师在讲授美术课“会变的线条”中有这样一个设计：

我设计了用一只可爱的线条变成的小蜗牛进行情景导入贯穿整节课的教学环节，通过小蜗牛旅行路线引出直线、曲线、平行线、交叉线，带领学生复习了旧知识，自然地将孩子们带入本课的学习内容“会变的线条”，引发孩子们的学习兴趣。在讲新知识时小蜗牛又带领孩子们寻找欣赏大自然和生活中的线条变化。飞扬的柳丝被画到家中的墙壁上、斑马的斑纹运用到鞋子的图案设计上、小鸟的窝成了奥运鸟巢的设计灵感……当孩子们看到我精心准备的一张张图片时，无不兴奋，惊讶于小小线条的无穷变化，更注意到原来身边有那么多的线条，激发和调动了学生的观察能力。更使他们的艺术想象力得到了培养。让小学生跟毕加索这样的大师直接对话，意义非同小可，如何让孩子们接受大师抽象异样的表现力呢？我特别把作品表现的人物“朵拉·玛尔”设计成一个优美故事的主角，让孩子们先从心理上接受这个“人物”，进而欣赏大师线条奇异的表现手法。在最后的创作环节，我鼓励孩子们作为小小服装设计师，为这个“线条女孩”设计参加个性派对服装。把简单的在服装剪影上添画线条变成了手工与绘画相结合，用及时贴替代普通绘画纸，孩子们可以动手把七彩的线条贴到衣服上，让画面变立体，创作形式更丰富新颖，孩子们在创作过程中既体验到小组合作的乐趣，又学习到了新的艺术表现方法。学生创作出很多有变化的线条作品，有的同学的作品非常富有创造力。整节课遵循了由浅入深、由欣赏借鉴到模仿创造的规律，通过学生的欣赏和观察，了解线条的美和在生活中的运用，激发学生对生活的热爱，感受线条的特性和魅力。由本课的教学使我想到，要把美术教材变成培养学生综合素质的载体，使美术课堂真正成为培养学生创新精神和实践能力的沃土，就必须深入学习新课程标准。而学习新课标，首先要加深对美术课程的理解。只有这样，才能纲举目张，而不致犯穿新鞋走老路的错误。

创作指导的重点是构思。小学生对新异事物特敏感，一兴奋就急于模仿，不习惯动手前先动脑想一想，进行充分的规划设计。而艺术创新的品质往往首先取决于动手前设计构思的质量，而不是动手操作的技术水平。因此，活动前最好先让学生静下心来认真想一想，想做什么，选择什么材料做，用什么手法做，怎么做才更新奇有趣、与众不同，形成比较明确的想法后再动手操作。“艺术冥想”是艺术创作的首要阶段，该不该培养学生的“冥想”习惯呢？——先动脑，再动手；边动手，进一步动脑，这样才更有利于手脑结合，发挥出自己的创造力。

（五）绿色生态课堂是多元评价的差异课堂

绿色生态课堂中的评价是多元的，课堂评价是课堂教学中的一种重要的导向。有效地评价既要保护学生的学习热情，鼓励他们充分发挥自己的潜能，又要起到适时、适度的引导作用。因此，绿色生态课堂中的评价应做到准确、有效、赏识。

还记得，美国波帕姆教授指出：“合理的教育决策依赖于教育评价的准确性。”过去，在教学过程中单以“你真棒！”“你说得真好！”之类的评价语言来评价学生的学习状态和行为，显然是过于笼统。在教学中，教师的评价语应该是准确的、全面的。例如：“说得好！从你的回答中老师看到你是一个善于观察生活的孩子。”在评价中，表扬了学生对生活进行的细致观察，学生也知道老师为什么表扬他。

课堂中的评价还应做到赏识性。美国电影《师生情》中有这样一个片断给我留下很深的印象：一位白人教师到黑人社区任教小学一年级，老师伸出五个手指问其中一名黑人孩子："这是几个手指？"小孩憋了半天才答道："三个。"老师没有指责他说错了，而是高兴地大声赞道："你真厉害，还差两个你就数对了。"教师一句赞赏的话，就缓和了学生的心理压力，收到了意想不到的效果，这位教师对学生的宽容值得我们学习。所以，对于学困生，不能忽视。我们把这些孩子看做"即将绽放的鲜花"，鼓励他们积极参与，唤起他们的自信。在课堂上，在课下，我们都要抓住机会鼓励他们，让他们抛弃自卑和依赖心理，不断地体验成功。

掌声响起来……我心更明白……

郭爱莲

今天又新学了两首古诗，放学前我留了家庭作业——除了写一张卷子，还要背诵两首古诗，明天默写。其实，这作业对大多数孩子来说，小菜一碟。可对晓轩来讲，那也许是"蜀道难，难于上青天"。因为，听寄宿老师说他每天的作业，都要写到晚上下晚自习，并接茬加班加点才能第二天按时交上。

放学后，我来到寄宿学生上自习的教室，孩子们都在写着作业。我满眼望去，只见刘文轩坐在第一组第一个，两眼无神，发呆地坐在那儿，手里握着一支秃秃的铅笔。我心里嘀咕着：照这样的状态，今晚的古诗背诵作业算是又白留了。

不行！必须想办法！我小声地把既学习好又热心的张铃梅叫了出来，口传了"圣旨"，心里踏实了许多。转身离开了教室。

第二天，早自习我进行了背诵古诗抽查，他竟然两首古诗一字不差地背了出来。在我的带领下，全班同学为他鼓起了掌。此时，我看到了他脸上洋溢的微笑，我也笑了。我的"圣旨"是：今晚主攻两首古诗，明天给他最热烈的掌声。

我们坚信“没有差生，只有差异”。针对学困生可能遇到的优等生的排斥、教师的忽视，以及自我放弃的现状，我们试着提出四个“优先”：优先选题、优先发言、优先提问、优先展示，给学困生提供一个有效参与的机会；关注三个“及时”：及时帮助、及时提醒、及时鼓励，让学困生体验到参与的快乐。在实践中，我们更加深刻地认识到：我们要走下讲台，俯下身子，关注每个孩子的成长；要走出教材，因人而异，因材施教，给学困生更多的机会，使每个孩子的人生都充满灿烂的阳光。

第五章 绿色生态德育——生命、体悟、幸福

自20世纪80年代，我校开展绿色环保教育以来，德育工作始终坚持把创设一个自然的、和谐的、美好的最适宜于师生共同成长的德育系统作为我们努力的方向。把绿色环境建设作为我校德育工作的切入点；把关注孩子的生命幸福，为学生的幸福人生奠基，作为我校德育工作的出发点；把努力贴近孩子的成长需要，开展好养成教育和丰富多彩的教育活动，从而引领孩子在活动中亲身经历理解生命价值，获得生命的成长作为德育工作的立足点。几年来，我们以开展绿色生态德育实践活动为依托，边实践边研究，以研究促实践，从而推动了我校师生生命的共同成长，促进了我校德育研究型团队的形成。

一、系统思考，走向绿色生态德育

绿色生态德育是一种新德育观和新的人生观、自然观和生存发展观，它是在生态伦理学指导下的一种研究人与自然、人与社会、人与人和谐相处的教育活动，它追求的是营造一种人与自然、人与社会、人与人和谐相处、共同发展的生态系统。这个系统，是生命成长的一片绿洲。

与生态德育相对应，以往的传统德育可以称之为“人际德育”，人际德育是在德育过程中，教育者从人与自然相互对立、人把自然界作为征服对象的（人类中心主义）观点出发，教育、引导受教育者形成这样的人生观与自然观，那就是人与人之间相互关系的处理及一切行为方式都必须受到人际道德规范的制约。在人际德育中预设并教人相信，只有人对人的行为才具有道德评判意义，而人对自然环境则可以为所欲为而不受任何制约和谴责①。

（一）我校人际德育的发展

新中国成立以后，我国跨入了一个新的历史纪元。从旧体制过渡来的万泉小学，处在新中国成立的兴奋中，我们通过开展各类政治学习和

① 刘惊铎，王磊文．生态德育及其跨世纪意义[J]．教育评论，1998(5).

社会活动，将“爱祖国、爱人民、爱劳动、爱科学、爱护公共财物”作为对学生教育的主要内容，增强学生对社会主义的认同和拥护。这一时期的德育具有鲜明的政治性。随着时间的推移，到了1966年，我校也卷入“文化大革命”之中，受着“知识越多越反动”、“宁要社会主义的草，不要资本主义的苗”等思想的影响，出现批斗教师的事件，教学秩序严重破坏，德育教育体系也遭到严重的摧残。1978年十一届三中全会确立了“解放思想，实事求是”的发展基调。我校的德育工作贯彻党中央拨乱反正精神，整顿和恢复学习成为这一时期的工作重点。此时，西方自由化思潮影响着这一代人们的思想，德育工作的深度和实效性都不够，对急速滋生的自由化、多元化、拜金主义、现实主义德育工作显得相对疲软。但“坚定正确的政治方向”依然是这一时期的德育内容。1981年随着全国学校政治思想工作会议的召开，我校把促进学生“德、智、体全面发展，走又红又专的道路”作为教育核心。1985年我们坚持“五讲四美三热爱”教育，努力把学生培养成“有理想、有道德、有文化、有纪律”的一代新人。这一时期，我校针对由于过度生产造成的环境破坏而开展了“环境保护”为内容的德育活动，在当时成为一个亮点，受到市委市政府的高度重视。1989年十三届四中全会以后，中国社会进入一个漫长的转型期，大中小型国有企业的经营不同程度地陷入了困境。随之而来的是国企改革，大批职工下岗再就业，人们的思想观念和生活方式发生了翻天覆地的变化，随着生产资料实现形式的多元化，思想的多元化，社会权威进一步弱化。这一时期提高整个中华民族的思想道德素质和科学文化素质是根本任务。也在这一时期，我国把计划生育作为一项基本国策开始实施，随后独生子女生理、心理、交往等所带来的问题成为德育工作的重大挑战。同时，作为年轻的父母们，普遍具有“望子成龙”、“望女成凤”的心态，造成了许多家长对优质教育的渴求和对孩子的过高要求，择校的出现、电脑派位的运作、社会民主化程度加深以及教育本身的滞后性，更加促进了家长对于教育的过分关注，使得教育束手束脚，面临的社会氛围极为扭曲。

（二）我校生态德育的构建

进入20世纪80年代以后，随着我国改革开放，工业的发展带来的污染、城市的扩大带来耕地的减少、过度的放牧带来沙漠化、全球温室效应、生命科学的发展涉及人自身生命危机等等，人们越来越认识到人与自然并不是对立关系，“征服自然、改造自然”已成为过去，人们应该学会与自然相互依存、和睦相处。从这一生态道德观点出发，才能促进人类的长远利益和更好地享用自然、享受生活，自觉养成爱护自然环境和生态系统的生态保护意识、思想觉悟和相应的道德文明行为习惯。

1985年，我们以“环境保护”为切入点，逐渐形成了构建绿色生态德育系统的设想。我们要创设一个自然的、和谐的、美好的最适宜于师生共同成长的德育系统，把绿色环境建设作为我校德育工作的切入点；把关注孩子的生命幸福，为学生的幸福人生奠基，作为我校德育工作的出发点；把努力贴近孩子的成长需要，开展好养成教育和丰富多彩的教育活动，引领孩子在活动中亲身经历理解生命价值，获得生命的成长作为德育工作的立足点。

孩子的生命成长，需要丰沃的土壤，适宜的温度和和煦的阳光。我校绿色生态德育系统建设就是土壤，就是阳光。它分为四部分，即人与自我、人与人、人与社会、人与自然的关系构建（如图11）。让孩子们接受新理念、新思想的感染和熏陶；加强习惯的养成和生活的体悟，让孩子们在日常行为中形成良好的品质，让孩子走近社会、走向自然，关注自我的成长，正确处理人与人的关系，在社会锻炼中成长，在走向自然中形成责任感和使命感。

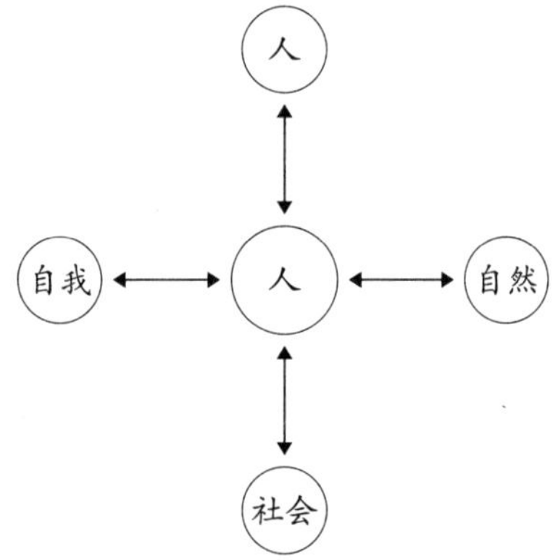

图11 生态德育系统建设图

二、人与自我，体悟中学会认识真正的自我

新课程标准指出“要正确认识学生的个体差异，因材施教，使每个学生都在原有的基础上得到发展”。加德纳教授在《多元智能》一书中指出：如果给予恰当的鼓励，培养和指导，每个人都有能力使其智能达到相当高的水平。每个人的优势潜能各不相同，不必关注一个学生是否聪明，应更多关注他在哪方面聪明。因此，我们在教育实践中特别注意发挥每个学生的特长，按照科学的方法引导学生探索新知识，开发学生潜能，给他们创设表现自己的均等机会，让所有的学生都能得到不同程度的发展。

素质教育并不是一句空话，对学生适时适度的实行自我教育、自我管理，为学生搭建自我展示的平台，真正实现学生自身素质的提升——所谓“授人以鱼供一餐之需，授人以渔足一生之用”，正是我们对于引导学生自我教育、自我管理、自我发展、自我展示的执著追求。

（一）自我管理——成为最好的自我

小学生生态德育要重视突出学生的主体性，即教育者在发挥自我主导作用的同时，还要充分发挥学生参与的积极性，让学生在生态德育过程中进行积极的自我管理。

“如果只是告诉我，我可能会忘记；如果演示给我看，我可能会记住；如果让我参与其中，我就会明白。”简单的话语告诉我们：只有让受教育者主动参与到教育活动中去，才能使其在自我实践中增长知识，锻炼能力，在切身体验中积累自我成长的阅历，从而寻求正确的人生方向，完善健全的人格。

1. 自己的事情自己管

从小学一年级开始，我们就给孩子们灌输“自己的事情自己做”的道理，进入三年级我们倡导“自己的事情自己管”，班干部要负起责任，

每个孩子都是班级的主人，都要积极主动地参与到班级的各项工作之中。渐渐地孩子们成为一种思想意识。在每个班级里，“事事有人干，人人有事干”。根据班级工作的需要，设计各个管理岗位。例如，自习、课间、卫生区、作业、报刊杂志的收分发、门钥匙的保管；日光灯、电扇、电视机的管理等。班中每名学生都有自己的管理岗位，有明确的职责。分功明确，责任到人。对某些管理角色还实施动态管理。例如，值日班长、黑板报主编等职位均以竞选方式轮流担任。实施角色转换不仅能使学生获得多方面的管理经验和才能，提高人际交往的技能，更重要的是提高了学生的自尊心、自信心，使学生自我价值得以体现，自主意识得以发展，增强了班集体的向心力、凝聚力。

“少先队值周岗”由来已久，“校园警察”也成为值周生的代名词。班级轮值制度中的扣分一项，更变成班与班之间的“战争”，造成很多矛盾。2008 年，我们将“值周生”变为“红领巾志愿服务者”，完成了一次重大的变革！

2008 年 3 月，一批校园志愿者活跃在校园的各个角落。他们统一佩戴红领巾微笑“志愿者”胸牌，为广大师生服务。志愿者服务取代了值周执法，其职能发生了转变，意识也随之转变。献出爱心、服务他人，成为了红领巾志愿者的服务口号。没有了冷冰冰的扣分，只有微笑的帮助。在服务过程中，志愿者们表现出了卓越的服务意识和服务水平。他们对低年级的小弟弟、小妹妹进行了全方位的帮助。从板报、教室美化，到值日、生活细节，直至佩戴红领巾、整理衣服，无不照顾得细致入微。在低年级小同学的心目中，志愿者已经成为守护天使的象征。在他们幼小的心灵中，长大当一名志愿者，成为了一个美好的梦想。

这不仅是形式上的改变，更是职能上的变化。我们扩大了参与人数，让更多的孩子加入到服务者的队伍中；我们增加了服务的内容，除了示范礼仪和检查红领巾佩戴情况外，增添了卫生服务、板报服务等多项内容；我们转变了服务形式，除了设置固定岗位外，还设置了流动岗位，让更多的同学感受到为大家服务带来的幸福与快乐！

2. 自己的活动自己策划

在具体的教育实践中，我们还把学校的一些大的活动交给孩子们自己去策划。在2008学年，我们有幸邀请到了著名童话大王郑渊洁老师来校讲课。事实上，这是一个很有意思的过程。因为这个活动从构想、到策划、到邀请、到组织、到最后的宣传展板，全是由孩子们独立完成的。

2008年6月的一天，五年级三班的杨俊玉同学和几个小干部，先是找到景校长，谈了想请童话大王来校讲课的想法。得到了校长的大力支持。孩子们立即行动起来，仅用了三天就出色完成了这件事情。老师在其中仅仅起到了协助、协调的作用。特别是送给郑渊洁先生的礼物，是十年前我们学校广播的录音，录的正是他那时的作品。看到郑渊洁老师得到礼物时的那种快乐，我们知道，孩子们是对的。面对全国知名的作家、应该说这是一种大胆的尝试，但活动结果却出乎意料的完美。这引起我们的思考：我们的孩子是多么的了不起，他们能够比我们成年人更加善于寻找快乐和幸福，而这种能力，正是他们走向成功的开始。

丰富多彩的活动，是立体的课堂，在活动中培养孩子们与人协作的能力，这恰恰是现代教育，包括课堂教学都在反思的一个现实问题。在社会多元的今天，该如何引导并真正培养起孩子们的团队精神，活动无疑是一条很好的途径。

正如斯宾塞说："记住你的管理目的，应该是培养一个能够自治的人而不是一个要人管理的人。加强学生自我管理能力的培养，这既是实施素质教育的需要，又是教育改革的必然趋势。以少先队组织自身的优势，充分激发学生的主动性作用，促使学生主动的创造性和参与学校班级管理，形成"集体的事大家管，自己的事自己管"的教育氛围，有效地提高学生的自主意识、参与意识，使学生形成自我管理、自我服务、自我发展的能力。

（二）自我教育——不断超越自我

苏霍姆林斯基说过："真正的教育是自我教育。"这一教育思想告诉我们，自我教育是学生个性发展中一个非常重要的环节，离开了这一环节，其他的教育都不会有更好的效果。自我教育作为学校德育的一种方法，要求教育者按照受教育者的身心发展阶段予以适当的指导，使他们能把教育者的要求，变为自己努力的目标，帮助受教育者树立明确的是非观念，善于区别真伪、善恶和美丑，善于肯定并坚持自己正确的思想言行，勇于否定并改正自己错误的思想言行。在此过程中，激发学生自我教育的意识，调动学生自我教育的兴趣，形成学生自我教育的动机，培养学生自我教育的能力。对教育者而言，这个过程，实际上是在为学生创造一个绿色的、和谐的、相对自由的教育环境。使他们在这个环境中不断发现自我、修正自我，从而不断提升自我、超越自我。

几年来我校充分发挥少先队组织自我教育功能，自己的干部自己选，自己的事务自己管理，让孩子们在自我反思、自我评价、自我感悟、自我服务中幸福成长。正是营造绿色教育生态，创造和谐发展空间的具体体现。

1. 自己的干部自己选

在传统意义上，大队干部都是老师指定的。所谓的民主选举也只是走走形式。一个大队干部，班主任推荐之后，到广播室念一个稿件，大家投票，然后就当选了。对于普通的队员来讲，大队干部只能是羡慕的对象、遥不可及的梦想。2009 年第二学期，我们尝试实行了一种公平、公正、公开的竞选办法。可以简单概括为：队员代表队员选，队员代表选领导。每一个参选者的产生，除了大队选拔、中队推荐之外，加上了自我推荐的环节，使得更多平凡的同学能够有机会参与平等的竞争。之后，理论测试、竞选演讲、才艺的展示公开进行，公开投票，整个过程完全民主，让孩子真正当家做主。

2009年12月的一天，一场别开生面的大队干部竞选拉开了序幕。这次大队干部竞选创下了我校少先队的一项历史纪录。在人数上，70名同学参加竞争，相当于历次改选人数的10倍；从形式上，整个过程全部由学生参与，学生投票，学生唱票，学生统计票，当时宣布结果，老师只是组织者、辅助者，绝不参与投票过程；在候选人组成上，低年级人数在增加，以往队干部基本是由高年级的学生组成，今年低年级有20多个孩子参加了竞选。应该说，这是一次比较彻底的改革，而同学们参与热情如此之高的原因，在于它是队员们第一次真正行使民主权利。

为了确保竞选能够真正选拔出优秀的人才，我们特别将竞选分成几个步骤进行。

（1）理论测试：红领巾的意义是什么？队徽由什么组成？庄严的队礼代表什么？这些看似简单的知识，往往被我们的队员所忽略。因此，加强理论学习对于一个少先队大队干部来说至关重要。所有参赛选手在同一时间，分为三个考场参加了理论笔试。最后有50多个孩子成为了幸运者，闯入了竞选的第二阶段。

（2）代表选举：竞选的第二阶段是代表选举。在每一个中队，选举产生6名少先队员代表。两个中队干部、两个小队干部和两个普通队员。每一个层次都是男女生各一，这样就确保了男女生比例和各层次队员代表，都有参与少先队选举投票的机会。公平、公正、公开，全员参与，民主选举，正是我们此次竞选活动的宗旨。

（3）竞选演讲：在礼堂，聚集了各个中队的少先队员代表228名。学校电视台派出了摄像组进行现场采访，学校的领导莅临现场观摩。所有的队员代表齐唱竞选活动的主题歌《我是明星》，会场气氛达到了高潮，孩子们都在期待着明星们的登场。但是事实上，这绝对不是一次作秀，而是一次真正的较量。每一个候选人都要独立面对所有代表，阐述自己的观点、表明自己的想法、面对代表们的质疑与评判。对于孩子的心理素质和临场能力是一次真正的考验。经过代表们投票，共有38名同学进入了第三阶段。

（4）才艺展示：展示名校风采，张扬个性能力，是每一个大队干部的重要使命。在竞选中，展示自己的才艺，是重要的一关。因为这是一个孩子综合素质的体现，更是未来学校对外展示的一个重点。

舞台上，孩子们各显其能，舞蹈、声乐、民乐、管乐、书法、绘画……一次竞争，更像是一次汇演；一次较量，更像是一个节日。行使民主权利的过程，也是一次艺术欣赏的体验。创造快乐、传递幸福，也正是少先队活动的更高追求。展示后的投票结果，童楚翘等23名同学当选新一届的大队委员，实现了我校少先队历史上的一次重大的突破！

（5）升旗仪式上的就职演讲：国歌声中，国旗冉冉升起；在《明星组曲》的伴奏下，当选的新任大队干部们依次登台。学校领导们亲自为他们授标志，并和他们合影留念。在全校师生面前，王小凡同学代表所有新任的大队干部进行了就职演讲。

“为所有的师生服务，做好少先队员们的领路人，是我们的誓言、更是我们的承诺；少先队大队干部，是一种荣誉，更是一种责任！……”会场上响起雷鸣般的掌声，这是对新一届大队委的信任和期待，也是对我们少先队工作的肯定。

2. 少代会上我做主

少先队坚持自我教育为主，是以鼓励队员主动参与、主动探索、主动思考、主动实践为基本特征，以实现队员多方面能力综合发展为核心，以促进队员整体素质全面提高为目的的一种教育形式，其最终目标是使少年儿童适应社会需要，成为社会上合格的人才。

我校充分发挥少先队的作用，按时召开少先队代表大会，尊重孩子们的意见和建议，把学校办成孩子们自己的乐园。一年一度的少代会，是全体少先队员的活动，是少先队员民主解决队内事物的一种重要的组织形式。作为大队、中队各级辅导员。在少代会的筹备、召开过程中，应该始终是这一活动的辅导者、协助者、服务者、参与者，而不应该是主导者、更不应该包办代替。在这一理念的指导下，我们在学校历年少代会筹备的过程中，都是以学生自主运作、老师指导服务的运作方式进行。

首先，各中队进行了少代会代表的竞选，通过提名、自述、评议、投票的民主程序，选举出各中队的少代会代表。然后由大队干部对他们进行集中培训。为了更好地开好少代会，我们特别制作了与会代表、志愿者的胸卡，以便全体少先队员随时向代表们提出自己的观点，阐述自己的意见和建议。自我超越、创造快乐、传递幸福、享受成功，是我们的主题。我们将为此目标而不懈努力！

2002年的少代会是值得载入学校史册的少代会，这一年第一次在中队设立维权委员，孩子们真正实现了自己的事情自己管，他们通过少代会向学校提出合理化建议，从此开辟了我校少先队发展的新纪元。

2002年10月13日“少先队建队53周年”到来之际，我们在北大百年纪念大讲堂召开了第12届少先队员代表大会，会议的议题是：审议并通过上一届少先队大队委员会工作报告、选举并产生新一届大队委员会、提出今后的工作意见、对队组织和学校管理工作提出维权意见。

本届的少代会很特别，单独设立了“维权委员”。在会前，新选举的中队维权委员组织全校队员针对学校的方方面面工作提出改进意见。一提到可以对学校管理工作提出意见，孩子们惊讶了、瞠目结舌了：“什么？什么？我们小孩子还可以提意见？真是不可思议！”起初，孩子们只是试探性地到“维权委员”那里打听：“哎，哎，哎，你是说可以维护我们的权利吗？你能把我们的意见反映上去吗？你反映的意见校长能听吗？咱们说的话管用吗？……”等得到“肯定”的答案以后可就了不得了，收不住嘴儿的孩子们针对作业负担、活动空间、队会保障、教师管理等方面提出了大大小小830多条意见，有的甚至开始在校园里到处踅摸，寻找问题。最后经过少先队大队整理出101条提案送到了校长办公室。“我们要求把风雨操场还给我们，变成我们上课的场所”、“我们申请保证我们每周必须有固定的课外小组活动时间”、“我们申请一块自己的红领巾实验田”，甚至有的还要求直接和校长对话等等。

时值党的十六大刚刚落下帷幕，景校长看了提案笑了、愁了、无可奈何了，她风趣地说：“民主风彻底吹进了我们的校园喽……”是啊！孩子们的眼睛是雪亮的啊，他们有自己的头脑，他们开始在少先队组织的领导下要把“民主”落实到实处了，从身边小事开始维护自己的权益了。

为更好地落实孩子们提案，景校长为此特意召开了专题行政会针对少代会提案进行审议，并在少代会上进行了逐一答复。也就在会后不久，孩子们的一个个愿望实现了，他们重新走进了风雨操场；全校学生每周一下午都有了固定的小组活动时间，他们得到了真正的民主。

我们尊重和保护学生的积极性，让学生尽可能地以主人的身份参与学校的事务，为学校的发展献计献策。这样不仅能使学生自觉地把学校的发展与自身的发展联系起来，而且使学生增强了信心，振奋精神，形成凝聚力，产生向心力，促进了学生自我的发展。

（三）自我展示——成为快乐的自我

针对生态德育的特殊性，要突出学生的主体性，就要让学生在生态德育活动中“唱主角”，教育者所要做的就是给学生搭建展示自我的平台，这样才能引起学生积极的情感共鸣。

1. 每一朵鲜花都有绽放的权利

每个学生都有各自较为鲜明的个性，有的沉稳干练，有的开朗大方，有的静默少语，有的认真严谨，有的内向自闭。在日常的教育过程中，我们注意关注个体发展，关注每一个学生健康成长。

（1）升旗仪式我负责

升旗仪式是对学生进行德育教育的主阵地之一，主持人、升旗手一般都由学校指定或有固定人选，“国旗下讲话”历来都是教师们的事情，教师讲，学生听，久而久之，对于教师们耐心的说教，学生们却无动于衷。分析其原因，固定的模式似乎已经让学生感到麻木。为了充分发挥升旗仪式的教育作用，使更多的队员得到锻炼的机会，我们对升旗仪式进行了改革。主持人、升旗手均从各中队推荐产生，国旗下讲话尝试着由各班选择 1—4 名学生担任主讲人，学生在老师的指导下撰写发言稿，用贴近学生的语言进行讲解，取得良好的实效。这样，每周的升旗仪式上各中队将有 7 名左右的队员登台展示，同时，队员们的朗诵能力、自信心、心理素质均得到了锻炼和提高。老师及学生都非常重视此项活动，把这项活动作为锻炼学生能力、展示班级风采的一次良好机会，认真准备，反复练习。进行演讲的同学不仅感动着其他同学，也进行了一次自我教育。同时，由学生进行演讲的形式更加吸引其他学生，使大多数学生都跃跃欲试，在期末的调查问卷中，90% 以上的队员都向往着升旗仪式上的精彩亮相，进一步发挥了德育阵地的作用。

曹雨萌同学作为第一个在国旗下讲话的同学，回忆起当时的情景感觉非常的好。

“那并不是一次普通的发言，而是一次对我的考验，更是老师和同学们对我的信任！因为，我是万泉小学建校 60 年来第一个在国旗下讲话的学生，老师说我创造了万泉小学的历史！

“当时我特别紧张，手心不断地冒汗，下来的时候发言稿都湿了……可是我觉得特别的幸福！”

孩子的话简单而真实，没有那么多的理论、也没有特别细致的描述，但是确实说出了每一个孩子的心里话。我的地盘我做主——这正是学生自主性在德育工作中的最好体现。

(2)“品味书香”我播音

书香弥漫润校园。我校少先队抓住海淀区阅读工程这一契机，开展了每日的“品味书香”广播活动。每天短短的十分钟播音，为那些不曾有机会登台展示或不敢登台展示的学生又一次搭建了自我展示的平台。每天一个播音小组，他们自愿报名、自行组合、自己策划、自己编辑、自己分工，为全校同学讲述了一个个感人的故事。每个故事他们都会精心选择，每个故事都会引申出一种好习惯或一个做人的道理，并借此向全校学生分年级段推荐好书，如《培养好习惯故事》丛书、《哈佛家训》、《小故事，大道理》等。孩子们在品读的同时，启迪了心灵，明白了道理，培养了良好的习惯，也锻炼了朗读能力、组织能力，提高了团队合作意识，给更多的学生提供了展示自己才华的舞台，创设了一个自我发展的空间，满足不同学生对展示自我才能的欲望，真是一举多得。

2. 每一颗星星都有闪亮的机会

学校德育倡导关注每一个学生健康成长。每个孩子都是独一无二的个体，每个孩子都有独一无二的智能结构，每个学生都有着不同的发展需求。

针对学生们丰富多彩的兴趣爱好，每个学期，我们都努力倡导协调各科老师并引进外援开发多种教育途径。学校成立了数十个兴趣小组，民乐团、管乐团、舞蹈团、体育训练队、轮滑队、健美操队、美术组、书法组、手工组、外语组、科技组、单片机、计算机、机器人、科学试验、发明创造、跆拳道、天文等兴趣小组，给孩子们搭设彰显个性的舞台。

“学生做任何一件事，都应该使他们自身觉察到心灵中有一种美感、幸福感、自豪感。这种美感、幸福感和自豪感就能成为学生继续做同类事情的动力源泉。”学校倡导教师根据每个学生特点，尽最大可能地指导学生展示出自身积极向上，有优越性的一面。

每周的升旗仪式结束后，学校还为学生提供“每周闪亮登场”的机会。那些在校内外取得成绩、获得荣誉、为校争光的学生们都会在这一时刻光荣地登上主席台，接受全校师生的祝贺与表扬。健美操队的小健将们多次为学校捧回金灿灿的大奖杯；棒球小子们曾远征国外取得佳绩；武术队、书法组、金帆民乐团在中华传统艺术的传承方面屡次取得骄人的成绩；舞蹈团、科技小组、合唱团、美术小组也屡获殊荣。当孩子们一次次在全校师生关注的目光中登上主席台接受表彰时，当一张张鲜红的证书捧在手中时，当台下报以雷鸣般的掌声时，孩子们的自信心和荣誉感增强了，他们的心灵得到了又一次的洗礼。

闪亮登场的不仅仅是取得奖杯的学生，更有用自己的双手美化校园环境获得良好口碑的孩子们。学校操场雪白的墙壁上，孩子们手拿画笔描绘出了一幅幅生动的画面，画出了丰富多彩的校园生活和无限的畅想；教学楼的走廊里，张贴着孩子们用心书写的一张张祝福祖国、祝福母校寿辰的精美的手抄报和一幅幅画满童年憧憬的美术作品，他们尽管没有获得奖杯，但他们同样是学生们心中的英雄，同样拥有闪亮登场的机会。在一次次闪亮登场的过程中，孩子们悦纳了自我，增强了自信，发展了自我。

（四）自我评价——成为自信的我

心理学中情感产生及其相互转化的规律告诉我们，恐惧、害怕容易转化为攻击、仇恨，而安全、信任容易转化为同情和爱。所以我们在德育教育中，一定要给学生提供和谐融洽、民主平等的人际关系和生存环境。事实证明，当受教育者在一个具有安全感和信任感的集体中，不会感到道德教育是外部强加的，他们可以在自然、轻松、和谐、友好的氛围中，无意识的潜移默化地接受一定的道德文化熏陶。

促进孩子走向成功，要取决于三个细节：一是多表扬少批评，表扬要不失时机，批评中更要肯定成绩，使孩子坚信自己有能力；二是要让孩子善于发挥自身优势，以己之长克己之短；三是要让孩子永不满足，一步一个脚印。据此，我们建立成长记录袋，创造众多机会促进每一个孩子成功。

我们的做法是根据不同的评价目标，应用多样化的评价手段，将评价与学生的成长紧密结合起来。通过成长记录袋评价，探索让学生获得自我满足的机会，使学生在求知的过程中获得自信，帮助学生认识自我，重塑自我。

孩子建立的成长记录袋是文件夹式的。内容包括：学生自我分析，阶段目标。每天、每周、每月的学习、行为等方面的记录与反思，各个阶段的作品及分析，阶段性的自我评估与伙伴、教师、家长评估等。成长记录袋是由学生自己记录成长情况，自主选择学习作品。由学生本人将每个阶段、每个学期的成长情况通过资料搜集将其保存，并由学生对自己某个阶段的学习，行为进行自我反思。同时还要按照教师与学生共同商定的评价标准进行自评与互评，并且记录评估结果。这种记录袋的内容由学生自主选择。学生有相对的自主权。评价标准是不断变化的，是在不断发展的。

成长记录袋含有自我反思与评价的要素，我们想培养学生的自我反思能力有助于学生省思自己工作的价值，学生通过自我反思可以修正和改变自己的工作，以便成功地满足标准。在反思过程中，第一，我们引导学生要分析自己的学习现状，并根据教学要求，各个单元的学习目标，自己制订本学期的学习目标。在分析自身长处与短处的基础上，确定行为习惯养成目标。学生每天对照自己的目标进行自我评价，用分数或描述性语言记录在评价表中。每周对自己的学习与行为习惯等方面进行总结与反思。每个单元学习后，学生要对单元学习情况进行分析，总结收获与不足，确定下一步学习目标。学期末，学生对照开学初制定的目标对自己的学习情况、行为习惯进行分析，看看自己是否达到了自己的奋斗目标，进行分析和总结。这样从小养成在生活中，不断地进行自我反思，才可以令自己立于不败之地，自省是奠基孩子幸福人生的很重要的一步。第二，成长记录袋中的天天记录卡提供了一个极好的展示学生进步的手段，因为他们能够及时地，具体地评价学生。每天学生放学前都要完成记录卡。记录卡中的问题可以充分表明学生的进步。第三，在记录卡中，有一项是每天记录自己的“成功”。记录卡的名称和形式由学生自主确定。成功是多层次的：家长夸奖是成功，伙伴夸奖是成功，自己表扬自己也是成功。成功是多方面的，上课发言，作业认真，课间活动、上操升旗、值日、文明礼貌、听家长的话……只要自己认为是成功的，我们要求学生都记录在档案中并激励自己不断的前行。第四，在记录袋中有学生的学习作品，这些作品都是学生精心挑选的，反映了自己在每个阶段的学习情况，并可以看出在使用多种评价方法时，自己能完成更高质量的作品。第五，每周我们都组织学生进行互评，先由学生对伙伴说说自己在本周的收获，进步最大的是什么，同时要展示自己记录袋中优秀的作品，并讲解自己的观点。再由伙伴进行评议，评议人有时是自己的好朋友，有时是平时不怎么接触的同学，有时是小组共同评议。在伙伴互评中要求学生多看他人的长处，帮助学生体会什么是真诚，懂得赞美与欣赏别人，学会宽容。当学生们察觉自己努力的目的是有意义的，他们就会更加努力学习。

教师是学生评价工作中的合作伙伴，教师在设计的评价活动中要向学生示范学习的方法和评价的方法，与学生一起制订评价标准，确定目标，组织好学生的收集和编辑档案材料，与学生一起定期自评、互评，和学生一起反思学习，及时给他们提出建设性意见。教师只有发挥自己的主导作用，才能不断引导学生进行自主学习，学会自我管理，自我评价。

成长记录袋中专门有一项“爸爸妈妈对我说”，为家长与孩子提供了一个良好的沟通机会，并共同努力，一起关注达到目标的一般过程。从而使家长成为了学生评价的参与者。每周家长都能通过记录袋了解孩子的情况，对孩子的学习、行为等方面发表自己对孩子的寄语，提出自己的意见。实现了家、校的教育合力。

成长记录袋为学生提供了一个表现自己才华的舞台，创设了一个自我发展的空间，满足了不同学生对展示自我才能的欲望，让学生感受到了自信的气息，并成为挖掘自身潜力的心理动力源泉，小小的档案袋装着孩子们的喜悦，装着孩子们的信心，它告诉每一个学生“我能行”，使学生认识到自身的力量。

成长记录袋在我校实施几年来，收到良好的实效。我们取得了以下几个方面的经验：第一，确立了以学生发展为本的发展方向，评价活动要注意目标的设立，它将是我们工作的指南。第二，突出评价方法的科学性，对学生的评价要根据教学对象的年龄特点选用恰当的方法。第三，注重班级管理的现实性，在教师引导下，促进学生学会客观地评价自己和他人。第四，建立多元评价体系，开展学生自评、生生互评、家长评，教师评的多元评价体系，让教师、学生、家长共享评价成果。第五，操作程序简单易行，便于学生掌握和操作，便于教师开展工作。第六，关注孩子的个别差异，教师不能用一把尺子去衡量每一个学生，充分发挥其自身优势，让每一个学生都参与，要发现每一个孩子的闪光之处。

三、人与人，生活中学会人与人的和谐相处

绿色生态德育应是一种以人为本、德润人心、和谐发展的“生态家园”的营造。良好的人文环境，能帮助师生共同树立远大的理想和坚定的信念，形成科学的态度，开拓的精神和高尚的品德，建立起和谐、融洽、民主、合作、友好的人际关系和客观公正、相互理解、抑恶扬善的集体舆论环境，具有催人奋发向上、积极进取、开拓创新的教育力量。我国古代的先贤庄子曾经说：“与人和者，谓之人乐。”认为“与人和”是人间最大的乐事。因此以人为本，构建和谐的人际关系是绿色生态德育的重要任务。教师善于营造一种和谐融洽、民主平等的人际关系，让学生在自然、轻松、和谐、友好的氛围中，无意识地接受一定的道德文化熏陶，从而达到和谐相处、共同发展的目标。

（一）赏识——让我们的心态更加阳光

我们所面对的学生大都是独生子女，多以自我为中心，刚愎自用、自以为是的性格困扰着孩子们的成长。我们通过开展“用心发现同伴优点”的活动，让学生在彼此的赏识中，加强沟通、了解，培养学生善于发现他人身上的闪光之处，要给予赞赏性的评价。对于同学的进步，哪怕只有一丁点儿，也要给予及时的赞赏和鼓励，赞扬是照在学生心灵上的阳光，是点燃学生憧憬和希望的火种，是温暖的春风。心理学家威廉·杰姆士说：“人性最深层的需求就是渴望别人的欣赏和赞美。”这有助于建立和谐的“生生关系”。

五年级监测学生的压力越来越大，有的学生承受不住沉重的压力，借口生病不上学；有的学生整日埋头学习，同学之间缺乏沟通，竞争日

益激烈，学生的关系也越来越紧张。老师们针对这种状况，设计了优点记录卡这个新奇的小道具，让孩子们在生活中学会发现他人的优点和自己的不足，在实践中得到自我教育。

每一张优点记录卡的封面，都写着这样一句话：让我们慷慨地敞开胸怀，多看到别人的优点。让阳光优点卡激励我们每个人扬起自信的风帆。在表格中，老师们设计了为同学找优点和向同学学习优点的项目。每次活动，孩子们都表现的特别积极，他们都在认真地思索着，认真地填写着。找到对方的优点，真诚地向别人学习，这是一个很好的自我教育的开始。没有让人不服气的表扬，也没有让人泄气的批评，但是我们看到的是孩子们在自我教育，看到的是孩子带给我们的一次次惊喜。而与此同时，我们欣喜地发现，孩子们彼此之间沟通多了，欣赏多了，紧张的关系也得到了很好的缓和，彼此间的关系更加融洽了。

每一个学生都有自己的优点，作为老师更应该善于捕捉每一个学生身上的闪光点，虽然可能只是一个小小的闪光点，但很有可能通过这个小小的闪光点挖掘出埋藏在他心里头的大金矿。前苏联著名的教育家马卡连科曾经有这样一句话："用放大镜看学生的优点，用缩小镜看学生的缺点。"一位教育家曾经说过一句非常有哲理的话："好孩子是夸出来的。"孩子在学习过程中必然会遇到一些困难，遭受一些挫折，产生失败的体验，但不要忘记夸奖孩子，发现他身上的闪光点，这样会给孩子增强自信心，让孩子获得成就感。

生活中不缺少美，缺少的是发现美的眼睛！我们每天都会面对各种不同的学生，他们身上是有很多可爱的地方和优点的，但作为一名教师，我们不应该只看到学生的优点，抱怨学生的缺点，要寻找学生身上的闪光点。我们用心与学生交流，要相信自己的学生，相信他们都有可能成为好学生，相信他们能在自己的人生道路上走向正确的方向。

（二）关爱——让彼此间的友谊地久天长

海伦·凯勒的作品《假如给我三天光明》大家一定都读过。一个残疾人，在生活中需要比别人更多的勇气和信心。在正常人的眼中，我们周围的世界是美好的。可是，对于一个孩子来说，一个无声的世界又是怎样的呢？我校曾有过这样一个孩子：天生耳聋，有严重语言障碍。对这样的一个孩子，我们的老师不抛弃，不放弃，给予孩子更多的关怀与爱。同时，老师引导孩子在班里建立了小护士岗位，从每个细节教会孩子们如何去帮助他、关心他。为了帮助他学习，老师教给学生如何用手语和他交流，如何帮助他发音，教他说话。在六年的时间里，班里的孩子都能主动帮助他学习、记笔记，陪他聊天，和他一起做游戏……这时，这个孩子是快乐的。他知道自己并不孤单，有同学的关心和集体的温暖。他享受到了集体给他的快乐，同时他的成绩有了很大的提高。他在作文中写道："我们班的每一个人都像我的妈妈一样不嫌弃我，大家帮助我、关心我、爱护我。我觉得很幸福！"

这样的故事，每一天都在我们的校园里发生。关爱他人，用自己的爱去帮助每一个需要帮助的人，这样的集体才是和谐的集体，这样的环境才是一个绿色的、和谐的教育生态环境。这正是我们一直以来的执著追求。

2010年3月14日，鹅毛大雪。一辆运送垃圾的大卡车撞倒了正在路边正常行走的朴静寅。正好经过的酆禾阳同学没有惊慌失措。他见同学倒在地上，脚还在车轮下，马上站到车旁边，边拍打车窗边喊："倒车，快倒车！因为我知道如果司机再往前开一点儿，同学就会面临生命危险。我使尽全身力气，不停大喊：'倒车，倒车！'。"成功地帮同学脱离了危险，同时他用手机，拨打了120急救电话和同学妈妈的电话。及时将受伤的同学送进了医院。第二天，他又召集了几位同学一起去探望了朴静寅，送去了许多漫画书，并祝他早日康复，重返课堂。

这是一个真实的故事，虽然是一个特例，但它不仅让我们感动，还为有这样的学生感到骄傲。当车祸降临时，酆禾阳同学表现出的临危不惧，冷静沉着令人敬佩，但更令人敬佩的是他在关爱与救助他人的过程中，表现出来的善良、淳朴、正直与勇敢。这是值得我们所有人学习的高尚品质。

构建绿色教育生态，创造和谐的人际关系，让我们每个教育工作者都非常注重在日常生活中，教会每个孩子去关爱身边的人。告诉他们，在帮助别人时，会得到一种特殊的快乐。因为，这个世界上有一个人因为你的存在而感到快乐！每一个人，都应该是别人最好的朋友、最可信赖的人。

（三）互助——让合作伴随着每一次成功

《学记》中云："相观而善"，如果"独学而无友，则孤陋寡闻"。大教育家孔子也曾说过："三人行，必有我师焉。"可见同学、朋友之间是可以相互学习，相互促进，讨论切磋，取长补短，共同进步的。我们的班集体大都由三四十名学生组成，有来自不同国度、不同城市的学生。在这样一个性格各异、爱好不同、个性迥异的集体中，同伴的相互帮助就显得格外重要。

林波老师仔细观察、分析、研究学生，发现学生存在两极分化现象，从成绩上，从学习态度上，从身体素质上，从纪律、卫生习惯上都有明显的显现。于是将班级情况分析整理后，决定把班级中存在的问题整合，进行了整体设计，在班级管理上以"开展团结友爱教育，建立和谐向上的班集体"为重点。于是，在班队会上经过讨论总结出班训："大家好才是真的好。"就这样明确方向，在以学生为本，从学生实际出发的校本研究的思想基础上，确立了从五个方面评价的形式（学习、纪律、卫生、人际关系和锻炼身体），建立了以学生自选伙伴为主的"同伴互助"的学习形式，学生们亲切地称之为"连体小组"。这项活动的评价方式是：在互相关心、互相帮助的基础上，把两位学生的一切量化成绩"合二为一"。以评价方式激发学生热情，促使学生间能够主动、及时地帮助伙伴解决困难。他的最大特点就是既调动了学困生的积极性，又让学习优秀的学生在互助过程中体验帮助别人的快乐。不仅学会做事，更学会做人！做到了以人为本，互助互利。这种"捆绑战略"在班里收到了一定的效果：学生有困难有人主动帮助；体型肥胖的有人主动督促一起锻炼；有错不改会有同伴主动讲解；班级地上有纸会有人主动捡起；有同学上课说话会有同伴主动暗示提醒……

为了让学生学会分析总结，并且看到自己的成长，她还给学生建立了各种评价表格。《同伴互助调查表》主要以学生的自我分析为主，让学生在活动中，简单记录自己的成长历程。目的是为了让学生了解自己、了解对方；让老师及时了解学生同伴互助的大致情况。在调查中注重学生积累，反思，交流经验，班主任给予及时地引导，也让家长真正看到自己孩子的内心成长历程，以鼓励学生，使学生明确方向，不断进步。

加强同伴互助意识，使活动不断发展的关键是让学生体验到同伴互助的益处。首先，在班里积极开辟体验成功的阵地：壁报评比栏上随时展示评比结果；定期评选标兵，发奖状；开展进步学生聚会（同伴互助优秀的小组才有权利参加）。其次，在学校的各项活动中，抓住一切机会让学生体验同伴互助的成功：广播、班队会、学习交流会等活动中都给同伴互助突出的学生创造展示的机会。再有，就是让学生在家长面前展示，定期发家长信进行表扬。并利用家长班主任的及时鼓励，使学生在肯定中得到动力，在反思中得到提高。使班主任及时得到学生的信息，并为下一步活动进行调整。使班主任、家长、学生在认识上得到统一，从而形成合力，促进学生各方面健康成长。

同伴互助活动对于学困生的帮助比较及时，针对性强。对于纪律和卫生问题大的学生有了督促的伙伴，使他们迅速改正。对于不会与人交往的学生，可以迅速的认识自己的不足，学会交流，懂得同伴互助。在活动中学生的集体意识逐渐增强。学会了如何做人如何处世。让学生学会学习，学会同伴互助，学会评价自己，真正成为学习的主人。

同伴互助活动调动了大部分学生的积极性，使学生在学习提高的过程中思想品德也得到提高，收到了较好的实效。

（四）尊重——拉近心与心之间的距离

学生创新素质的形成和培养离不开良好的教育氛围。良好的教育氛围能使人产生积极健康的情感，激发内心深处的创造火花；不良的教育氛围能使人产生消极的不健康情感，抑制人的创造思维。教师作为营造宽松氛围的主体，应建立和发展和谐的师生关系，尊重学生的人格，讲求沟通心灵的技巧以及对学生某些“过失”的宽容，从而保证素质教育获得实效。

我校一直倡导相互尊重、相互信任的师生关系。即教师给学生多一些微笑，少一些严厉，多一些宽容，少一些指责，多一些尊重，少一些约束，学生自己就会多一点自尊，多一点自信，多一点“自由的呼吸”。教育是要以人的尊严为基础的，没有爱就没有教育。善待学生的失误，宽容学生的过错，放大学生的优点，正是老师的魅力所在。

小刚是个心很重的孩子。赵萍老师第一次和他妈妈交谈时，他妈妈就告诉赵老师，孩子上幼儿园时就从不告诉家人在学校发生的事，不开心时就一个人偷偷地流眼泪。尽管这样，也什么都不说。

孩子为什么会这样？他到底在害怕什么？又怎么才能打消孩子的恐惧感？到底如何才能让孩子变得开朗一些呢？赵老师在很长一段时间内对此百思不得其解。而在一个偶然的机会，她在卢勤著的《告诉孩子你真棒》当中读到“孩子就是这样，你说他棒他就会又给你创造出一个奇迹；你说他笨，他就真的笨给你看”，这使她豁然开朗！孩子恐惧是因为他对自己没有信心，如果孩子自信了，也许就变得开朗了。事实真的如此吗？赵老师开始特别关注小刚，努力地找着孩子身上的闪光点，找准时机便在班内表扬他。刚刚开始，也许是言语太过牵强，孩子有些无动于衷，赵老师及时调整了策略，不仅仅夸他棒，还非常耐心地解释夸他棒的原因。慢慢地，孩子在班里笑了，也越来越愿意和班内的同学玩了。赵老师很好地抓住这个时机，创造机会叫他做身边的小助手。就这样，在同学的羡慕、老师的夸奖中，小刚好像脱胎换骨了一般，不仅开朗多了，而且还多了一份责任感：上操时，体育老师会进行小比赛，赛哪个班的同学站得直、不乱动。而平时好动的他此时也将自己的双手紧紧贴在裤线上，小腰板挺得笔直，给大家作出表率。除此以外，在课间，总能看见他擦黑板的身影；天渐渐凉了，他特意为大家拿来了香皂和手油；中午吃饭前，他总是很主动地帮助值班教师摆椅子……

看着孩子的变化，小刚妈妈脸上的愁云消散了，取而代之的是一种骄傲。其实，老师的担子真的很重，只有你相信这个孩子能行，孩子才会相信自己真的可以。所以，多用放大镜、显微镜仔细观察我们的孩子，会有意想不到的收获！

苏霍姆林斯基说过这样一句话："没有不想成为好孩子的儿童，任何一个孩子的心灵深处都有想做好孩子的愿望，作为教师就是要小心翼翼地呵护这美好的愿望，教师应为孩子创造再一次重新跃起的机会。"再给孩子一次机会，再给孩子一些空间，再用真挚的情感去温暖孩子，让他腾飞，使他重新跃起。

（五）成功——多给男孩们一些机会

积极、勇敢、有责任心，是每个男孩应该具有的优秀品质，然而在小学阶段，我们发现，女孩明显优越于男孩。有些班级班干部清一色的女将，一个女班干部把一个大男生管得服服帖帖的现象比比皆是。是我们的男孩"退化了"？还是过渡到"母系时代"？究其原因，我们发现女孩生理、心理发育早于男孩的规律固然存在，但我们的教育培养也存在着问题。在我们的教育中缺乏对男孩的广泛关注，教师往往喜欢用"听话"的女孩而不喜欢用"调皮的男孩"作为班干部重点培养。久而久之，男孩缺乏男子汉的气概，形成了"女权至上"的局面。

关注男生，这是当今教育的一个热点，更是我们学校教育创新的一个有益的尝试。我校的曾萍老师，在这方面进行了大胆的创新，并提出了"让男子汉撑起半边天"的教育目标。之所以提出这个目标，正是源于在她接班之初，班里的小干部全是清一色的小姑娘。而男生们对此表示很正常但是又很无奈。

那天，学校通知我去接任四（2）班的班主任，我接到任务后，没有机会了解班级的情况（由于前任班主任生病了），就匆匆地赶往教室。

我走进教室，扫视一遍班中每一位孩子的脸，我便请小干部起立，结果站起来的是一色的“娘子军”，我半开玩笑地说：“人说女性是半边天，怎么咱班女性撑起一片天了？奇怪奇怪？”孩子们都笑了，而后男生叽叽喳喳地说：“我们班女生比男生学习更好，所以班干部选举的时候女生的票数总是比男生多，自然就女生当选呗！”我说：“那男生们，你们服气吗？”“当然不服气，可是又能怎么样呢？”男生们很无奈地回答我。我笑了笑，无语。

第二天，我征求孩子们的意见是否可以重组班委？孩子们欣然答应。我说：“重新选举班干部，我们根据我们班的情况，在十个班委成员中至少得有四位男生，怎么样？”此时孩子们面面相觑，而后议论纷纷，有的女生说：“我们班的男生没有一个好的，不是上课做小动作，就是捣乱。”有的说：“选男生等于没选，他们根本管不了。”……大部分男生却保持沉默。但是选举工作依然有条不紊地进行，最终的选举结果虽然有四位男生进入班委会，而且这四位男干部在班里的男生中算是比较好的，但是他们毫无工作能力，相对于其他几位女干部来说，各方面都相差甚远。我觉得这是一项很有挑战性的工作，因为作为班里的班干部就像班级中的“领头羊”，他们的品质和能力关系到班级的发展方向，要求他们要正直、乐于奉献、有一定的管理能力和组织能力，这样才能把班级引向一个积极团结向上的新阶段。这就意味着我要花大量的时间去培养这几个从未做过班干部工作的男生。

这四位小男生虽然新官上任了，但是面对自己的工作有些束手无策，当他们管理班里的纪律时，同学们不服从，时不时还自暴自弃。看到这一情景，曾老师的做法是：

首先，我在班级中给他们树立威信，睁大眼睛去发现他们的优点。只要他们有一小点进步，我便在班中隆重表扬。比如：今天，男生小干部心悦主动捡起地面上的一张废纸，我会利用合适的时机把他做的这点小事上升到关心集体或爱护环境的高度去表扬他、鼓励他，让同学们都信服他，都向他学习。

其次，培养他们男子汉的气质。每逢春游或其他外出活动，我一定会嘱咐好男生干部们主动承担责任。比如：安排同学们上车的座位，主动帮助女同学提水，主动为晕车的同学让座等。在外出活动过程中，叮嘱男生干部主动承担起保护女同学的任务。还记得五年级上学期去青龙湖参加拓展活动，我把全班同学分成两大组，每组男女生人数相同，每组由一名男生干部和一名女生干部带队，告诉他们在活动中一定要团结合作，男生要勇敢坚强，遇到需要冒险的时候，男生一定要冲锋在前，同时要照顾好女生。活动结束后，同学们纷纷主动向我汇报他们在活动中的表现，大家都认为男生干部有男子汉的勇气和大度。

再次，男生干部因为他们的性别特点所致，他们淘气，有时甚至捣蛋，我给予他们适度的宽容。因为我曾记得一位哲人说过这样的话："天空收容每一片云彩，不论其美丑，故天空广阔无比；高山收容每一块岩石，不论其大小，故高山雄伟壮观；大海收容每一朵浪花，不论其清浊，故大海浩瀚无比。"宽容也就是允许他们犯错，只要他们能认识到错误，有改正的决心，我就会给他们机会。比如，有时有同学会向我告状："某某上课玩他的小汽车，某某下课不管课间纪律，自己还追跑……"每当这时，我便会选择一个提醒的眼神，用我的眼睛告诉他："下回要注意了。"宽容他们，因为他们还是孩子。但是，我并非纵容他们，遇到他们犯了严重错误时，我一定会加以引导，帮助他们分析其中的利害，进行反思。这几位男生小干部在老师的引导下，不断地发现自己，树起自信，做一个出色的自我。

曾老师在教育反思中写道：经过两年来的培养，我班的这几位男生小干部终于能够胜任班级的工作，在班级撑起另外半边天。男子汉的气质是需要培养的。尤其在小学阶段，由于生理的特点，校园中往往女生占有优势，男生总是处于自卑的状态，作为老师，要让男生摆脱这种自卑感，在班级中、在学校中寻找到他们的位置，这样才能让整个班级、整个学校充满生机和活力。

四、人与社会，在创新中培养爱心与责任

绿色生态德育源于对生命的热爱，绿色生态德育的动力源于生命的律动，绿色生态德育的价值根植于对生命的思考，因而关注生命，为孩子的幸福人生奠基，成为了我校教师团队不懈的追求，正是为了这追求，我们形成了一个充满凝聚力、向心力的研究团队，我们充分发挥着团队中每一个人的智慧与才干，在学生生命成长的这片沃土上，我们怀着坚定的信念，播种着希望的种子，浇灌着稚嫩的幼芽，引领着学生幸福地成长。

我们营造绿色生态系统，就是要营造一个和谐的场，让学校教育适应社会发展，满足社会的需求，使学校教育从一个更高远、更宏大的视野去关注行为，不盲从，不顺从，培养有责任感、有使命感、有全局意识、有较强辨别能力的人，实现我校“做人、做中国人、做现代中国人、做现代世界人”的育人目标。“做人”，就要从小养成文明的言行，良好的礼仪，具有诚实、公平、守信、正直、责任、荣誉的理念和意识，养成良好的生活习惯和卫生习惯，有初步的劳动、法纪、集体观念和社会公德、公民责任意识，为今后成为有良好综合素质的社会公民奠定思想基础；“做中国人”，要引导学生了解中国悠久的历史和灿烂的民族文化，知道中国人民勤劳勇敢、自强不息、不畏强暴、热爱和平等传统美德，引导学生树立民族自尊心、自豪感和振兴中华的志向，做一个具有“中国灵魂”的中国人；“做现代中国人”，第一，要具有把首都建设成现代化国际性大都市的宏伟目标并为之奋斗的使命感，发愤学习，建设首都，无愧于“首都人”这一光荣的身份。第二，要具有掌握现代社会必需的基础知识和基本技能，自觉融入现代社会，不做书呆子，要做现代人，做能自信地走向世界的现代中国人。“做现代世界人”，引导学生以“世界一家”的思想作为人类的最终目标，将爱人类、爱真理作为“世界人”的内涵，努力培养学生的国际意识、全球化视野、引导学生以开放的心态，积极吸纳世界一切民族的优秀文化，培养学生的创造

能力，使其具有复合型的知识结构和综合素质，具有参与国际竞争的勇气和敢于承担风险的意识，具有在国际舞台上发展的竞争力、发展力、适应力，成为未来世界的主人，成为中国的世界人，世界的中国人。

（一）习惯奠基，成就做人的根本

孩子是教育的主体，因此发生在孩子身上的事数不胜数。有时，即便是一件小事，对他们也会起潜移默化的作用。康德把德育的内涵定位于“价值”，价值是无法灌输的，它只能由个体在自我发展、自我建构的过程中获得，真正意义上的教育是自我教育。因此，随时关注孩子成长、充满爱心与责任感的教师才能有这样的敏感性，才能有这样的智慧，并及时捕捉教育的契机，随机施教，让学生在日常的生活中获得良好的道德修养。正如苏霍姆林斯基所说：“把教育意图隐蔽起来，是教育艺术十分重要的因素之一。”生活的世界是自然不造作的，面向生活的德育需要教育者精心设计。

习惯是成功的基础，习惯是一种潜移默化的力量，习惯更是幸福人生的根基。多一个好习惯，孩子心中就会多一分自信；多一个好习惯，孩子人生中就会多一次成功的机遇；多一个好习惯，孩子的生命里就会多一个享受美好生活的能力。那么，我们如何去培养学生良好的行为习惯呢？老子曾说：“天下难事，必做于易；天下大事，必成于细。”惠普创始人戴维·帕卡德也说过：“小事成就大事，细节成就完美。”年轻人要有理想，要有干大事的雄心，但一定要从小事做起，有把小事做细的韧劲，只有脚踏实地地从小事做起，把细节做好，你才有可能一步步铸就人生的辉煌。因此，我们的绿色生态德育工作要引领孩子幸福的人生，首先就要关注孩子成长中的每一个细节，在细节中捕捉教育的良机，在细节中循循善诱，引领孩子们养成良好的行为习惯。因此，从细节抓起，从礼仪教育入手，让学生成为仪表整洁、落落大方、谈吐文雅、遵规守纪、彬彬有礼、知礼明理的谦谦君子，是我校绿色生态德育的一大特色。

1. 明理，从“鞠躬”开始

一个有良好修养的孩子，让人感受到学校教育的魅力，它能给人带来一种对学校生活的向往、尊重和热爱。一个文明礼仪的学校彰显的是学校发展的个性，提升的是学校的办学魅力，走出的是一条适合自身德育发展的路。

“鞠躬礼”就是我校一道亮丽的风景。每天清晨，教师们会面带微笑地站在校门口，迎接来上学的学生。每一名进入学校的学生都会主动向教师恭恭敬敬地行一个鞠躬礼，并问上一句：“老师，早上好！”教师也会很自然地微笑着给孩子们行一个鞠躬礼，并回应一声：“早上好！”见到客人，孩子们也会行上一个鞠躬礼，问上一句“客人您好！”或者“客人再见！”

2. 改变，从小目标起航

我们的教育要引导孩子认识自己，改变自己，不断地超越自己，首先应引导孩子认识到，人的成长需要给自己加油，这是一个人活得快乐、幸福、智慧和成功的法宝。同时还要使孩子认识到，自己是生命成长的主人，每一个成功都是从一个小小的信念起航的，自信的人应该行动有目标，面对目标满怀信心地去做事。因此，我们在进行行为习惯培养时，注意引导学生，学会正确地认识自己，客观地分析自我，并能够从了解自身的优势与不足入手，根据自身的实际能力与情况，养成制订个人成长“小而实”的目标的习惯。比如我校二年级（7）班王馨喻同学为自己制订的一周小目标是：

上课认真听讲，争取不做小动作。写作业不边写边玩。把字写得工整、规范、整洁。争取作业一周不出错。

这种小目标的制订没有长篇大论，只是从学生的需求出发而制订的，但是我们坚信孩子的改变是从一点一滴开始的，而孩子眼睛所看到的地方，就是孩子会达到的地方。“小而实”的目标实实在在地引领着孩子以积极的心态，朝着目标，一步一个脚印地前行，引领着孩子不断地超越自己。我们相信，我们的孩子只要不断地用小目标激励自己，一定会成为自豪的自己。实践中我们也确实看到了目标对孩子成长的激励作用。当我们的孩子们在学习上遇到困难的时候，会自觉地用小目标激励自己战胜困难，取得学习上的进步；当我们的孩子们与同学发生矛盾的时候，会用小目标鼓舞自己，用宽容之心谦让同学，重新获得珍贵的友谊；当我们的孩子被爸爸妈妈老师误解的时候，又会自觉地用小目标勉励自己主动去与爸爸妈妈老师沟通，取得理解与支持。小目标正引领着孩子们不断地超越自己，每天进步一点点。我们坚信：只要坚持不懈，孩子的幸福人生一定会从这里起航。

3. 尊重，从学会倾听中获取

生活中，我们经常会看到这样的一幕，听到这样的声音，那就是：太阳冉冉升起，新的一天又开始了。清晨的大街小巷随处可见拎着书包，牵着孩子的年轻父母或爷爷奶奶们。稍稍留心一下，你一定会听到不少父母、爷爷奶奶正一路走一路叮嘱孩子："上课要认真听老师讲课，要举手发言，听老师的话。"你也一定会听到孩子们不耐烦地回答："知道了，知道了。"

天真烂漫、活泼可爱的低年级学生有时也很"调皮"，课堂上不注意听讲的现象时有发生。一些学生不能静静地听同伴与老师讲话，总是举着小手急于把自己的想法告诉别人。往往把上课的内容、布置的作业、需要记住的事情都忘记了或抛到了脑后。班主任反复强调，可是孩子们依然我行我素。怎么办？一定要培养孩子学会倾听。

我们引导孩子们展开讨论，在轻松的谈话中，让孩子明白只有学会了倾听才可以博采众长，弥补自己考虑问题的不足。学会倾听，还能养成尊重他人的良好品质，成为一个受人欢迎的人，一个善于交往的人。并以此为起点，在实践中，逐步学会倾听的方法，比如，如何做到全心全意地倾听，如何协助对方说下去，又如何在倾听中学会抓住要点，逐步养成倾听习惯。引导孩子长一双善于聆听的耳朵，学会仔细地聆听，培养倾听的习惯，引领着孩子们学会拥有良好的人际关系，培养我们的孩子，养成尊重别人的良好品质。

（二）爱心奉献，谱写爱的乐章

爱心是人性中最基础的东西，是一个人最基本的素质，是素质教育中一个不可或缺的部分。孔子说“仁者爱人”，费尔巴哈要建立的新哲学也是以爱为基础的，他说：“爱是存在的标准——真理和现实的标准，客观上如此，主观上也是如此。没有爱，也就没有真理。”然而，现今的孩子却普遍缺乏爱心，孩子集万千宠爱于一身，却不懂得对别人付出一点点爱。任性、乱发脾气、不知体贴他人、对父母长辈指来挥去等现象更是数不胜数，特别是在小学生中尤为明显。爱心是人类不可或缺的极为重要的基本素质。从小开始培养孩子的爱心已是一件刻不容缓的事情，已成为当前教育的重要任务之一。

美国心理学家奥尔波特把“具有同情心和对一切生命或事物的爱”作为心理健康的标准之一。据儿童学家研究，孩子天生就具备爱心，善良和同情是孩子的天性；婴儿一岁前就有对别人的情感反应，如果旁边有孩子哭，他会随之一起哭；一两岁时，孩子看到别人哭，就会拿自己喜欢的东西去安慰，这表明他已能清楚地分辨自己和他人的痛苦，并有了试图减轻别人痛苦的本能，但不知道该怎样做才好。到了五六岁时，孩子开始进入认知反应阶段，他知道什么时候该去安慰正在哭泣的同伴，什么时候该让他独处。这些都是孩子爱心的自然表现。而当孩子上学之后，他们的爱心却越来越缺乏。

基于以上的一些认识，我们认为，在日常的生活中教育孩子有一颗感恩之心，培养学生孝敬父母、尊敬师长的品质是最基本的教育。因为一个人如果连自己的父母都不关心，很难想象他会去关心别人。教会孩子热爱自己的父母，培养学生尊敬师长的情感，是小学生爱心教育的重要环节。母亲节、父亲节、三八“妇女节”、重阳节，做一件关心长辈的小事。奉上一杯清茶、帮着他们做一些小家务……教师节，为老师送上一张自制的精美贺卡、祝福老师节日快乐。让孩子们从中懂得爱，体验爱，学会爱。让“感恩”真正走进学生的生活，影响他们的行动，熏陶他们的心灵。

真正的教育，不在于活动有多么大的规模和影响力，而在于是否真正触发孩子们心灵的感动，真正有利于孩子良好品德的养成、真正有利于他们的健康成长。

2008 年 5 月 12 日下午，我国四川省汶川发生地震，中华大地沉浸在巨大的哀痛之中！面对无情的灾难，我校开展了“师生情系灾区，共同奉献爱心”的大型系列募捐活动。

从 5 月 13 日开始，通过广播、视频、班会、校园电子屏滚动字幕等形式使全校师生，及时了解灾区的情况。一个小小的“捐助箱”，传递着我校对灾区小朋友的爱心。一天的时间我们就捐款 18 万元。当我们得知学校一名保安家在灾区后，又把温暖送给身边的人，很多老师除了台上捐款外，还亲手把一沓沓现金送到他的手中。

温暖在人们的手中传递。温暖更在我们的心中永存。在抗震救灾中，我校全体教职工和学生累计为灾区捐款 240 800.69 元。

正是这份爱，正是这份对生命的关心，在汶川地震周年纪念和六一儿童节来临之际，为了能让灾区小伙伴和我们一样感受到欢乐和关爱，我们全校师生又一次进行了关爱生命，奉献爱心的活动，我校的孩子们纷纷行动起来，有的班为灾区孩子制作了爱心卡，有的班书写了一封封爱心信，画了一幅幅爱心画。有的班与灾区同学建立了友谊中队，还有的班为灾区的小伙伴绘制了心愿长卷，我们捐出了我们的零用钱，共捐款 25 300 元，共捐购学校包裹两个，学生包裹 343 个。为灾区的孩子们送去了一份关爱，送去一份特别的六一祝福。

几年以来我们先后为内蒙古四子王旗神舟希望小学、山西省平顺县的山区伙伴捐书四万余册，帮助他们建立万泉书院，让那里的孩子和我们一起分享智慧、分享知识。同时，我们的“以纸换树，绿化西北”，“少开一天车，还首都一片蓝天”等多项公益活动得到了中央电视台等媒体的追踪报道，取得了很好的教育效果。

2010 年，我们开始在高年级开展零币计划行动，通过收集废旧物品、爱心义卖等方式筹集零钱，建立“零币基金”用于公益事业。也正是这一年，安徽小女孩黄凤同学的事迹传遍全国。从六岁起，她用自己稚嫩的肩膀承担起照顾高位截瘫的父亲的责任，跋涉千里为父求医的事迹感动着每一个人。我们在校园中启动零币计划爱心义卖大行动，一天之内筹集善款万余元，并将善款汇给黄凤同学。孩子们在义卖活动中，受到了一次深刻的教育，献出了自己的爱心，同时也感受到了肩头的那一份社会责任。

（三）童眼看世界，做现代世界人

《童眼看世界》(KWN) 活动是我校和日本松下公司合作的实践活动。主要针对 3—6 年级孩子，进行影视的编播训练，包括剧本编写、镜头组织、演员培训、影片拍摄、后期制作等环节。通过一部影片的制作去引导孩子们以自己的视角去观察我们的生活，以自己手中的镜头去讲述故事。故事是这样的：

2010 年 1 月，我们的学校里来了一只流浪猫，寄居在学校的地下室。孩子们由这只流浪猫，想到了小区里流浪的小动物们，想到了一切生命都有生存的权利，想到了对一切生命的关注，进而自发地开始了救助小动物的行动。孩子们从家里带来旧报纸，捐给小动物保护中心，用来帮助那里上千只无家可归的小动物。

在活动中，全校同学都自觉地参与进来。热爱生命、保护生命，在我校形成了一个良好的自我教育的氛围。孩子们根据这个事件，拍摄了影片《永远的朋友》。这部影片最终获得了中国赛区的第一名，并在东京举办的全球儿童影视短片大赛中获得了第八名的好成绩。关爱小动物，认识每个生命都有存在的权利，尊重生物的多样性，建立生命共同体，已成为孩子们牢固的思想意识。

2010 年 7 月，孩子们又以自己独特的视角，拍摄了反映父母亲情的影片《和你在一起》。这部影片讲述的是一个关于母亲和女儿之间的爱的故事，一个优秀的女孩，她的妈妈只是学校食堂中的一名工人。这个女孩为母亲的工作而觉得羞愧，甚至不愿意和妈妈走在一起。而最终，被母爱所感动。这是一个真实的故事，而类似的故事每天都发生在我们的身边。正如这部影片的主演龙梦宁同学所说的那样："有时候，我们会羡慕别人的妈妈，比如谁的妈妈更漂亮，谁的妈妈更温柔，或者谁的妈妈总是给她买新玩具。拍这个片子的目的，就是想告诉周围的同学和朋友，妈妈为我们付出了很多，也许我们现在无法完全地感受到这是多么地伟大，但是请永远不要拿自己的妈妈和别人去比较，因为谁都没有自己的妈妈那样地爱自己。"

最终，这部影片以独特的视角、真实感人的故事再次蝉联中国赛区第一名，并在东京的全球总决赛中获得"最佳编剧大奖"。评委会的评价是："这是一部拍摄手法专业、视角独特的、真正触动心灵的影片，我们被一次又一次地感动……"在东京的"优胜者之周"的颁奖特别活动中，我们的孩子更是以流利的英语、出色的国际交往能力、善良、热情和真诚得到了与会各国代表的一致喜爱，成为了活动中最受欢迎的爱心天使，为中国赢得了荣誉。

通过长期的实践，我们认为：孩子的生命成长，需要一片属于他们的天空，来练就他们飞翔的翅膀，在实践中，有步骤、有层次、有计划地对孩子进行引导、帮助，让孩子们在实践中不断提升自己的能力、拓宽自己的视野、最终达到自我教育、自我激励的目标。营造绿色教育生态，不仅要关注自我的生命成长，而且要关注他人，树立全球村的理念，我校在这方面也做了很多有益的尝试。

（四）世界皆朋友，共结友谊果

奥林匹克"同心结"交流活动是奥林匹克教育的重要项目之一。这个项目旨在拓展青少年的全球视野，使他们成为和谐世界的建设者；有利于促进学校发展，推进北京教育国际化进程；有利于传播中华五千年的灿烂文化，与全世界朋友共同分享东方文明成果；旨在营造奥运会热烈友好的人文环境，使各国运动员在北京体验到宾至如归，人类一家的感觉，感受“有特色、高水平”的奥运会。

在“同心结”活动中，我们与朝鲜民主主义人民共和国绫罗小学共结同心结。

2008年5月9日，我们迎接了朝鲜驻华参赞金东范先生带领的朝鲜官员以及师生访问团，成功举办了“万泉小学奥运会”。在奥林匹克五环旗下，中朝两国的孩子们心连心，手挽手，实现了“团结、友谊、和平”的奥林匹克理想，留下了深刻难忘的回忆。

2008年2月，我校代表团应邀前往朝鲜，到我们的姊妹校——绫罗小学进行文化交流。得到了绫罗小学全校师生以及朝鲜对外文化联络委员会、朝鲜教育省官员以及新闻媒体的热烈欢迎。在领导的陪同以及孩子们的簇拥下，我校代表团一行参观了学校荣誉室，走进了科学实验课、美术课和音乐合唱课的课堂。尽管我们语言不通，但在“奥运同心结”的牵系下，我们的心紧紧地连在了一起。在美妙的音乐声中，两国师生共同翩翩起舞，纯洁的友谊在彼此心灵之间传递。

中国驻朝鲜大使馆一秘周彪在座谈时指出：中国北京万泉小学与朝鲜绫罗小学建立姊妹校，在朝鲜教育史上是第一次，开创了朝鲜的小学与国外建立姊妹校的先河，具有十分深远的历史意义。共建姊妹校的活动不仅增进了中朝两国师生之间的友谊，更将加快奥运精神的传递，使中朝两国之间的友谊得以世代传承。

2008年8月4日，我校师生代表一行五人来到了奥运村，共同参加结对国家——朝鲜在奥运村的升旗仪式。随着庄严的朝鲜国歌奏响，朝鲜国旗冉冉升起，参加升旗仪式的师生也在心中默默祝福朝鲜运动员能够在充满和平与友谊的奥运赛场上为自己的祖国创造佳绩。

奥运传友谊，同心永相结。作为北京的奥运使者，我们万泉小学的全体师生捧出了一颗颗诚挚的心，为让世界了解中国，让中国走向世界，增进国际友谊、倡导世界和平、共创和谐世界贡献自己的力量。

2007年3月23日适逢奥运倒计时500天之际，德国布鲁诺·波尔格小学一行17人来到了我校。孩子们与来访的德国客人一道开展了“福娃进校园，童心话奥运”中德儿童情系奥运主题教育活动。活动中，中德儿童代表举行了“迎接奥运、签署心愿，放飞理想”签字仪式。仪式后，孩子们与德国布鲁诺·波尔格小学师生一起来到万里长城，登上天下第一雄关——居庸关，用颇具民族特色的形式——放风筝，一同表达了中外儿童对北京2008年奥运盛会的期盼，增进了两国人民的友谊！

2005年和2008年，我校的学生受德国布鲁诺·波尔格小学邀请回访德国，并受到政府有关负责人的热情接待。孩子们参观了中国驻德国大使馆，到德国的小朋友家中做客，还参观了著名的艺术宫殿。在活动中，两校间的友谊得到了进一步地加深。德国之行使我校的学生走出国门，进一步了解了世界，了解了地球村的深远意义。同时也深感中国在世界上地位的提高，感受到世界人民对中国的友好。民族自豪感得以增强。

近些年，我们的孩子们与美国、英国、德国、澳大利亚、加拿大、马来西亚、新加坡、韩国、朝鲜、日本、中国香港等国家和地区的孩子们开展了多方位、多项目的交流活动。真正走出了国门，向着高品位、国际化的办学目标作出了不懈的努力。

五、人与自然，在教育中构建生命的绿色

在人类世界的发展过程中，人与自然和谐相处是人类不断向前发展的基本条件。人与自然保持着相对和谐的状态。在哲学上，强调“天道”和“人道”，“自然”和“人为”的相通、相类和统一的观点。庄子认为，“天地与我并生，而万物与我为一”，人与天本来合一。这种朴素

的“天人合一”的观点，造成了一种人与自然亲近和谐的关系。

在可持续发展理念日益深入人心的今天，“人与自然和谐共处”成为人类的必然选择。人与自然的关系，不仅是人类生存的一个基本问题，也是构建和谐社会的一个前提命题。

在我校倡导的绿色教育生态系统中，我们从孩子开始，不断向他们渗透这种理念，并且引导他们在实践中不断地体验、认同这种理念，最终转化为行动。让他们明白人与自然之间的正确关系，从而学会与自然和谐共处，共同构建生命的绿色。在我校发展的几十年中我们不断探索，作出了很多有益的尝试。

（一）走向自然，亲近自然，感受自然

20 世纪 80 年代初期，保护万泉河的环保行动让孩子们走向了自然，自此以后开设了环境教育课，让生态教育进入课堂。并通过“节约用水”、“为小鸟安家”、“节约能源”、“减少废物”等活动，在孩子们心中逐渐建立起人与自然的和谐相伴关系。

1. 爱心筑巢——我为小鸟安个家

“筑鸟巢”也是我校“生态体验一日营”活动中三、四年级队员开展的一项活动，其目的在于补充和巩固校内教育的盲点，让中年级段的孩子们为大自然做点力所能及的事情，既符合他们好奇、求知、爱动的特点，又可以让他们在活动中拥有爱心，为大自然献出自己的力量。

队员们走进大型野生动物园，把自己精心制作的各式各样的鸟巢在园林工人和老师们的带领下挂上树梢，他们有的还往巢内放些小鸟喜欢的食物；有的还在小树上为游人挂上自己设计的温馨提示语；有的甚至干脆在树林边上插好警示牌……真是“八仙过海，各显其能”，但却使我校的环保教育走出了校园，步入了自然界。等回到校园，再利用广播宣传给全校队员，孩子们心里那股高兴劲儿、那种自豪感就别提了，喜不自胜的他们更加热爱大自然了，又给我们校园内的教育带来了新的生机。

所以，家长们都夸我们的鸟巢不仅具有知识性、实践性、探索性和

趣味性，更把环保教育的种子根植在了孩子们的心里了……使他们从小就在拥有爱心的同时，更对大自然有了责任感。

2. 爱护蓝天——“少开一天车，还首都一片蓝天”

2006 年是北京的“迎奥运攻坚年”，为了让北京的天更蓝、水更绿，以首都北京司机朋友为首的车友们提出“少开一天车，还首都一片蓝天”的创意口号，得到了北京市环保局的大力支持，作为“北京市绿色学校”的一名少先队员理所应当地为北京的“绿色奥运”工程作出自己的一份贡献。

但设身处地地谈到“环保工程”，似乎距离小学生活又比较遥远，但因为我们是“北京市绿色学校”，又与国家环保局长期合作，所以就应这项活动是国家环保局的宣传之需开展了“少开一天车，还首都一片蓝天”主题宣传活动。其意义在于：一是本着“绿色奥运”的宗旨，进一步传承我校传统的教育文化；二是借奥运宣传之机，为我们的环保教育找到新的生长点，为队员们提供一个宣传环保的社会舞台，让队员们在“迎奥运”的大潮中有所作为。

在活动前，我们除了向学生讲述国家环保局下发的宣传材料的使用方法以外，还对孩子们说明我们活动的意义与目的就在于：“用小手拉大手”，通过向开车送学生上学的家长发放“宣传即时贴”这项我们力所能及的事情，进一步增强自己的环保意识，真正用我们的实际行动为“少开一天车，还首都一片蓝天”首都环保工程作出自己的一份贡献。

2006 年 5 月 7 日清晨，我们就与国家环保局一起组织“少开一天车，还首都一片蓝天”义务宣传活动，队员们为了更好地、更多地向开车来校送孩子的叔叔、阿姨作好宣传，更多地发出“少开一天车，还首都一片蓝天”的宣传即时贴，他们很早就来到了学校，赶到了学校大门口，积极地投入到活动中，当家长送孩子的车辆到来时，他们有序地走到车前，在说明我们宣传内容的同时，把“宣传即时贴”帮叔叔或阿姨贴在车身上……直到上课前才跑回教室。

本次活动开展后，受到了家长及社会各界的赞誉，夸奖我们万泉小学的教育具有前瞻性。活动还被中央电视台进行了现场直播，队员们也深受鼓舞，用自己的行动为营造和谐社会作出了自己的一份贡献。

3. 电池回收——争当环保小卫士

谈到“回收废旧电池”是我校“红领巾送春风”系列教育活动的“附属产物”，更是我们校内推行环保教育的重大举措之一。每年的三月我们都会动员队员们走出校园，进入社区去把校园里的“教育春风”传播出去，孩子们有的“学雷锋做好事”，有的“慰问妈妈”……那内容真的像春风一样充满绿意，招人喜欢。

当热情高、干劲足的孩子们走进社区“争当环保小卫士”，清理白色垃圾的同时，发现有许多被人们丢弃的废旧电池，而我们的校园里，受环保理念的影响，无论是通过队会、校会、板报，还是宣传栏等途径，都使他们清楚地了解到“废旧电池”对土壤、对人类、对自然的危害性，所以他们就自发地把废电池进行了集中回收，因为在我们的校园里有专门收集废旧电池的垃圾箱，他们这一善举一下子就削弱了废旧电池对环境的污染。

不仅如此，孩子们回到家里，还主动到社区去宣传、动员，甚至把家长单位、同事的废旧电池也都收集到学校。事后他们的那股自豪劲儿就全写在笑脸上了……

4. 我们的实验田——播种的是汗水，收获的是喜悦

随着我国素质教育的蓬勃发展，特别是伴着课程改革的深入，统观现在小学的课程设置，我们就不难发现，少先队活动时间正日益减少，使我们越来越深刻地认识到少先队教育必须与时俱进地迎合当前的新形势，才能更好地发挥它的教育作用，发挥它在队员自身素质教育方面的重要作用。

当时我校的大队辅导员包鹏远根据队员的实际情况，努力将教材的内容与队员的生活实际紧密结合，设计了“把我们的红领巾种植园与教材内容紧密相连”这一创意。得到了学校领导的支持。

学校后勤管理人员投入了大量的人力、物力，将校门口的一块荒地土质进行了翻新，清理了将近 1.5 米深的建筑渣土。2007 年，我们聘请科学院植物研究所的张宝海教授为我们的课外辅导员，为这块土地挂牌，并针对它进行“量体裁衣”，从科学院选出了适于在这块土地上生长的“阴生植物”进行试验，转年春天，这片光照不足的土地上有了绿荫，一些“喜阴生”的中草药，比如，野草莓、蕨类、玉竹、玉簪、鸢尾、铃兰、景天三七、鱼腥草、当归、薄荷等草药、香草等已经开始在这里“安家落户”了。为了更便于师生实验和研究乐趣，还特意种植了葫芦、丝瓜、老倭瓜、茄子、黄豆、土豆、向日葵、小麦、空心菜、花生、西红柿、辣椒、黄瓜、白菜、生菜等。

土地有了植被就充满生机，再加上“红领巾”的参与，就更产生了别样的特色。队员们在老师的带领下，每天都会到自己的责任区里观察植物的生长情况，甚至精细到用尺子度量它们“身高”的程度，发现一点点问题：叶子打蔫、出现小虫、茎脉塌腰……马上就会引起一场研究辩论会来进行“集体会诊”，如果没有“对症良方”，就马上开始网上咨询、查找资料、咨询专家……那场面还真的煞有介事呢。即使是在酷热的暑假，队员们都不曾间歇，他们会分组在老师的带领下为自己的绿地锄草、施肥、杀虫。

“春华秋实”，到了收获的季节，孩子们在老师的带领下，收获了自己种植出的第一批果实：葫芦、丝瓜、老倭瓜、茄子、向日葵、花生、白菜等。他们欢呼着、雀跃着，兴奋地请来景校长和他们分享那份“耕耘者”所特有的喜悦：先是在试验田里合影留念，又是品尝新鲜的干果，最后还在老师们的带领下包出了不同口味的饺子，那种成功后的欢愉真是喜不自胜!

现在，试验田在家长们的支持下更加正规了，还进行了区域装饰，使试验田的形状都充满活力，树叶形的、椭圆形的、长方形的、三角形的，再被中间的鹅卵石路一连，那景致别提多美了。更关键的是它引发了我校队员们的兴趣，帮助队员构建起符合他们实际需要的学习体系。最终引领队员们实现了对“课本”的超越；促进了师生的共同发展；促使我们的“红领巾种植园”活动迎合了新课改的形势，在小学科学教学中找到了新的坐标。所以我们坚信：在我校师生的共同努力下，大家的耕耘一定会让它结出更加喜人的硕果！

5. 节水龙头——节水从一点一滴

“水是生命之源”这句话在我们万泉小学的队员心目中可不是一句空话，因为他们从“入学教育”就开始了解到我们的学校是一所绿色学校，全校师生都非常注重环保，爱护花草树木、节约水电是我校对学生提出的基本要求。

入学以后，无论是在宣传专栏、广播宣传中，还是在班队会上都能让他们体会到这种教育氛围。即使是在课堂上都会“文以载道”的。2009 年 10 月，我校一位数学老师在讲“用计算器计算”这堂课上就给学生出示了这样一个例题：一个没关紧的水龙头，每天大约要滴掉 18 千克的水，这样计算，一年按 365 天计算就会有多少千克水滴掉？要把这些浪费掉的水装在每桶大约 15 千克水桶中，能装多少桶？如果你家每月饮水 6 桶，这些水够用多少个月？合几年？当学生们算出了一年就会浪费掉 6570 千克水，浪费掉的这些水能装 438 桶，而这些水够他们每个家庭吃上 6 年的时候，孩子们吃惊了！于是学校又抓住这一契机，让所有的学生思考：学校有大小水龙头 100 多个，如果不注意“关紧龙头”这一细小环节，在轻微的“嘀嗒、嘀嗒”声中，我们一年楼道的滴水量就相当于一个昆明湖的储水量！

一笔简简单单的账、一个简简单单的活动让全校学生意识到了“节水”的重要！并且明白了节水要“从我做起，从一点一滴”做起；不但如此，节约用水在校园里蔚然成风的同时，孩子们还自觉自发地告诫身边的家人、朋友要把水龙头关紧，要节约用水！更重要的，它又是我校教育、教学“双赢”的骄人成果。在其后的几年中，我校王雨柔、王楠等十几名同学先后获得“北京市节水小标兵”的光荣称号，参加了在水立方举行的节水公益活动，承担了小小节水宣传员的角色，为节水作着自己的努力。

众所周知，新课程标准把德育教育放在了十分重要的位置，提出学校要从小培养学生的爱国主义精神，并逐步形成正确的世界观、人生观、价值观；具有社会主义责任感，努力为人民服务，使学生成长为有理想、有道德、有文化、有纪律的一代新人。我们的这种把教育内涵无声地融入到教学当中，在“教学相长”中把要求细化到学生的行为中，告诉他们：爱祖国、爱集体不一定都是轰轰烈烈的，像“节约用水”这类孩子们可以身体力行的小事做好了，同样是爱祖国，就是爱集体！也只有把这些小事都做好了，才能真正地体现出自己的爱国情怀。

6. 毕业礼物——告别母校，留下希望

“告别母校，留下希望”是我们万泉小学少先队组织为毕业班设计的一项传统活动主题，其目的就在于让学生们通过此项活动能够“怀揣感恩之心，感谢母校的培养”，在离开母校之前把自己最精彩的一幕留给母校、留给万泉，让比他们小的师弟、师妹们看到大哥哥、大姐姐们最亮丽的瞬间，更深地体会“今天我以学校为荣，明天学校以我为荣”的真谛。

每年的六月，当毕业班的队员们完成毕业考试之后，就会在少先队组织的带领下根据本届毕业生的实际情况和特点来策划设计此项活动、以独特的方式向母校表达爱心。活动由孩子自己策划、自己设计、自己实施，其目的也是让队员充分发挥自己的智慧，为母校设计出最别致的礼物、留下最美好的希望！于是就在一届届毕业生的自我策划下，为母校留下了提醒作息的石英钟、整理服装的衣帽镜、盛开校花的玉兰树……更令我们骄傲的就要数队员们在美术老师的指导下用废弃物制作的环保作品——中国龙、和平鸽。

就以“中国龙”为例吧，它的原材料就是纸张，队员们在美术老师的带领下分别在废弃的纸张上染上红、黄、绿三种颜色，然后以“三角插接”的方式完成自己留给母校的作品。其设计理念是：第一，以学生的兴趣为导航，以美术、手工活动课开发的活动项目为基础，让孩子们在展示自我的前提下完成为母校制作的作品；第二，制作中关注了学生

人格的发展和社会责任感。在简单的“三角插接”这种艺术形式后，再将个体的成果融入整体的作品之中。对于高年级学生来说，这个制作过程既有创新的机会，又具备挑战性；既显示了个体的独立创作，又在合作中完成了颇有气魄的大型作品。第三，制作设计中关注了学生经历挫折与享受成功中的人生体验。让孩子经历设计、学习、制作的整个过程，在亲自操作中去经历挫折与成功，提高学生生命过程中质的感悟与灵动。最终“金龙”、“火龙”、“玉龙”三件一米多长的巨型作品作为六年级的毕业纪念作品展现在他们眼前时，孩子们、教师们、领导们都无不震惊。队员们举着巨龙高兴地和老师领导在相机前合影留念，相信那个兴奋的瞬间已经永远地留在了孩子们的心中。

这项传统活动，在增长了队员们动手能力的同时，在制作的全过程中促使队员们学会感恩、学会合作，巩固了环保意识，进而促进了我校绿色生态课程建设中“以人为本”的理念，关注课程本身的生命价值，着眼于学生健康精神的培育和完全人格的塑造，关注每一个教育对象的个性发展，让每一个受教育者得到全面健康的发展。

7. 科技奥运——以纸换树，捐纸读报

2001 年 7 月 13 日那个所有华人共同度过的不眠之夜——北京“申奥”成功了，每一个华夏子孙都从那时开始设想筹划为 2008 年奥运会贡献自己的力量。而“绿色奥运”、“人文奥运”、“科技奥运”又是北京奥运的三个设计理念，更为我们对小学生进行文明教育提供了历史性的契机。

2002 年 1 月，我们万泉小学的少先队员响应《北京晚报》提出的“用废旧报纸换取绿色树苗，绿化北京，迎接奥运盛会的召开”的活动号召。开始了以纸换树的积极行动。利用“环保”、“体验”、“创新”、“发展”的教育理念，使孩子在新世纪、新北京的建设中争做具有时代特色的新少年；为开展“绿色奥运”、“科技奥运”和“人文奥运”打下良好的基础，使奥运建设系列教育活动更有雄厚的根基，更具有深远的意义。

少先队组织利用少先队的队报、队角、板报、宣传栏、红领巾广播等形式，向全校的同学们宣传“以纸换树，捐纸读报”绿色行动的深远意义，对学生进行“绿色奥运”的宣传工作。2002 年 3 月 4 日与杭州市吉如小学结成“绿色手拉手学校”；在万泉小学门口开辟出一片“红领巾绿地”，在全校同学中开展“万泉吉如手拉手，绿色奥运献京城”主题教育活动。2002 年 3 月 12 日“植树节”参加了由北京市市长协会在昌平小汤山凯恩得农场组织的“把绿色献给荒山，我与小树一起成长”主题教育活动。这样水到渠成地让孩子们从“植绿”、“护绿”开始感受绿色、喜欢绿色，直至参与到“绿色奥运建设行动”中。同时，我们还在大力宣传“以纸换树，捐纸读报”绿色行动的深远意义前提下，给少先队员们一定的时间来收集家中的废旧报纸，并将其带到校园，以中队为单位上交到少先队大队，大队将中队收集的废旧报纸统一汇总，统计结果，我校全体师生共捐废旧报纸 1 780 公斤。

2002 年 3 月 20 日，在我校召开了海淀区“少年奥运建设行动”启动仪式——“以纸换树，捐纸读报”绿色行动主题大队会。海淀区教育工委、少工委、中心学区的各位领导以及《北京晚报》、《中国教育报》、《北京教育报》和北京电视台等多家新闻媒体的记者参加了我们的活动，从而使我校召开大队会的消息不胫而走，收到了良好的社会效果。

（二）美化环境，创设意境，感受和谐

如何使教育可持续发展，让学生在成长中体验快乐呢？我们的做法是：引导学生建立符合本班特点的班级文化，让文化引领班级前行。以班级文化创设文化环境，逐步完善绿色生态系统。

一个班级的文化环境对于学生的熏陶是潜移默化的，它对学生的成长起到举足轻重的作用。班级文化是一门潜在的课程，它具有无形的教育力量，但又是无处不在的，往往会起到“随风潜入夜，润物细无声”的作用，滋润着学生的心田，陶冶着学生的情操，塑造着学生的灵魂。

因此，在我们的实践研究中，进行了班级管理方式的创新，坚持“用文化管理班级，用文化氛围熏染学生，用文化互动影响学生”。我们

积极鼓励各班创设自己的班级文化，以教室为主要空间，以师生为主体，以班级活动为主要内容，以班级精神为主要特征，让孩子自觉地融入班级的文化中，激励学生不断进取，主动、健康地成长，使学生更加积极地投入到学习、生活中去，从而进一步完善我校的绿色教育生态系统。

1. 让班级精神熠熠闪光

一个班良好班级文化的形成不能只由班主任“钦定”，而应是全班学生协商确立并认同的。班级文化的创建过程离不开学生的全员参与。只有这样，班级文化才会深入学生的内心。因此，本着“浓厚班级文化，促进班级管理”的原则，充分调动孩子们的积极性，我们要求每个学生参与未来班级蓝图的设计，如班旗、班训、班歌、板报、队角、学习评比栏、文化墙、图书角等，班级新颖的构思，匠心独运的设计布置，无不洋溢着浓浓的班级文化。

在各班制定了班级文明公约的基础上，结合年级、年龄、班级特点，每班制定出行之有效的班级格言，并由教师、学生、家长共同参与绘制出班徽，表现出班集体的向心力。有的班级把拍摄好的全家福展现出来，体现出班集体的凝聚力；有的班级展示出的是每位孩子的笑脸，体现出班级特色的风格……这一切形成了一道独特的校园文化风景。也使得教师学生共享了教育的幸福感，增强了彼此间的理解和感情。

我校二年级（1）班班级文明公约，很好地发挥了孩子的自主性、创新性。将好习惯用儿歌的形式表现出来，形式活泼、好记易懂，是班级文化的一个亮点：

尊家长，有礼貌；爱同学，不打闹；守纪律，不追跑；上学时，不迟到；上操时，快静齐；上课时，勤思考；写作业，不拖拉；爱集体，争荣誉；讲信用，要诚实；惜粮食，不挑食；勤锻炼，身体好；爱公物，不乱画；讲卫生，勤洗手；有自信，要坚强；有目标，要坚持；讲文明，守公约。

图 12 曙光校区一年级（1）班班徽

而我校各班的班徽、班旗，更是以各自新颖的设计、独特的创意、简洁的线条和深刻的寓意成为了一道亮丽的风景。例如一年级（1）班的班徽呈圆形，其蓝色，代表永恒和希望。笑脸太阳代表孩子们，蕴涵着孩子们就像早晨八九点钟的太阳，天天快乐学习，快乐成长。飞翔的白鸽，象征着和平，预示着伙伴间有深厚的友谊，向着目标携手飞翔。绿色的草地，象征着这里是我们生活的沃土，我们每个人就像这闪烁的群星，都要努力成为一颗闪亮的明星，熠熠发光。“Class”的颜色像彩虹的七色光芒，老师和爸爸妈妈希望我们拥有七彩的童年。这个“1”不仅代表我们是 1 班，更表明我们坚定的决心——事事一定要勇夺第一！

一年级（2）班班旗“碧海托起初升的太阳”。整体以蓝色为主调，与“万泉”字意相符；中部的圆示意初升的太阳。班旗象征了“爱与希望”，即老师的知识教诲和爱像大海一样广阔，孩子们像初升的太阳，充满希望！同时表明了全体学生“团结一心，永争第一；奋发学习，为校争光！”的信心和勇气。

图 13 曙光校区一年级（2）班班旗

2. 让班级文化墙成为“无声的导师”

对教室墙上的布置，著名教育家苏霍姆林斯基指出：“孩子在他周围——在学校走廊的墙壁上、在教室里、在活动室里——经常看到的一切，对于他精神面貌的形成具有重大的意义。这里的任何东西都不应当是随便安排的。孩子周围的环境应当对他有所诱导，有所启示。我们竭力要使孩子所看到的每一幅画面，读到的每一句话，都能启发他去联系自己和同学。”苏霍姆林斯基的这番论述强调了环境对人的成长的重要意义。

我们充分发挥教室的一墙一壁的作用，让每一面墙壁都拥有自己的文化，以此充分发挥学生的想象力和创造力，激发学生用自己的智慧来创设有特色且为自己所喜爱的文化环境。经过几年的努力，墙壁文化已经成为学生兴趣、特长展示的窗口，成为学生相互交流学习的平台，成为提高学生自我管理水平的抓手，成为了构建和谐班集体、凝聚团队的有效载体。

对于班级文化氛围的营造，我校的张燕老师有着自己独到的见解。她认为：在影响孩子发展的众多因素中，除了教育外，环境也起着决定作用。班级是学生每天待的时间最长的地方，班级里的任何布置都将对学生产生潜移默化的影响。因此，我们力争从班级环境入手，努力为学生营造一种浓郁的学习氛围。在她的文章中，重点阐释了黑板报和墙报的作用：墙报是班级环境文化建设的主要内容，是班级的“眼睛”。在教室四周合理地开辟各种专栏，让学生耳濡目染，在不经意间得到一个学习、交流和展示的机会。心灵港湾，展现学习志向；星光灿烂，树立榜样形象；你我约定，彰显班级灵魂。黑板报成了全班同学说心里话的好地方。36名同学全员参与，用自己最真切的语言，最绚丽的画笔，描绘出自己的理想，通过不同的形式来表达自己的心情，每个学生都有展示的机会，也希望他们能够朝着自己的理想、目标去努力。同时在板报上张贴班徽、公约以及班级各项常规，更加彰显了集体的魅力。

当然在其他的班级，班级文化墙的使用也各具特色。比如吴彩虹老师班，就把文化墙作为展示学生才能，分享他们喜怒哀乐的天地。吴老师认为：文化墙可以更快地把学生的习作展示出来，让大家分享。同时还给她们班的文化墙命名为“倾听花开的声音”，一篇篇优秀习作见证了听到了孩子们成长的声音，花开的声音，生命拔节的声音。

吴老师还别出心裁地给文化墙写了寄语，设计了三个版块。“妙笔生花”版块是，在老师、家长的帮助及同学们自己的努力下，孩子们的作文经过反复修改，成为一篇篇优秀作文，展示出来与大家分享。“我手写我心”版块是，一篇篇练笔及时记录下孩子们生活中精彩的瞬间及美好的感受。生活是美好的，写作文是快乐的，作文就是生活，热爱生活的同学一定会写出优秀的作文。生活也是作文，热爱作文的同学也一定能体会到生活的快乐。“星语心愿”版块是，让孩子们敞开心扉，拥抱世界，去发现世界的美好。在此给大家一个交流的平台，向老师、同学、家人倾吐心声，让大家彼此了解，彼此帮助！

在老师和家长的帮助下，孩子们自己动手布置好的文化墙前常常能看到他们流连在此处的身影。他们期待着下一期新内容的出现。班级文化建设的主体是学生，目标是通过班级文化的熏陶和渗透，帮助学生树立良好的道德风尚和正确的行为规范。一面墙壁，天地虽小，但留给我们创造的空间，用心去经营它，就像丁香花：“只要有一点儿绵绵馨香，也要献给这如锦的春天。”让我们用心去设计，让墙壁具有丰富的文化内涵，充满人文关怀，蕴涵丰富的人生精神。通过其中的审美因素，培养学生健康的文化品格，让墙壁发挥潜移默化的育人功能。

我们把生态德育观引入到学校教育中来，营造绿色生态系统，就是要享受教育幸福，为学生幸福人生奠基。营造绿色教育生态是策略，传递教育幸福才是教育的目的，我们要让每一名孩子全面、和谐和可持续发展，为每一名孩子幸福人生奠基。要从正面引导孩子，加强行为习惯的培养，树立正确的人生观和价值观，掌握一定的学习技能。同时，要宽容孩子的过失，保护孩子的天性，鼓励孩子的进步，关注孩子的幸福，让孩子有一种发自内心的愉悦，有一种自我接纳的内心体验，从中产生一种能促使人自我发展、亲身体验学习乐趣的快乐。从而让学生有三种获得：一是各种知识和技能的积累；二是学习方法和思维方法的形成；三是良好的意志品质的获取。学会认识自己，肯定自己，设计自己，发展和创造自己。让学生在这一绿色教育生态系统中和谐共进、共同发展、走向成功。

第六章 绿色生态管理——尊重、赏识、激励

学校的管理靠校长，校长的责任是让每个教师实现价值最大化，不仅有使命感、责任感，还要有成就感、幸福感。因此一所蓬勃发展的学校，一定有着先进的管理理念，务实的办学思想，和谐的人际关系和无私奉献的团队精神。几年来，我校转变管理工作方式，变“检查督促”为“主动服务”，变“单向灌输”为“互动研讨”，变“孤军奋战”为“共同攻关”，变“被动应付”为“自主、创新地发展”，我们将教科研部门变为推心置腹、共同追求的“教师共同体”，逐步形成了“尊重、赏识、激励”的管理文化。

一、绿色教育生态管理的解读

管理是人类社会最为基本的现象。人类社会的快速发展，物质财富和精神财富的日益丰富，技术水平的不断提高，社会结构的不断有序和法制化，没有管理思想和管理实践，是不可能发展到目前的社会发展水平的。离开了管理，人类的任何活动都将是一盘散沙和无序状态。

那么，什么是管理呢？不同的学者有不同的理解。丹尼尔认为：管理是“这样的一种活动，即它发挥某些职能，以便有效地获取、分配和利用人的努力和物质资源，来实现某个目标”[①]；哈罗德认为管理是“为在集体中工作的人员谋划和保持一个能使他们完成预定目标和任务的工作环境”[②]；萧宗六认为管理是“管理人员领导和组织人们去完成一定的任务和实现共同的目标的一种活动”[③]。我们认为管理在一定的思想和理论指导下，围绕着组织发展的目标，整合一切有利于组织发展的资源，优化组织内部各个要素，促进系统达到最优化发展。相应的，学校教育生态管理，就是在教育生态学的理论指导下，通过整合学校内外的一切有利于学校发展资源，优化各种要素，促进学校整体系统和谐、健康发展。

---

① [美] 丹尼尔·A. 雷恩. 管理思想的演变 [M]. 孙耀君译. 北京：中国社会科学院出版社，1986.
② [美] 哈罗德. 管理学 [M]. 黄砥石，等，译. 北京：中国社会科学出版社，1987.
③ 萧宗六. 学校管理学 [M]. 北京：人民教育出版社，1994.

我们认为，按照学校教育创新发展的基本要素，学校教育生态管理要素包括学校办学目标价值体系管理（包括共同愿景、发展特色）、办学资源体系管理（包括资源的整合、开发和发展）、和谐人际关系体系管理（包括师生关系、家校关系、生生关系等）、学校自主管理机制体系和课堂教学与班级管理体系。（如图 14）这其中，人的管理最为重要，校长是管理的关键，教师是管理的核心。人们常说："有什么样的校长，就有什么样的学校。"这一方面说明校长在学校管理中的重要性，另一方面表明校长的个性特征和个性化管理风格代表和造就了学校的特色和风格。

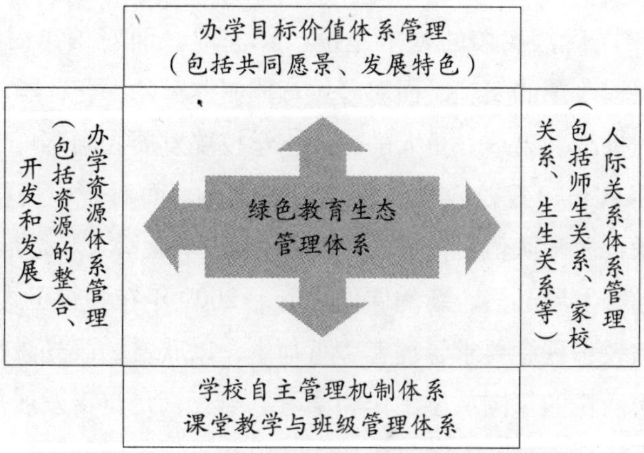

图 14　学校绿色教育生态管理体系图

每一所学校由于其所处的地理位置、办学历史、师资、生源都不一样，必然会出现不同风格的管理。随着城市的改造与拓展，我校也由农村小学逐步被城市化，成为一所具有强劲发展态势的学校。自建校 60 年来，经历了十多位校长，历任校长都在不断地发展壮大学校，为学校的发展作出了不可磨灭的贡献。

在 20 世纪五六十年代，随着小学教育的普及，学校的数量急剧增加，有限的教师资源很难满足不断发展的小学教育的需要。为解决师资队伍，学校招收了一批代课教师，因此，教师素质相对偏低。这个时期，我校的管理秉承"普及、发展、提高"的原则，开齐开足课程，关注的是学生知识的学习和成绩的提高。在60年代后期，我校受到“文化大革命”的冲击，教学秩序受到了严重影响。

在20世纪70年代后期，随着国家政策的“拨乱反正”，学校教育得到了新的重视。在管理方面，学校秉承“恢复、稳定、提高”的思路，恢复学校正常的教学秩序，稳定学校发展态势，逐步提高学校的教学质量。当时的学校与周边学校相比还很弱小，为尽快地促进学校的发展，80年代中期提出了“以轰轰烈烈的活动促进学校发展”的发展策略，坚持“发展、建设、创新”的思路，开展了以保护万泉河为重点的“创造杯”活动，此活动提高了学校的知名度，同时在课程管理上实施了“综合构建课程体系改革试验”。这期间，办学条件得到改善。

2000年以后，我校的基本建设已经完成，面对信息时代的来临，面对着新课程改革的实施，面对着教育体制改革的深化，学校进一步面临着巨大的挑战。第一，是人的挑战。学校要发展必须有一支业务过硬的骨干教师队伍。我校教学力量还相对弱小，面对着中关村地区雄厚的教学力量，教师队伍是关键，“感情留人，事业留人”是唯一的选择。第二，是形势发展必然。新的课程改革于2002年在我校正式启动，“以人为本”的教育理念要求管理者尊重师生，以欣赏的眼光激励师生，让师生在宽松愉悦的氛围从事工作和学习。第三，是自身发展需要。真正的名校并不依托于外在，而是依托于其内在丰富且深刻的思想追求与精神传统。要实现这一目标，光靠几个干部很难实现，需要一大批有专业水准的教师队伍。基于此，我校逐步形成了“尊重、赏识、激励”的管理文化。

尊重是别人发表意见时的倾听，赏识是为别人付出努力而鼓掌；尊重会让人心情愉悦呼吸平顺，赏识可以改变陌生而尖锐的关系；赏识，是一个人心境磊落、视野舒朗的表现，也是一个人的才智敏锐、气质从容的凸显。尊重，是为人之道，不懂尊重，不愿尊重，人与人之间就多了一分挑剔，少了一分欣赏，多了一分苛求，少了一分呵护。被尊重、被欣赏是一种价值的体现，可以增加自信，可以激活内部潜在力量。激励是管理手段，更是一种科学方法。对于不同的员工、不同的团队管理方法也不尽相同。领导只有采取不同的管理方法，才能激励员工尽快发挥自己的才能，让团队产生更大的效益。成功的激励也会使团队洋溢着一种积极向上的精神，吸引所有的成员通力合作、为共同的目标努力。

在工作中“尊重、赏识、激励”得到了具体体现。主要表现在以下几个方面。

(1) 变“检查督促”为“主动服务”。管理者不再以“专家”“领导”“检查者”身份出现，而是与教师处在平等的地位，加强一线调研，制订好工作计划，加强教师间的专业切磋、学术研究、教法改革、资源开发的协调与合作，全力为师师之间、师生之间和学校之间进行信息交流、经验推广和专题研究搭建平台，营造求真务实、严谨的教研氛围。

(2) 变“单向灌输”为“互动研讨”。教研的中心也从注重听课、评课、竞赛等活动方式转变为更关注教师在这种活动过程中的体验和感悟。每一次教研活动都将教师作为研究的主体，干部则主动充当激活教师实践性智慧的“导火索”，让每个教师都将自己对新课程的理解和困惑讲出来，在相互追问中找到解决问题的答案。教师在互动交流的“自助餐”中尽情汲取自身发展所需的营养。

(3) 变“孤军奋战”为“共同攻关”。我们将教科研部门变为推心置腹、共同追求的“教师共同体”。例如，针对长期困扰教师“抄备课”的问题，我们进行了大胆尝试。提倡老师们在集体备课的基础上，分工进行电子备课。允许教师上网查找相关教案、教学资料，并结合学校实际进行更细致更深入的思考，进行体现教师个性化的修改。坚持“课后再反思”，可以说每一次的备课写教案和教学反思，都能让教师在原有的基础上获得新的提高，成为了促进教师专业成长的一大载体。林波老师在反思中感慨道：“个人智慧终有限，群体智慧大无边”。

(4) 变“被动应付”为“自主、创新地发展”。我们把教师推向前台，活动由教师来主持，任务由教师来分配，工作由教师来安排，干部们则退居幕后帮助策划、协调和服务。“红花”的教师得到肯定，“绿叶”的教师也各显才能，教师自主发展，体验成功的背后，感受的是幸福成长。

在学校里，校长的职能就是明目标把方向，中层干部的职能就是出思路促执行，教师的职能就是潜能发展的最大化。各种力量汇聚在一起形成学校不断奋进的合力。

二、在尊重过程中增强凝聚力

“一个好校长，就是一所好学校。”校长是学校的灵魂，校长的办学思路、教育行为、管理行为和风格等对学校工作产生全局性影响。作为校长如何把自身的办学思想、办学理念贯穿到师生中去，她的一言一行直接影响着教师的发展，影响着学校的发展和学生的发展。

在学校里我们倡导教师们做幸福传递者，首先，作为校长就要求自己善待、尊重每一位教师和学生。不管工作多么辛苦，不管人生有多大的磨难，都努力把自己最阳光、最灿烂的笑献给教师和孩子们。

有人说微笑是表情、是心情。我们说，微笑是一种振作，是一种坚强，是一种超脱的魅力；微笑是一种风度，它具有热情和友善，具有接纳和体贴，具有宽容和豁达，具有轻松和乐观。因此，在工作生活中微笑着善待身边的每一个人，成了管理者尊重别人的表现。

景小霞校长自 2001 年担任学校副校长乃至后来担任校长以来，教师们很少见她发过火，她总是用亲切的话语和她那特有的微笑去迎接每一位教师、家长、同行、领导和外宾。她的微笑给人以亲切，给人以鼓励，给人以奋进。学校的保安说：“景校长没有一点官架子，对任何人都以礼相待，我们在这里干得舒心。”学校教师们说：“景校长的微笑深深地感染了我，她把对工作的热诚和热心送给了我们，我们还有什么理由叫苦叫累呢？”中层干部说：“景校长的微笑就是一种力量，一种鞭策，一种让我们干好工作的信心，一种处理好学校任何工作的方法。”领导们说：“景校长的微笑，就是学校的名片，微笑服务是现代学校的基本特征，是对别人最大的尊重。”专家们说：“万泉小学的微笑服务，就是一种学校特有的文化，它体现了幸福的办学理念。”

是的，微笑是尊重、是友善、是鼓励、是真情、是赞赏，是通向成功的阶梯，是一股勇往直前的不竭动力。作为校长要用微笑感染每一位教职员工，鼓励他们，尊重他们，让他们用自己的智慧为大家带来惊喜，要让每一个人脸上洋溢着成功的笑容。

2008 年 10 月的一天，万泉小学“为我们喝彩”青年教师常态课展示活动中，科任团队正式登场。当帷幕刚刚拉开，一部“万泉欢迎你”的 MTV 出现在大家面前：齐春玲主任的纵情高歌，李德凌的欢快舞步，景校长的高雅潇洒，曙光校区的欢歌笑语等画面展现在众人面前，使大家眼前顿时一亮。随着画面的播放，大家均陶醉在这种欢乐的气氛之中……

这是科任团队课堂展示研讨活动开幕的一个 DV 片段。此短片的快乐使半天的校本教研活动，整个沉浸在喜悦气氛之中。大家研得起劲，学得快乐。景校长在最后深情地说：“真没想到，我们的老师会用这种愉快、新颖的方式来做开场，做展示，太感动了，我们的老师真棒！”校长的赞许就是对我们的鼓励，看到校长合不拢嘴的笑脸，我们感到幸福。

DV 的制作者张晓静老师在回忆制作过程时说：

在“为我们喝彩”青年教师常态课展示活动中，作为科任团队的评委，我看到作课的老师尽心尽力，听课的老师直言不讳，大家心中充满着激动与欣喜，我被这种团结、融洽、和谐的大家庭气氛感动着，也促使我想到了一种特别的总结方式。我想让科任总结会当天，科任团队每一位老师都当“主角”，为自己“喝彩”。于是，当我把与众不同的总结方式的构思告诉袁老师的时候，马上得到强有力的支持，说干就干，我用了三天时间，和胡彬老师用小 DV 完成了“万泉欢迎你”的 MTV 拍摄工作。

为制造神秘，给大家惊喜，我们没有把拍摄意图告诉给大家。许多老师在接受拍摄时都不太知道我们在干什么，演唱时表情也很紧张，拍摄当晚我用摄像机看回放，看着自己拍得素材我真的有点灰心了，我拍的这种“业余”水平能作成一首歌画面吗？可是离总结的日期没几天了。第二天中午在一层大礼堂门口看见景校长，我赶紧上前去邀请校长唱其中的一句，景校长痛快地就答应了，但是告诉我们只有20分钟的时间，下午还要开会去，紧接着微笑说："现在我听你们的，我需要怎么配合？"看着校长鼓励的眼神，听着校长平和的语气，我突然理解了著名教育家陶行知说过的话："校长是一个学校的灵魂。"景校长一向比较平和、很少张扬，给人一种亲切感。这也使我拍摄时放松了许多，终于拍摄素材在我爱人加了两个夜班的精心编辑下，新鲜"出炉"了。总结会当天，礼堂大屏幕画面中播放出每一位熟悉的同事那自信、漂亮的身影时，都数次响起热烈的掌声。

会后，景校长又找到我，微笑着说："晓静，感谢你，我今天看到了不同的你，那么自信，我真为万泉有这么多优秀的老师而自豪、高兴！你太棒了！"以前也听到过领导称赞，但此时此刻我感到面前的却是一位可亲的大姐姐，真正感受到了什么是快乐！什么是幸福！我想：每天工作的地方像家一样温暖，同事就像家人一样和睦，那工作再累也是快乐幸福的！我为自己是万泉小学这个和睦的大家庭中的一员而自豪！

万泉小学就是一个大家庭，在这个大家庭里洋溢着的是和谐、是温馨、是和睦。人生如画，有了微笑的画卷便添了亮丽的色彩。清朗明丽的微笑充溢着一股春的气息，赏心悦目，使人很自然地产生一种好感。微笑代表智慧，微笑本身就含有尊重，给人希望，给人力量。让我们因每一个微笑而感动吧！因为在我们这个大家庭里，人人平等，互相尊重，因每一个精彩瞬间而感动，因每一次成功而惊喜。

尊重除了有赞赏之意，还有包容的情感。人无完人，金无足赤，每个人所说的话、所做的事不能保证是完全正确的。我们对学生讲求包容，同样也应该对教师包容，不因为一次错误，就严肃处理，需要教师们反思，需要改进，让尊重真正成为一种力量。

2007年2月25日发生过这样一件事情：

“校长生气了！”学校的中层干部一走进会议室，这个气氛笼罩在大家的心头。与会的干部们都低着头，大气不敢出，直愣愣听着景校长的训斥。来万泉小学已近七年了，干部和老师们总是用“宽厚、大度”这样的字眼来描述景校长，景校长也以厚德治校而自居。今天是第一次看到景校长生这么大的“气”！到底发生了什么事情呢?

这天，习习的暖风送走了严冬的寒意，穿戴整齐的师生们迎来了新学期的第一天。早晨8点整，同学们面带微笑、排着整齐的队伍，来到了操场。景校长和中层干部们坐在主席台上，放眼望去，同学们经过一个假期的休整，个个精神饱满，斗志昂扬，会场洋溢着庄严而祥和的气氛。

当主持人宣布“升国旗，奏国歌”的时候，意外的事情发生了，国歌曲子竟然从中间开始放起，场内气氛顿时有些骚动。负责组织的齐主任和辅导员包老师赶紧进行组织调整，总算让同学们的情绪保持稳定，没有出现大乱。但同学们似乎受到了影响，坐得没有原来整齐了，个别学生有悄悄说话的现象，从景校长脸上看去，她似乎心里有些不快。当学生代表发言的时候，广播又出现问题了，声音时而清晰时而模糊，断断续续，到最后干脆戛然而止。这时，会场再次出现骚动，交头接耳的现象多了起来。看到这情景，坐在主席台上的景校长，再也坐不住了，不禁回头看看广播控制室，只见包主任和负责广播的老师正在忙活，似乎是广播线路的问题。

开学典礼是新学期的起点，对于整个一个学期的工作至关重要。新的要求、新的鼓励、新的希望都应该在开学典礼上讲一讲，为同学们新的一年开个好头。而我们的广播却在关键时刻出现故障，特别是庄严的国歌竟从中间放起，此时此刻，看到景校长的脸色更难看了！

当天下午行政会召开了，出现了开头的那一幕。

会上，景校长首先发言：“在暑期的全校干部老师的培训中，我们做了“明确发展方向，营造赏识文化，解决真实问题”的校本培训，但是，事隔半年后开学的第一天就打了一个哑炮，作为校长我深感失职，心里感到非常痛心。这看似工作中的小失误或细节的问题，隐藏的却是个别中层领导的内心浮躁，对早已轻车熟路的工作的懈怠以及隔岸观火、隔山观海的隐忧。”紧接着，校长非常严肃地让大家谈谈对这件事的看法。

事隔几日，事件渐渐平息，景校长又组织干部对照学校发展、干部职责和管理干部需要进行研讨，寻找差距，在不断学习与反思中改进自己的工作作风。开学典礼发生的这件事，虽是工作中的失误，损害了学校的形象，虽然校长没有严厉批评，但干部们心里却不是滋味。事后纷纷进行了自我反思。齐春玲主任说道：

通过开学典礼这件事，我感受到了：为什么我们不少干部会出现自认为活没少干，苦没少吃，但老百姓不买账，不信服，每次群众评议分数低，自我成就感低，他人认同感差，找不到自我定位与方向，我们应该反问自己：你的工作做实了吗？你了解老师的需求吗？解决的是老师和学生以及学校的真实的问题吗？开学典礼这件小事，透露出我们干部许许多多的问题。

中高层管理人员无疑是学校“组织”中的枢纽，是大脑，是中坚力量。这支队伍无论在哪个方面都应该走在全体教职员工的前面，起到率先垂范的作用。如果我们计划订出来了，但落实方式抓不好，流于形式，自欺欺人，怎能带动老师去完成任务？行动力将无法体现。校长对我们尊重，但尊重不代表纵容！

时任教导主任的张立也表明了态度：

“开学典礼”虽由德育口主抓，但我们更应该清醒地认识到，这件事是不是“事不关己”了？我们的工作中是否存在类似的问题？领导班子是荣辱与共的一个集体。虽然大家分工不同，但是目标一致。在实际工作中，我们常常是道理都明白，到工作中就走样，仍旧本位主义严重，总认为自己的工作是重要的，总让人家给自己让路，总想多抢占时间。即使自己作出协调让步的姿态，但是内心总有几分不甘。没有站在别人的角度换位思考。学校各方面都发展，学校才发展！这是我们要坚定的一个信念。我们能在一起工作，应当相互关心、相互帮助。在事业上同心，同德，同力；在工作中互帮，互谅，互爱，互助。做到思想同心、目标同向、行动同步、困难同担。校长倡导互相尊重，但尊重是为了更好地团结。团结就是力量，团结就是效益，团结就是形象。这样，才能形成和气、富有朝气、汇成锐气的团结战斗的整体。

干部们深刻的反思，让我们看到了我们集体的潜在力量。这一事件也告诫我们：每一名中层领导干部都要心理相容，相互了解、坦诚相见、不存戒心、彼此尊重；行动组合，相互补充、配合默契、步调和谐；力量相聚，相互认同、同心协力、互不排斥；目标认同，每个成员认同集体目标、自觉地保持一致。我们相信，没有完不成的工作，没有战胜不了的困难。

自此以后，干部们的工作更加认真仔细了，每次活动都精心安排，认真策划，不肯放过每一个细节。

尊重是一种高贵的品质、崇高的境界，是精神的成熟、心灵的丰盈。但尊重并不等于懦弱，尊重不等于屈服。相互尊重，干好本职，才是个体向前发展的力量。

三、在赏识情感下创新发展

20 世纪美国最伟大的成功学大师卡耐基说过，人类最本质的心理需求是渴望获得他人的尊重与认可。对于成人如此，对于孩子来说，他们又何尝不渴望得到父母及教师的爱和尊重？如果我们能让孩子感到轻松，感到被人接纳和尊重，那么孩子就更有可能因为喜欢学习而学习，乐于创造和冒险，乐于接受新观念。如果我们的老师获得赏识，其工作干劲将越来越高涨，其创新能力将进一步增强。

记得 2009 年 8 月我校在军都山旅游度假村举办的“营造绿色教育

生态，传递教育幸福”校本培训。为了搞好这次活动，假期里我们召开了全体干部的工作例会，具体商定培训的思路和细节，并对各项工作进行了具体的分工。特别是培训中有一个环节“镜中之我”——让干部们要为每一位教师写评语。这是一个非常繁重的工作，全校170来人，都需要准确地找出每一个人的优点和具体表现以及几年来为学校作出的突出贡献，这需要对每一个老师有深入细致的了解才能写得出。干部们按照工作管理职责进行了细致分工，并花大量的时间撰写。特别值得一提的是，在发给教师的头天晚上，干部们又集体会诊，针对每一位教师的情况再一次进行了流水线作业，重新进行审阅。景小霞、张立、管立、王坤和赵慧娟负责再一次审阅与修改，齐春玲、金毅、李春洁等负责书写，大家一直忙到晚上一点多钟。

活动当天，“镜中之我”的环节给教师们带来了惊喜，当有的教师读到干部们为他们写的评语时，禁不住流出眼泪，他们说：“我工作这么多年了，受到领导这样恰如其分的评价，我感到非常高兴，我们的努力没有白费，我们的付出得到领导的肯定，谢谢校长！谢谢万泉！”教师们感到：我的工作得到学校领导的肯定，我是努力的，我是勤奋的，我在成长，我在进步；在万泉小学工作我是幸福的，我是快乐的，虽然我的付出很辛苦、很累，但值得！

本次活动的举办成功，得益于学校管理团队的精心组织，周密筹划，细心安排，得益于全体教师的共同努力。坦诚地说，更得益于每一名干部高标准严要求的结果。

在我校赏识作为管理的一项基本原则融入到工作的每一个环节中。2005年1月20日，这是个难忘的日子。这一天是学校的工作总结大会，景校长没有作长篇大论的工作报告，而是采用演示文稿的形式勾勒出每一位教师为学校发展奋斗的足迹。她用一曲《好日子》作为开场白，又以一曲《感恩的心》串联出一个个动人的工作画面，感谢教师的努力和付出，用一首《真心英雄》作为结尾，让教师体验收获的快乐，最后用《我的未来不是梦》激发教师“一起走向成功的明天”。

让我们一起重温那幸福的每一刻……

情景1——美好的日子，喜悦的心情

“开心的锣鼓敲出新年的喜庆，好看的舞蹈送来今天的欢腾，奋斗的油彩涂红了我们的日子，汗水的花朵是我们欢乐的笑容……”一首充满欢快、喜悦、幸福情调的《好日子》回荡在整个会场。

歌声余音还未消尽，校长充满激情地说道：“年年岁岁有今朝，岁岁年年全不同。是呀！今天的确是个好日子！万泉小学的发展史就是一首让我们心潮涌动的歌。参加了几天的各种总结会，在老师的影响与感召下，老师们的成长与收获让我们心绪久久难平，组长们的创新、全面的总结；教学干部专业化、高水平的分析，让当校长的我无须再作什么更多的说明。我把题目定为“心曲”，用《好日子》这首歌来表达我的心情。”

设计意图：一曲好日子烘托喜庆气氛，同时也是对老师们的辛勤劳动表示感谢。让老师们分享喜悦，分享劳动的幸福。

情景2——激情诵读，感恩老师

随着《感恩的心》的歌曲，一张“感恩的心”的图片进入老师们的视线。

校长饱含着对老师们的感恩之情朗诵道：“感谢老师默默无闻地倾心付出，感谢老师们在平凡琐屑中的创造与超越，感谢出色，感谢平淡，感谢差异，感谢彼此的尊重与信任、理解与宽容、支持与忍耐，甚至挑剔与责备乃至不满。我今天怀揣一颗感恩的心只想真诚地说一声：谢谢！道一声珍重！”

（起立鞠躬，教师自动响起掌声，有些教师泪眼婆娑。）

设计意图：一曲《感恩的心》，是对老师们一年来的工作无声的尊重和谢意。配有一首小诗，让老师们对往日的工作浮想联翩，激起大家的共鸣。

情景3——尊尊奖杯，真心英雄

播放配有《真心英雄》音乐的老师们工作中的剪影。校长解说道：

“面对一尊尊奖杯、一块块奖牌、一摞摞大红证书，耳畔回荡的是那首《真心英雄》，眼前浮现的是一个个可亲可爱的身影。

设计意图：通过图片，更进一步引起老师对往日工作回忆，配有《真心英雄》歌曲，让老师们感到：我们才是学校的主人！要做享受型和发展型教师！

情景 4——展翅雄鹰，我的未来不是梦

播放张雨生的《我的未来不是梦》和一幅图片。

有人说：心在哪里梦就在哪里，理想有多远，希望就有多大。我们每个人都怀揣着希望走入万泉，我们多么想放飞心中那只梦想的鸽子啊！

（出示雪地脚印图）世上本无路，走的人多了也便成了路，那一串串深浅不一的坚实的足迹奏出了我们的心曲……

（出示一只翱翔在天空的雄鹰）万泉是天空任雄鹰翱翔，万泉是沃土任骏马欢腾；盼百花吐芳，盼姹紫嫣红。有人说“知识的深度决定发展的高度”，假期正是我们“充电”、补养的大好时机，热爱书吧！它使我们超凡脱俗。

还有人说“心会随爱一起走”，我们每一个人的心都会随着万泉小学这个大家庭一起走向成功的明天。

设计意图：引导教师们要做有思想的教师，要在万泉小学这片湛蓝的天空中展翅翱翔，跃马驰骋。

情景 5：出示对联，提前给大家拜年

该过年了送给大家一副对联（出示事先做好的对联图）。

上联：福气降临全家福

下联：春光辉映满堂春

横批：阖家欢乐

设计意图：突出节日喜庆气氛，向大家道谢，给大家拜年，并祝家庭幸福，阖家欢乐。

好教师不是管出来的，而是赏识出来的，被人赏识总是一件令人愉快的事情。赏识不是多发奖金，真正的赏识是教师需要真正感受到学校对他们出色成绩的承认和对他们个人价值的由衷赞赏。教师们渴望得到赏识，特别是渴望校长的赏识。因此，校长要以赏识的眼光来看自己的部属，做到“容人之过，用人之长，记人之功，委之以任，待之以礼，施之以惠”。这样不仅能够激发部属的积极性，使学校的每一个成员都能够学会赏识，将赏识融入学校发展各个方面，从而形成赏识文化。

四、在激励政策下彰显竞争活力

每个人都希望出人头地，其潜在心理都希望站在比别人更优越的地位上，从心理学上来说，这种潜在心理就是自我优越的欲望。有了这种欲望之后，人类才会积极成长，努力向前。这就是有效激励。有效的激励会点燃员工的激情，促使他们的工作动机更加强烈，让他们产生超越自我和他人的欲望，并将潜在的巨大的内驱力释放出来，为学校的远景目标奉献自己的热情。激励离不开竞争，“竞争”是生态管理系统的重要特征之一。而我们提到的“竞争”不是商业中提到的你死我活的竞争，而是促进系统中各元素间形成良性的循环。在竞争中求发展，在竞争中求生存，没有竞争就没有发展。

1. 鲶鱼效应，焕发竞争活力

“鲶鱼效应”在企业管理应用很广泛。挪威人喜欢吃沙丁鱼，尤其是活鱼。市场上活沙丁鱼的价格要比死鱼高许多，所以渔民总是千方百计地想法让沙丁鱼活着回到渔港。可是虽然经过种种努力，绝大部分沙丁鱼还是在中途因窒息而死亡。但有一条渔船总能让大部分沙丁鱼活着回到渔港。原来聪明的船长在装满沙丁鱼的鱼槽里放进了一条以鱼为主要食物的鲶鱼。鲶鱼进入鱼槽后，由于环境陌生，便四处游动。沙丁鱼见了鲶鱼十分紧张，左冲右突，四处躲避，加速游动。这样一来，一条条沙丁鱼欢蹦乱跳地回到了渔港。这就是著名的“鲶鱼效应”。很多企业利用这一原理每年都辞退部分人，然后再进新人。这实际上是给员工有一个竞争的压力，然后希望企业把这些压力变成员工的动力，如果你在企业不好好地干，就会落伍，就会被淘汰，这样才能使员工去思考，怎样才能把工作做好。“鲶鱼效应”告诉我们：整个组织的氛围、组织架构和企业文化一定要营造这样的环境，保护适度的鲶鱼，然后把这些“沙丁鱼”的积极性和主动性激发起来。

近年来随着学校人事制度的改革，学校可以自主招聘教师制度的建立，“鲶鱼效应”随之也被运用到学校的管理中来。

2001 年，刚刚由企业回归到教委的万泉小学，由于原来的人事管理体制束缚着学校的发展，教师积极性不高，教学水平相对薄弱，为使学校焕发新的生机，我们引进了一名市级骨干——张立任教学主任，在干部中间放入一条“鲶鱼”，点起了教学工作的“三把火”。

第一把“火”——上公开课。2002 年的一天，张立主任真诚地邀全体语文老师听她上“我爱三峡”这一课。听到这个消息，老师们震惊了，大家猜不透这位新上任的语文主任葫芦里卖的什么药，但老师们却都感受到了这位外表瘦弱的语文主任身上蕴涵的魄力和自信，因为所有人都知道，作这样的决定要承担多大的风险，刚来学校，就以这样的方式亮相，万一上砸了，那该怎么在万泉小学立足？而短短两天后，张立主任就雷厉风行地在礼堂里借用刘淑明老师的班上了“我爱三峡”这一课。这节课，不光所有语文老师，其他学科的老师也来听课了，平时冷清的礼堂异常热闹。可不是吗？只听说过主任听老师的推门课，谁见过所有老师观摩校领导的“推门课”呢？这种闻所未闻的方式激起了所有老师的好奇心，大家都很兴奋。可以看出来，来听课的人心态是不同的，有的是抱着学习的心态，有的是真的好奇，有的是看热闹来的，甚至有的是想来看张主任会不会出丑的。但是一上课，我们这些语文老师们就都听出了这节课的与众不同了。学生们在她的精心设计和层层深入的引导中时而深思；时而比着朗读；时而自信地阐述自己的观点，时而在“我当小导游”这个环节中运用读中所得进行现场导游。所有的语文老师也都陶醉在其中了。而事后当老师们得知这样一节精彩的家常课竟然是张主任在没有见学生的情况下上的，更是一石激起千层浪，大家心里除了佩服还是佩服。是啊！当假课、虚课、作秀课大量充斥着各大评优赛等场合见怪不怪之时，张立主任却以身作则地举起了唯“真”这面大旗，印证着她上任时说的话：“走我们万泉小学的发展之路，脚踏实地、实实在在地真研究、真付出、真提高。”这对所有的老师产生一种震撼！老师们惊喜地发现原来语文课可以上得这样有深度，由于有了这个深度，让老师们体会到了语文教学的艺术性和感染性。从此语文团队所崇尚的真实、扎实、踏实、不断进取、勇攀高峰的研究风格悄悄埋在了每一位语文老师的心中。

第二把“火”——请老师们会诊。在老师们还沉浸在对“我爱三峡”这节课的欣赏、玩味的时候。张立主任再一次掀起了所有语文老师头脑中的风暴。她在课后很快就召集所有语文老师一起座谈，针对她所上的“我爱三峡”进行评议。按她的话说，就是动手术、做解剖。说实话，当时所有语文老师围坐在一起真的是面面相觑，一是觉得这课对于大家来说已经很完美了，不知从何说起；二是自己的水平确实有限，根本看不出问题；三是当着这么多人的面给自己的领导提意见，有很大的心理负担；四是由于不自信，有一些想法也怕说出来被别人笑话，羞于启齿。所以大家只是一味地表达自己发现的这节课的优点。张立主任看到一直打不开局面，就诚恳对大家说：“感谢大家对于这节课的认同，但是评课的最终目的是要在原有水平上进行提升，要达到这样的目的，肯定优点固然重要，但是更重要的是发现问题、谈出每个人的想法，我相信我们这么多人的思维的碰撞一定能把这节课修改得更完善。我先来抛砖引玉，把我自己对课不满意之处说一说。”接着，她把自己上课的录像一帧一帧定格回放，就课堂中问题之所在进行阐述，大到此处没有照顾学生的主体作用，小到自己站位不对，她都一一讲解，不光讲哪儿有问题，更着重讲清楚为什么说这是个问题以及相关理论依据，还不忘谈出自己的想法和改正建议，告诉大家如何思考、如何修改。在这样和谐的氛围中，张立主任还不时抛出自己的困惑，抱着请教和与大家研讨的心态，期待地看着老师们。大家开始畅所欲言了。就是这种源于严谨认真的态度和孜孜不倦的探索精神伴随着张主任那专注的神情深深刻在了每位语文老师的脑海里。

第三把火——重新再上课。你以为这节课到此为止了吗？不！在经过了张主任所组织的这次实实在在的，以她自我剖析、反思、批判为基础的评课后，张主任仅用了短短一天的时间进行吸收整理，然后又站在了讲台上。经过大家参与修改的“我爱三峡”这一课讲得更为成功了，语文老师们通过张主任的评课指导，已经知道了该从哪些方面进行点评，还真听出了一些门道，这足以让每个人心里都有了自我认可后的小小的成就感。更为高兴的是老师们那还不太成熟的建议竟然也被张立主任接纳，并在课上体现了出来。这对于老师们来说，真是感觉到“受宠若惊”。在课后，大家纷纷对比这两节课谈出了自己的感受，说得最多的就是进步和提高。现在回忆一下，先听课，听完课后实实在在地评议，然后再把大家的成果回到课中去印证和检验。这不正是实践—反思提升—再实践的过程吗？

张立主任的“三把火”起到了真正的鲶鱼效应。企业管理回归教委管理的万泉小学，其内部成员由于互相熟悉，就会缺乏活力与新鲜感，从而产生惰性。一些人对工作厌倦，甚至倚老卖老，因此有必要找一条外来的“鲶鱼”加入团队，制造一些紧张气氛。“鲶鱼”的进入，将使他们面对更大的压力。为了继续留在团队里面，他们也不得不比其他人更用功、更努力，这样的竞争对于学校的发展是有利的。一时间，学校内部发生了很大变化，干部们亲自上课了，他们争相作研究课，让大家评判问题，指出不足；争相上公开课，把自己的研究成果在全体教师面前进行展示；争相参加评优课，让评优课来说明自己的教学能力。

2. “木桶定律”启示，成就非凡团队

木桶定律其核心内容为：一只水桶盛水的多少，并不取决于桶壁上最高的那块木板，而恰恰取决于桶壁上最短的那块。但这是学术上

讲的理论不一定符合事实。事实上，任何企业（包括事业单位）的发展并不是均衡的，在其发展过程中肯定会出现“长板”与“短板”的问题，但盛水的多少也并不完全由短板所决定，它还与桶底面的面积、水桶的形状、各块板之间的配合程度、各块木板的厚度、放置状态等有着密切关系。

在一个单位里，我们认为长板和短板同样面临着危机。短板的危机是，别人都说它无能，会被辞退；长木板的危机是，遭人嫉妒，常被人嫉妒，暗地里给它下绊子。而真正的发展在于：每个员工都是一块木板，而且每块木板都会有自己的长处和短处，也就是说每个员工要能包容别人的缺点，发挥自己的优点，相互协助，密切配合，只有这样才会缩小相互连接的缝隙，达到最佳储水量。这就是我们提出的——在和谐中竞争！

(1) 让“长板”引领学校的发展

传统的木桶定律是把木桶放在平面上来衡量的。但是，生活中的水桶并不是都放在同一平面上，它常会被倾倒。如果把木桶放置在一个斜面上的时候，木桶装水的多少就取决于最长的一块板子的长度。当然这要求长与长要正相对，并且长木块的周围要有相应长度的木块作为它的辅助。也就是说当我们比别人在某一块短一大截时，不但要选择合适的斜度。更重要的是把其他木块合理排列起来，使它们发挥应有的作用。这样才可以最大限度的利用现有的木块。

2002 年进入新课改以后，为更快地掌握新课改理念，促进教师教育行为的转变，更好地促进学校发展，我们组建了各学科教研团队。其中语文团队表现尤为突出。8 年来在张立副校长的带领下，以“教师铸就团队，团队成就教师”、“每一个人都是优秀的”为口号，取得了飞速的发展。在她的带领下有 2 名教师荣获北京市课堂教学评优一等奖，许多老师做了北京市研究课，相当一部分教师被评为海淀区学科带头人和语文骨干教师。在她的带领下，2005 年至 2007 年间分别举办了海淀区、北京市、全国校本教研现场会，他们的研究成果《飞翔吧，大雁团队》荣获 2009 年北京市基础教育科学成果二等奖。

语文团队的成绩促进了学校的发展，提升了学校的知名度，使学校获得北京市课改先进校、海淀区素质教育优质校，跻身于名校的行列中。

（2）给“短板”搭建成功的舞台

学校的发展离不开全校每一名教师的努力。既离不开“长板”的引领，更离不开“短板”的衬托。每一个人的综合素质不同，每个人遇到的机遇也不同，成功是个人的努力与机遇的多方面组合，千人同过独木桥肯定有前有后。和谐中的竞争，要让每个人分享到成功的喜悦，要让每一个人感到“我们是集体中的一员”“我也为集体作出了贡献”。这就要求我们用好“短板”，变“短板”为“长板”。

王艳琴老师个性内敛，不爱张扬，但对工作热情、踏实，有过昔日的辉煌，所教的班级教学质量较高，赢得家长的信任、赢得领导的尊重，然而随着年龄的增长，大批年轻教师的涌入，她变得越来越不自信了。实际上，这样的老师在学校不占少数，学校的发展既需要猛打猛冲的虎将，更需要保驾护航、默默奉献的老兵。

如何打造精兵强将，让“短板”变“长板”，让更多的老师在锻炼中成长和提高。我们就想尽办法为每一位老师提供锻炼机会，为每一位老师创造展示平台，为老师带来成功的尊严。2008 年 4 月 11 日学校举办“让研究点亮教师研究生涯”第一次活动，应邀参加活动的有海淀区西颐小学、西二旗小学、海淀外国语学校、延庆县沙梁子小学，我们把主持人的重任交给了王艳琴老师。会议主持得很成功，赢得了老师和同行们的一致称赞。会后，王老师在反思交流时说：

这两年有句名言，“逢敌必亮剑”。我很佩服李云龙的“亮剑”精神。4 月 11 日，我也亮了一下剑。不过，我面对的不是敌人，而是亲密的战友、可爱的同事们，战胜的也不是敌人，而是我自己。

4 月 7 日上午，张主任找到我，很郑重地说：“艳琴，周五的活动想让你担当主持人，你同意吗？”我非常意外，我从来没有过这方面的经验，又有外区县的来宾，我怕自己担当不起。张主任好像看出了我的心思，还没容我说出自己的顾虑，她面带微笑地说："我相信你，校长也相信你。"面对领导的信任，我欣然接受了任务。张主任把大概意思说了说，回家后，我写出了发言稿。

第二天，张主任看了看发言稿，先是肯定，然后精心地一句一句进行修改。平时，我是个内向的人，跟张主任接触不太多，对她并不太了解，看着她认真地帮我修改，我的心中不由得敬佩起她来。很快，发言稿修改完了，她轻轻地舒了口气。我刚想回办公室，她拉着我去了校长办公室："景校长，您看她穿什么衣服合适？"来到校长办公室，景校长用轻松的语气说："小王，别紧张，咱们是脚踏实地地研究，穿得朴素大方就行。"景校长的亲切语气，放松了我紧张的心态，于是大家一起就穿着打扮研讨起来。

回办公室后，我尽心地准备着，虽然台上短短的几分钟，却凝聚着很多人的心血。组长李莉红，为了配合放投影片，一遍一遍地练习着，直到晚上十点多；小赵萍把我做的投影片改了又改，从无怨言；朱老师看着发言稿，指点着："这句后边再加半句，那句……"于是就有了发言中的："研究是一种幸福……"让人感动的话语；星期五，临上"战场"前，可敬的高老师还对我审视半天，满意地说："嗯，不错。小王，我把经验告诉你，就不紧张了。坐在那儿，就想头三句，只要一张嘴，就没事了。"组里其他的同事，也关心着我，支持着我。我感到很温暖，也暗暗下决心，一定完成任务。

星期五终于来了，在教室里，我和李莉红配合着练习了两遍，充满信心地去往多媒体教室。路上碰到了校长，景校长亲切地说："小王，这身衣服庄重大方，别紧张，祝你成功！"短短的几句话语却透出领导的关心和期待，我怎能不认真？当我到了多媒体教室，里面已经有很多人在忙，指挥员当然是我们的张主任。百忙之中，张主任还是盯着我练了一遍，她说："没问题！语速再慢点，一定要笑，我们就爱看你笑。"幽默的话语使我放松了紧绷的神经。

终于开始了，我知道，由于紧张，我发挥得并不完美，只能说还算顺利。下午，语文教研团队的成员们坐在一起，畅所欲言，大家没有保留地交换着意见，气氛热烈而又轻松，都说出了自己的心里话。我喜欢这种气氛，作为语文教研团队中一名普普通通的老师，作为第一次在重要场合做主持人的我，可以说是百感交集。为自己，也为和谐、温暖、幸福、包容的语文教研团队流下了热泪。

我知道，一个人的力量是有限的，团队的力量才是无穷的。我们万泉小学语文团队的每一个队员，都会在团队的关爱下尽情地绽放。我相信：更多的教研日在等着我们，我们语文教研团队的宝剑早已出鞘，我们随时亮剑！

王艳琴老师的成功，弥补了自己的“短板”。实际上，在生活中每个人都有自己闪光的一面，既有“短板”又有“长板”，长板需要“更长”，短板需要“补长”！在和谐竞争的氛围中，我们需要为每一位教师创造机会，搭建舞台，帮助每一位教师在竞争中发展自己。

(3) 调整好“长板”与“短板”间的铁箍。

学校是一个整体发展系统，就好像“水桶”中，各个板间密切配合一样，一旦有一处漏水，总体称水量就会下降。在工作中常常会出现这样的现象，“长板”自视清高，成绩突出，蔑视“短板”。而“短板”因自尊心受到伤害，而对“长板”说三道四，工作拆台。这种不正当的竞争方式损害了学校的利益，同时也对双方都造成伤害。管理就好像水桶的铁箍一样，要经常调整好铁箍的位置，防止其漏水。

不知什么时候起，学校行政会召开前多了一件事，那就是学习一些哲理小故事，如《烧好自己的火》、《驴的哲学》、《心中的顽石》等。我们把这一活动叫做“会前小甜点”。通过学习，干部们深有感触。后勤主任边勇老师在学习《烧好自己的火》一文中这样写道：

今天行政会上景校长给我们每个人发了一篇小文《烧好自己的火》。读后略有所感。故事是这样的：在一个寺院里，有个僧人是专门负责烧火的，另一个僧人是专门负责担水的。烧火僧由于比担水僧弱很多，所以常受到其他僧人的嘲笑。而担水僧因为长得很强壮又能担水而受到大家的景仰。但是那个烧火僧仍旧每天按时烧火，一点也没被大家的话所左右。担水僧心里觉得很纳闷，于是两人就有了如下的对话。

担水僧问："你怎能任由他们嘲笑，而还能一直安心地烧火呢？"

烧火僧说："我自己也知道我的力气小，身体瘦弱，只能烧火了，还是努力做好自己的事情好点。"

担水僧："你怎么能自己就放弃自己呢？你应该证明给他们看，你不比他们差。从今天起，你和我一起担水吧！"

烧火僧拒绝说："我没有放弃自己。在我看来，担水和烧火是一个等级的。担水需要好的体力，而烧火需要敏锐的观察力。没有什么大的差别。只是大家没有注意到罢了。我不能因为大家没有注意到我的重要性就放弃烧火，那只会让别人认为我不经打击。而且我认为，你我离佛祖都一样的远近，没有什么好比较的。"

这个故事生动地讲述了烧火僧与担水僧对人生的看法，故事同时也蕴涵了许多道理。我很欣赏烧火僧说的话"我不能因为大家没有注意到我的重要性就放弃烧火"，仅此一句话不仅看出烧火僧一颗平和的心，同时也看出他对工作恪尽职守的品格。工作虽分工不同，但不分轻重，只有大家相互配合才能延续着寺院的香火。

我也是一名"烧火僧"，目前一直在学校后勤工作：安全保卫、科技教育、固定资产、科学教学、环境卫生、绿化、保安和临时工管理、水暖电维修、日常杂务等等。我的工作没有雷鸣般的掌声、没有炫人眼目的奖状，每天早来晚走，节假日经常不休息，受苦受累，但别人看不到。学习了这则小故事，我更明白了当好"烧火僧"其实也不容易：不仅心态好，踏实勤奋、认真负责，不怕脏和累，而且还需要做到不计得失，最重要的是要做到一贯坚持。踏实朴素的工作作风加上坚韧不拔的毅力，这样才能烧好自己的火。

每朵花都有绽放的力量，红花更需绿叶陪衬。如果没有了绿叶，鲜花也就没有生命力了。《烧好自己的火》这则哲理小故事告诉我们，虽然分工不同，但我们的目标是相同的；虽然我们岗位不同，但只要不懈地努力，都会取得成功；“挑水僧”不因自己灿烂而得意洋洋，“烧火僧”也不要因为自己默默无闻而自暴自弃。

3. 建设学习型组织，提高学校核心竞争力

学校核心竞争力是一种扎根于学校组织内部、能带来较高的办学效能和能够不断使自己在学校竞争中处于优势地位的能力。近年来，我们通过建设学习型组织来提高学校的核心竞争力。我们主要做法是：

（1）明确学校发展方向，形成共同愿景

我们通过参与“我国学校教育创新”的课题研究，更加明确了我们的办学理念、管理理念、办学思路、育人目标、办学目标等，学校美好的发展愿景得到全体教师的认同，呈现了积极参与、乐于奉献的发展态势。

自2006年暑假以来，针对学校的发展愿景，我们对全体干部、教师进行了六次校本培训。分别是“发展才是硬道理”、“明确发展方向，营造赏识文化，解决真实问题”、“在务实求真中，实现学校的持续发展”、“超越平庸，做行动上的巨人”、“回归教育原点”、“营造绿色教育生态，传递教育幸福”。通过这六次培训，我们努力用学校的办学目标统一教师思想，用学校发展的美好蓝图，激励教师对学校对事业热爱的积极情感，用学校日新月异的变化，引导教师之间的竞争与合作，用学校获得的优异成绩，增强教师的成就感和自豪感，增强学校的凝聚力。通过培训，全校干部教师的认识逐渐深刻，思路越发清晰，做法也深受社会的赞同，家长的肯定。

（2）加强组织建设，增强组织向心力

在学习型组织建设过程中，我们做到“四个关注，四个改变”。“四个关注”是：①关注干部教师的研究状态，让大家先“动起来”，状态比行动更重要；②关注研究的技术操作，让研究解决的问题“实起来”；③关注队伍的建设，让“龙头团队”先“立起来”；④关注理念重构，让研究“深起来”，循序渐进、“小火慢炖”地改变着学校文化。

“四个改变”是：①改变先从领导者开始。我们的干部从开始更多

地关注做“事情”，到现在的关注“人”的发展；从先前的更多地关注“自己”的发展，到现在的关注“团队”的成长；从先前的自己是“前台英雄”，到现在的“幕后策划者”。干部们的改变起到了润物细无声的作用。②改变我们研究的“行走方式”。深入课堂实践，变监督为服务，变忙于应付为自主创新。③改变我们的“话语方式”。现在的干部布置工作更加人文，更加注意工作的艺术性，更加关心教师的心理感受。④改变我们“已有的习惯”。我们的听课方式由原来的“随意捕捉”，过渡到“有备而听”。过去我们听课评完课，工作也就结束了。现在不同了，我们要结合专题研究有目的地看课反思。通过这一课例我们解决了什么问题？哪些问题没有解决？又遇到了什么问题？以后还要研究什么？总结提出了哪些操作层面的经验等？

经过一系列的变革，我校的干部越来越有威信，教师越来越会工作，学校越来越有声誉，家长们越来越放心满意，孩子们则是最大的受益者，他们更爱学校，更爱学习，学校生活更快乐，更幸福。

(3) 改变心智模式，创新发展

针对教师幸福指数低的状态，2008 年我们将“教育幸福”这个概念引入学校教育管理当中，改变教师消极的、不利于学生成长的心智模式，提高教师的职业幸福指数。我们认为心智模式在于认识。有人认为做教师太苦太累，下辈子再也不做教师了；而有人认为做教师安稳、平静又有意义，挺幸福的。为什么不同的人会有不同的看法呢？关键是在于认识的不同。前者选择的是教师这个职业，却没有选择幸福；后者在选择这个职业的同时，也选择了幸福。对于每一名教师来说，幸福就在我们面前，幸福就在我们对生活的认识程度。教育幸福是一种教育方式，其实质就是“把幸福当做教育过程中师生双方的情感体验，把教育当做一件幸福的事情来做”。①教育幸福既是一种教育理想，也是一种教育实践。在这种体验过程与追寻的过程中，师生幸福观、幸福品质和幸福能力均得到提高。

---

① 刘次林．幸福教育论 [M]．北京：人民教育出版社，2003.

（4）自我超越，崇尚干好每一件事

近年来，我校有了突飞猛进的发展，得到了家长、社会的普遍认可，这些得益于我们把每件事做好。大到承办全国校本教研现场会，承办北京市四城区“京城杯”课堂教学交流，小到每一次家长会。我们的工作都尽量做到细致入微。崇尚干好每一件事是我们工作的准则。

2008 年 10 月，北京市四城区“京城杯”课堂教学研讨会在我校举办，从工作的筹划，到细节的设计，虽有组委会进行指导，但大部分工作都由我们来做。特别值得一提的是，开幕的头两天，组委会通知研讨会预计人数要多一倍，需要另外开辟两个教室作为分会场。这一下可难住了信息组。我们没有转播设备，没有转播技术，怎么办？我们考虑到本次承办研讨会意义重大，一是可以借机宣传我们学校，二是可以让我们更多的老师能近距离观看北京市级的课堂研究成果。于是，决定暂时借用其他单位的设备，让研讨会准时在我校举办。第二天，信息组分工进行协作，购买电缆线、借用其他单位的设备，忙活了整整一天，直到晚上 11 点多才安装调试完，保证了转播工作的顺利进行。研讨会的顺利承办，得到了市领导和四城区教委领导的好评。

家长会同样如此。召开家长会是每一个学期必做的工作，在每次家长会召开之际，我们都召开行政办公会，确定家长会主题，让每一位老师撰写发言稿并由德育主任亲自过目。学校将家长会的流程、具体安排都通过班主任会议传达到每一位老师，让家长有所获，有所得。

崇尚把每一件事做好，崇尚实现自我超越，是每一位教师的自我要求。也正因为如此，我们的学校才有长足的发展。

第七章 发展与展望——创新、发展、质量

随着2010年的到来，我们走进了本世纪的第一个10年。在一个新的时代开启之际，回顾与展望的意义不同寻常。我们将视角放得更广阔些，站在全国教育改革的角度，站在世界发展的角度，看一看进入21世纪我们的教育发生了哪些变化。转过头来，再看看我们走过的路，我们的经验是什么，我们需要继承什么，我们应该抛弃什么，我们的挑战是什么？我们的机遇又是什么？脚踏实地、放眼世界办好我们的学校是当前重要的任务。

一、变革中的脚步与经验

伴随着新中国的成立，新的学校在万泉小学诞生。在60年的筚路蓝缕、60年的栉风沐雨中，学校呈现出喜人的巨变。破落的校舍已不复存在，昔日的白杨树已被梧桐树所替代。每当春天来临，丁香花吐出沁人心脾的芳香，玉兰花遍及校园各个角落。现代化的教学设备、一流的师资队伍、先进的办学理念和“追求幸福、营造幸福”的学校文化充盈着整个校园，万泉小学正以崭新的面貌吸引着来自四面八方的莘莘学子，迎接着来自五湖四海的中外来宾。

学校的巨大变化来源于改革开放，来源于上级领导的支持，来源于自身的不断努力。我们把视线转移到历史发展的长河。从新中国成立初期到20世纪80年代初，伴随着社会主义建设，国家急需大批人才，我们把工作重点放在教学上，努力在知识领域充实学生，在社会实践领域引领孩子，为国家培养了一大批栋梁之才。80年代初到20世纪末，教育形势发生了深刻的变化，随着改革开放的推进，社会对优质人才迫切需求，努力改善学校的面貌成为当时重要的任务。经过这20年来的发展，学校的面貌焕然一新，学校建起了三栋教学楼，为今后学校的发展打下了良好的基础。同时，在内部管理方面也经历了重大的变革，我们第一个尝试校长负责制，第一个实现民选校长，第一个实验企业承办，率先实施国家教育发展研究中心未来教育研究室“探寻21世纪的基础教育模式——综合构建普及教育体系实验研究”。21世纪初的10年，又是一个重大变革的10年。伴随着新世纪课程改革，我们把学校的内涵发展作为当前的重要任务，重点放在两支队伍建设上。我们感受到要培养高素质人才，必须有高素质的教师队伍，同时必须要有先进的办学理念和先进的办学思想作指导。

总结学校的巨大变化，我们认为有很多经验值得总结，最重要的有以下几方面。

（一）抓住机遇与任务是促进学校发展的最好契机

在学校发展中，任何一所学校都会面临机遇与任务，开学典礼是一个机遇，主题教育活动是个机遇，上级布置的任务是个机遇，迎接各种检查是个机遇等。机遇无时不在，关键是看我们是否能够把握机遇，挖掘机遇背后的潜在资源，把它做大做强。

1985年的“创造杯”活动可以说是我校抓住的一个最好的促进学校发展的机遇。正因为这次机遇，学校得到了北京市市委市政府的关注，从而促进了学校面貌得到进一步改善，办学条件进一步得到优化，孩子的社会意识和责任感、综合实践能力也得到进一步提高。也正因为有这次机遇，我校才走上了“营造绿色教育生态”发展之路。我们经历了“环保行动”、“生态教育”、“教育生态”、“绿色教育生态”几个阶段，形成学校的发展特色。过程是曲折的，前景是美好的。在这个发展过程中，起初的发展并没有把学校定位于“绿色教育生态”的高度，只是感觉“环保行动”是身为万泉河畔长大的孩子应该做的事情，万泉河畔环境的恶化束缚着海淀的长远发展。开展环境保护是每一个少先队员的职责，同时也是争夺“创造杯”的任务。随着对这一活动的深远意义的理解，我们的“系列活动”拓展了内容，丰富了内涵，不仅仅局限在“活动”中，逐步扩展到人与人、人与社会、人与自然的系统建设中，拓展到学校各个领域中各种要素间相互协调、相互联系、共同发展之上。学校特色形成的过程是一个不断实践、不断探索、不断研究、不断提升的过程。学校特色形成的过程也是一种教育思想、办学思想不断完善、不断更新、不断发展的过程。

（二）创新发展就是自我更新、自我发展、自我超越的过程

几年来的实践，使我们充分认识到教育创新不是无本之木，不是空中楼阁，不是“打倒重建”，更不是舍我求他，而是在原有的基础上自我完善、自我发展、自我超越的过程。

自我更新与自主发展是学校创新发展的基石。我们认为教育创新中的“新”是相对而言的，一是相对本人来说前所未有、首次出现的事物；二是相对所属群体来说是他人未涉足、未提出的；三是相对全社会来说独创的具有社会意义的事物或活动。我们的基础教育中所讲的创新，更多的属于前两者。作为基础教育的万泉小学开展教育创新，就是要反思过去的成功经验，在原有经验基础上寻求新的发展；就是要借鉴优秀学校好的经验、吸收新的教育理念等，来促进自身的提高；就是要在不断地自我更新中实现自我科学发展，为建设让人民满意的优质学校而努力。我校营造绿色教育生态的发展，由绿色环保起家，历经环保教育、生态教育、教育生态，最后落点到绿色教育生态，每一个步骤的发展都靠学校的自我更新与自主发展。固然，上级领导的支持、教育专家的引领必不可少，但这些只是外因，“我想发展、我愿发展、我要发展”的自主发展才是真正动因，它是学校发展取之不尽、用之不竭的真正动力。

自我超越是学校创新发展的策略。自我超越，是一种积极进取不断突破自身的人生态度，是一种不倦追求努力实现理想目标的精神境界。一所创新型的学校是具有不断超越自我，开拓创新，追求可能，挑战极限精神的学校。

自我超越，首先要找到“我”。“我”是谁？“我”的发展状况怎样？“我”的下一个目标是什么？作为学校，就要客观分析自己在本地区所处的位置，自身的优势和劣势以及周边可以利用的资源等，这是创新发展的基础。我校几年来的发展，正确地定位了自己，我们是发展中的学校，我们还需要付出更多的努力！几十年如一日，每一个时期确立不同的发展目标，一步一步发展到今天。

其次，给创新一定的空间。习惯于循规蹈矩，习惯于按规定条文办事，习惯于以部门为中心没有合作意识，习惯于靠现有资源发展、靠现有能力做事；不善于抢抓机遇，不善于谋划新的发展题材，不善于拓展新的发展空间，不善于借力发展、利用外脑发展，很难形成创新。我校的做法是：常规工作要抓实，它是学校发展的基础；临时性工作要抓好，它可能是我们创新的重要契机；创新性工作要抓牢，并放在突出位置，它是破解学校工作难题、形成发展思路、成就学校特色的重要方法。在做好常规工作的同时，给创新以政力和物力，激励创新，不断地实现自我超越。

（三）文化引领是学校可持续发展的根本

学校文化是学校在长期的实践过程中逐渐形成的，成为全体成员共同遵循和信奉的价值观念和行为准则，以及工作氛围和物化的环境风貌的整合与结晶。学校文化以价值和假设为核心，包含于学校制度、课堂教学方式、学校科研活动、师生互动方式以及学校的文化建筑、故事、仪式、庆祝活动、典礼等具体行为之中，是学校群体成员秉承的价值取向和行为动机的统一体。学校文化一经形成，就会体现为稳定的主流价值观，并反映在学校的指导思想、发展哲学、管理风格和行为方式上。

几年来，我们始终坚持以“开放式、国际化、高品位的魅力学校”为办学目标，坚持“做人、做中国人、做现代中国人、做现代世界人”为育人目标，以“营造绿色教育生态，传递教育幸福”为办学理念，以人文的元素润泽师生，以人本的理念启迪智慧，以和谐的管理塑造校园，以文化的传承奠基人生。我们恪守“强健体魄、阳光心态、乐学善思”的校训，昭示着广大教师和学生“追寻幸福教育、享受教育幸福、品味幸福人生”，形成了“团结友爱，彰显个性，幸福成长”的校风、“幸福地教”的教风和“幸福地学”的学风。学校精神文化是最核心的文化，我校正是靠着精神文化提升发展内涵，提升办学品位。

学校文化建设是个系统工程，是一所学校独特的精神风貌，学校文化是联系和协调一所学校所有成员行为的纽带，是学校发展的基石，是学校未来之所在。学校文化建设是一个长期培育和积淀的过程。几年来我校努力把学校发展的内涵和学校的根本任务紧密结合，高度重视学生的个性发展，为学生的发展创造环境，我们把校本研修融入学校文化之中，做到在校本研修中传承学校文化，在校本研修中积淀学校文化，在校本研修中发展学校文化。

几年来，我们下大力气营造浓郁而温馨的校园文化，从领导者自身的改变开始，从一点一滴小事的改变开始。校园的每一角落都蕴涵着温情，管理者每一言行透出的都是关爱，教师每一举止展示的都是追求教育最佳境界的梦想，学生的每一行为都透露出我们追求绿色教育生态的硕果。我们努力把学校建成美丽的花园、快乐的学园和精神的乐园。

（四）借助区域资源是学校快速发展的助推剂

一所学校的发展，自主发展是核心，但更需要专家的引领。通过专家的引领可以达到以下目的：第一，对学校现状进行分析，厘清学校发展思路。俗话说，“不识庐山真面目，只缘身在此山中”，站在局外的人往往对事情看得清，看得透。我们需要迷茫当中的顿悟，需要迷惑当中的指点迷津。第二，专家的引领，带来新的理念。专家们一般是理论工作者，而我们则是一线实践工作者，理论需要实践的支撑，而实践更需要理论的指导，两者结合，各取所需。第三，参与课题研究，乘上快速发展的快车。专家在开展自身教学中承担了一些科研课题，他们迫切需要实验基地，这对我们是极其需要的。参与专家主持的课题，在实践中亲历解决问题的全过程，在问题解决的同时，为我们提供了相互学习、相互交流的研究平台，促进了学校的全面发展。

几年来，我们充分利用我校周边的资源优势，推进学校的创新发展。我校地处中关村高科技园区，周边著名的大学和研究机构林立，如中国人民大学、清华大学、北京大学、北京师范大学、首都师范大学、中央教育科学研究所、北京教育科学研究院、北京教育学院等，这些区域资源是学校发展的助推剂。

北京大学陈向明教授、首都师范大学的杨朝晖教授多年来始终与万泉人站在一起，与干部教师同甘苦，共患难，为学校的发展献计献策。杨朝晖教授和我们共同开展的“平稳度过一年级”的课题研究，从专业知识形成的角度促进了教师的专业发展。

北京市特级教师刘莹老师长期服务于我们的英语教学，是我们的忠实的朋友和伙伴。

中央教科所的曹昱天、李嘉骏教授多次来我校指导工作，曙光分校开展的“发展性课堂教学中数学实验室建设与应用研究”取得了可喜的成绩，数学实验室已经建成并投入使用。

特别是北京师范大学裴娣娜教授为学校的发展投入了更多的精力。在 20 世纪 90 年代，我校参与了裴娣娜教授主持的“主体教育”研究课题，裴教授多次来到万泉小学进行听课和举办研讨会。2006 年，当裴教授“我国学校教育创新”的课题立项以后，她又通过海淀教委把我校吸收到课题组中来，并多次对我校推进绿色教育生态的状况进行了专业引领。裴教授的指导，对我校营造绿色教育生态奠定了理论基础，明确了研究方向。我们感到，在参与裴教授的课题研究中，我们的教学观、管理观、教学观、学生观，发生了深刻的变化，极大地促进了学校的深刻变化。

二、反思中的优势与问题

21 世纪正像人们想象和预言的那样，信息发达、知识爆炸、科技日新月异，同时能源枯竭、气候变化、自然灾难频发。也就是在这 21 世纪第一个 10 年中，教育得到了前所未有的重视，成为了关乎人类发展、世界和平、国家安全、个人幸福的一件大事，发展教育成为最终解决诸多问题方案的一项重要内容。

今天，我们即将进入 21 世纪的第二个 10 年，学校教育逐渐走向开放，社会对优质教育的诉求越来越强烈。家长由“门外”走进“门内”，在关注孩子在学校学到了什么，在关注学校的服务是否到位，甚至直接参与到学校的管理中；社会舆论特别是网络在监督学校的一言一行，对学校诸多工作提出许多批评与建议；专家也参与到学校内涵建设，想通过先进的理念改变学校不够令人满意的现状；行政部门加大对教育的投入，提出了规范化办学条件的标准，想通过改善办学条件逐步消除基础薄弱校，促进教育公平发展。学校发展已经不是校长和教育行政部门的事情，已经成为全社会共同的责任与关注焦点。

学校教育与整个世界教育已经融在一起，站在国际背景下办好教育已经成为教育发展的大趋势。进入新世纪，许多国家开始为迎合时代需要进行教育革新。2001 年，一份名为《不让一个孩子掉队》的教育改革计划，提交到美国国会。美国开始了持续至今的以提高教育质量、强化绩效责任为主要特征的教育改革。2003 年，英国提出类似的“每一个孩子都重要”的计划，从健康、安全、学业成就、社会贡献等多方面改革国家的儿童教育及服务体系。2006 年年底，日本自“二战”结束后首次修订了《教育基本法》，提出要重新振兴教育，结束 30 年来的“宽松教育”政策，恢复全国学力测试，将培养学生的“生存能力”写入法律。2007 年以后，澳大利亚、法国、韩国、俄罗斯、巴西、印度、南非等国相继出台全国范围的教育改革措施，并对未来 5 年至 10 年的教育发展进行规划。在过去的 10 年中，为同一个教育愿景努力的还有欧盟。欧盟努力在欧洲范围内消除障碍，增加学生在各国之间的流动，打造统一的欧洲教育体系，在世界范围内提高竞争力。

21 世纪的第一个 10 年中，经济合作与发展组织开始每 3 年组织一次对各国 15 岁学生的数学、科学、阅读水平进行评价和排名（PISA），每年发布一次《教育概览》。联合国教科文组织推出一年一度的《全民教育全球监测报告》。

在我国，进入 21 世纪的第二个 10 年伊始，全国教育工作会议在北京举行。这是党中央、国务院在新世纪召开的第一次全国教育工作会议，也是改革开放 30 多年来第四次全国教育工作会议。在会议中讨论通过了《国家中长期教育改革和发展规划纲要》，会议提出“优先发展教育，建设人力资源强国”的目标。

面对国内外教育发展的新形势，作为打造“开放式、国际化、高品位”魅力学校的万泉小学，在未来的10年如何发展？我们的优势是什么？我们存在的问题是什么？我们如何发挥优势、不断改进自身存在的问题是学校快速持续发展的关键。

我们认为自身具有以下几方面的优势。

（一）学校有远景，自身有追求，形成了清晰的办学目标和科学的办学理念

近10年来，我们在学校发展的基础上提出“营造绿色教育生态，传递教育幸福”的办学理念和形成了“开放式、国际化、高品位的魅力学校”的办学目标，它凝聚着我校近20多年来办学思想实践的成果，积淀了我校特有的文化传承，那就是“传统、现代、本土”的有机结合。任何思想都有其产生、发展的过程，同样我们的办学理念也有一个产生和发展的过程，它产生于学校本土文化的需要，根植于传统文化的精髓，融入现代理念的思想，在科学发展观的指导下不断完善和发展，对于树立和落实全面发展、协调发展和可持续发展的科学发展观、更好地坚持发展才是硬道理的战略思想具有重大意义。树立科学发展观是教育发展形式对学校发展的基本要求，是学校发展给我们的重要启示。

我们认为一所学校要发展，必须有自己的办学理念和办学目标，必须将办学理念落地生根才有生命力，必须将办学目标根植于教师的心中才有凝聚力。只有将办学理念和办学目标根植于学校文化中，根植于教师言行中，学校才能够实现可持续发展。

多年来，我们以教师发展为本，强化教师的主体作用，增强教师的质量意识、科研意识、创新意识、主体意识和责任意识，培养教师的事业心、责任心、自尊心和自信心，倡导教师发扬敬业精神、奉献精神、创新精神和互助精神，规范了教师的职业行为，使更多的教师爱岗奉献；我们还大力构建校园精神，将校园精神物化成具体的、显形的校训、校风、校歌、校徽等“校品”系列工程之中，使校园精神为广大师生所理解、感化，营造良好的氛围，进而转化为行动的力量；我们努力将教育回归自然，让教育关注生命，让教育呈现和谐、多元和美好的可

持续发展的局面，不断地提升办学品位，促进内涵发展，为实现“开放式、国际化、高品位”的魅力学校的办学目标而努力。

（二）发展势态强劲，形成具有万泉特色的管理文化氛围

近10年来，我校教育教学质量不断提高，先后承办和主办10余次市级以上大型的教科研以及专项展示活动，形成了强劲的发展态势，得到了同行、家长以及社会各界的普遍赞誉。这种发展态势形成的背后是我校干部教师的自主创新力的提高。

突出表现在以下几方面：在教研方式上，开展了教学接龙似的教研模式的研究，荣获2008年北京市基础教育优秀成果二等奖；在团队建设上，我们形成一支支以学科为核心的“大雁团队”，《飞翔吧，大雁团队》一书由首都师范大学出版社正式出版；在揭示孩子内心世界的研究上，DV短片《永远的朋友》和《和你在一起》分别荣获2009年、2010年“KWN童眼看世界，全球少年电影短片比赛”中国赛区第一名。《和你在一起》荣获全球总决赛总分第三名，该作品还获得全球终选评委的一致好评，被称之为“触动心灵”的故事，最终夺得了“最佳编辑奖”。这也是中国赛区参赛五年来，首次入围决赛，向全世界儿童展示了中国少年儿童的风采。

干部教师自主创新力还表现在课程开发以及教育教学改革上。我们开设数学思维课、想象作文课、动手实践课以及管乐、民乐、舞蹈，坚持定期举行艺术节、体育节、读书节、英语节、科技节等活动，让学生获得个性化发展，为创新人才培养做好必要的铺垫。同时，我们不断深化课堂教学改革，将学科知识与学生的生活实际紧密联系，使课堂教学富有情境性、人文性和趣味性，增强师生互动、生生互动的有效性，倡导学生在学习过程中的主动探究和自主参与，发展想象力，提升创造力。

总之，对于学校的各项工作，我们坚持一个“早”字，早谋划，早布置，早落实；强调一个“创”字，以改革为动力，创新发展，拓展新局面；突出一个“实”字，实事求是，脚踏实地，稳步提高；坚持一个

“精”字，做出品位、干出实效、精益求精。让学校与教师同步发展，让教师与学生共同进步，让创新成为学校发展的动力。

（三）教育质量逐年提高，得到家长、同仁和社会的普遍认可

根据党的十六大关于教育方针的新表述①，我国的教育目的是“培养德智体美全面发展的社会主义建设者和接班人”。不难看出，这一教育目的从两方面规定了教育的根本质量要求，一是“全面发展”，二是能成为建设者和接班人或为成为建设者和接班人打好基础。《国家中长期教育改革和发展规划纲要（2010—2020年）》也指出：“科学的教育质量观”是“把促进人的全面发展、适应社会需要作为衡量教育质量的根本标准”。从这里，我们看出检验学校的教育质量，根本的标准就是这两条：一是看是否促进了学生的全面发展，二是看是否培养了满足社会发展所需要的“建设者和接班人”。前者是看学校促进学生“全面发展”的程度，促进作用大，说明教育质量高，反之教育质量低。后者为教育价值取向，即学校教育能够体现这样的价值取向就是教育质量高，反之就是教育质量低。

《基础教育课程改革纲要（试行）》中规定的新课程的培养目标：要使学生具有爱国主义、集体主义精神，热爱社会主义，继承和发扬中华民族的优秀传统和革命传统；具有社会主义民主法制意识，遵守国家法律和社会公德；逐步形成正确的世界观、人生观、价值观；具有社会责任感，努力为人民服务；具有初步的创新精神、实践能力、科学和人文素养以及环境意识；具有适应终身学习的基础知识、基本技能和方法；具有健壮的体魄和良好的心理素质，养成健康的审美情趣和生活方式，成为有理想、有道德、有文化、有纪律的一代新人。这说明，教育质量的高低在于学校在上述培养目标上的达成度，达成度高说明教育质量就高，反之就低。

① 党的十六大对教育方针的新表述：坚持教育为社会主义现代化建设服务，为人民服务，与生产劳动和社会实践相结合，培养德智体美全面发展的社会主义建设者和接班人。

综上所述，我们认为“教育质量”就是要将教育方针中明确规定的教育目的作为教育质量的根本标准，同时将新课程的培养目标作为教育质量的具体要求。教育质量≠升学率！教育质量≠教学质量≠考试（竞赛）成绩！教育质量最终体现在培养对象的质量上。衡量标准是教育目的和学校的培养目标。前者规定受培养者的一般质量要求，也是教育的根本质量要求，后者规定受培养者的具体质量要求，衡量人才是否合格的质量规格。

近年来，我校非常重视教育教学质量的提高，不把考试成绩作为教育质量的唯一标准，我们把提高学生的综合素质作为教育教学质量的标准。通过课堂教学这一主阵地和校内外各项活动，加强学生行为习惯的养成教育，重视学生创新能力的培养，拓展学生思维空间，发展学生个性特长，每年都为中学输送大批合格的人才。一些中学对我校学生的评价是“后劲十足！”许多孩子中学毕业后都能考上理想的大学，部分学生考上了清华大学、北京大学、中央音乐学院、中央美术学院等专院进行专业深造。学校的强劲发展态势吸引了众多的家长，前来咨询的家长络绎不绝。

（四）课程体系初步完善，形成了国家、地方、校本一体化的课程建设特色

近几年来，随着新课程改革的逐步深入，生态课程体系得到初步完善，形成了国家、地方、校本一体化的课程建设特色。我校坚持学科课程与活动课程相结合的原则，确定了“引领学生个性成长、促进教师专业发展、推进学校特色形成”的课程开发思路，先后开发了 20 余门校本课程，基本经验如下。

第一，继承和吸纳传统文化的精髓，拓展学生发展空间。开设书法、篆刻课程，使民族文化得以传承；根据“五禽戏”创编的“少儿禽戏”，填补了小学低年级无武术课的空白。

第二，传承学校已有特色，走特色发展之路。金帆民乐团，是海淀区仅有的两支金帆民乐团之一，多次出国访问，组织专场演出，通过活

动培养大批特长学生；红领巾管乐团先后与新加坡、中国香港等国家和地区友好交流。棒球队曾获全国棒球联赛一等奖。

第三，基于兴趣爱好，形成多元的实践活动课程体系。先后开发实施了健美操、韵律操、单片机、机器人、电子制作、计算机编程、计算机画图、航模、纸模、养殖与种植活动、陶艺等课程。

课程的开发和实践是一个漫长而艰辛的工作，它是一个动态的过程。随着社会的不断变革和科学技术的日新月异，课程的内容还在不断地增补删减。同时随着科学技术的日新月异，相信我们的课程还有更大更好的变化。

（五）干部教师团结协作，形成具有万泉特色的团队建设文化

学校队伍建设是当今教育的一项重要工程，是教育改革与发展的关键所在。干部正则校风正，干部优则群体优，干部强则学校强。我们认为学校干部队伍建设的关键是要让个体有思想与活力，永葆对生活和工作的激情，让群体全身心投入，热心谋事，乐于干事，正确做事。我们解决这一问题的突破口就是通过建设学习型组织，让干部以身作则，引领全体成员体验到工作的意义，并通过学习创造自我扩展能量，提高运转效能，从而加快事业发展。

我们的主要做法是：第一，加强学习，提升自身的管理理论水平。我们购买了彼得·圣吉的《第五项修炼》等关于学习型组织的书籍，我们订阅了《思维与智慧》杂志，从理论和案例中来感悟生活的哲理和系统思考的重大意义。第二，自我反思，达成实现共同愿景的具体措施。每一学期末，我们都召开学校问题与对策专题工作会，在会上大家静下心开诚布公地找问题，不遮不掩地查原因，不躲不藏地找差距，对症下药地订方案。从而形成实现共同愿景的具体措施。2010 年暑假，我们还召开全体教师会，针对“阻碍教育教学质量提高的核心因素”进行问题会诊，老师们共上交 153 份问卷，提出近 400 个问题。我们对这些问题进行分类，找出核心问题作为下一学期的工作重点。第三，增强组织

内部的凝聚力。2003 年，我校建立了分校，中层以上干部人数增多了，为了统一认识，我们在全校干部中开展深入讨论，首先让大家明白，作为一名学校干部必须达到以下素养：通晓教育理论，熟悉现代管理，讲究领导艺术；具有竞争、创新意识；作风正派，处事公道，为人谦和，处处以身作则；尊重、依靠教师，践行民主管理等，这样才能管理好学校，才能切实在工作中解决一些突出的矛盾和问题。同时我们应达成共识，追求一种人性化的管理模式，即严中有情，宽中有度，管而不死，放而不乱的硬制度下的软管理。干部素质的不断提高，使学校组织内部的凝聚力、向心力和执行力得到进一步加强。

在干部模范带头作用的同时，我们把教师推向前台，让教师集体得到快速发展。我校组织了多次大型的“教研日”活动，活动由老师自己主持，成果由老师自己总结、结论由老师自我提升，而学校教研管理人员则退居幕后支持教师、帮助教师、引导教师，促进教师自我发现、自我感悟、自我提升。一系列大型活动既让老师们开阔了视野，得到了锻炼，还增加了老师们的自信，鼓舞了大家的干劲，让每一个人都感觉自己是重要的。这样的管理模式同时也促进了教师教学艺术的提高和学校品味的提升。学校也培养出一支优秀的教师团队。

（六）学生综合素质普遍提高，学习幸福感得到进一步加强

21 世纪的教育，将是追求人性最大化的时代，也将是追求学习幸福感的世纪。我们说成绩可以使学生得到某种程度上的快乐和幸福，但我们同样无法回避这样的事实，学习成绩不可能人人都出色，至少在现在这个阶段，我们还不可能期望人人都快乐地拥有好成绩。那么，学习幸福从哪里来，我们认为更多的是在获得成绩历程中收获的点滴幸福。同时，时间性的比较和人际之间的比较可以给学生带来快乐幸福感。

几年来我校在为学生搭建各种成长平台之外，还把精力放在学生感受成功的快乐方面。我们经常请获奖的孩子们在升旗典礼发表获奖后的感受，让他们谈谈日常是怎么做的，为什么能获得奖励，等等。每学期的升旗仪式几乎被发奖所占据，升旗仪式成了爱国主义教育与让孩子感

受幸福、体验幸福的一个平台。我校努力拓展渠道，为孩子搭建各级各类的成长平台，不断地提高孩子们的综合素质，让更多的孩子走上讲台，感受成功的快乐。

在课堂上我们把表扬作为一种重要的教育手段，让孩子感受成功，体验幸福。但表扬不是廉价品，在孩子需要表扬时再表扬，让表扬的次数和程度成脉冲式发展。要表扬孩子的努力程度，要表扬孩子的进步。我们说成绩优秀群体和弱势群体之间的分数鸿沟也不可能完全消除，绝对分数的鸿沟无法填平，而快乐、幸福感却可以被每一个学生拥有。我们希望成绩分数提高的同时，幸福感也能与日俱增。我们关注弱势群体，希望每一个普通学生都拥有幸福。增加每一个学生的学习幸福感，不把缺憾的一面放大，来让每一个学生尽量大地获得快乐幸福感。

我们认为自身存在的问题有以下几方面。

第一，教师的综合素质亟须提高。

实施素质教育，首先应从提高教师综合素质入手，这是毋庸置疑的。然而，我们认为提高教师综合素质应该有两种解读，其一，提高怎样的综合素质？其二，怎样提高教师的综合素质？从多年来的实践来分析，我校的广大教师在思想方面，有强烈的事业心，忠诚于教育事业，爱岗敬业，无私奉献、甘为人梯，并且关心爱护学生，为人师表，教师严谨治学，勤奋执教，以身作则；在业务能力方面 45% 的教师成为学区以上学科骨干教师。

那么，针对我校教师队伍的现状，我们认为重点应解决以下四方面问题。一是养成教师自觉读书习惯，提高学习力。可以说我校教师具备了一定学习能力，但学习不够仍然是教师们存在的问题，面对着新时代的孩子，面对着知识经济时代，不断充实自己，不断地学习掌握先进的学习方法，用先进的学习方法提高自己的学习能力依然是教师面临的主要任务。二是提高教师的反思能力。反思能力作为一种内化的个人素质，它源自于教师的内在需求。而只有当教师产生了这种反思欲望的时候，教师的反思能力才有真正提高的可能。当前我校教师有意识的自我反思能力还很薄弱，需要进一步加强与提高。三是要提高教师科研能力。实施素质教育是以学校的发展和社会发展的实际需要为依据，以提高学生基本素质为目的，培养全面发展的教育。教育研究是教师成长的必备条件。从教育本身来说，随着社会的不断发展，教育本身不是一成不变的，需要面对学生的不同需求，教学方式和方法都会随着改变。从教师自身来说，教师的专业知识拓展、专业能力提高都离不开研究，教育科研是提高教师综合素质的基础方法。从教育对象来说，当今的学生已经不是20世纪以前的学生，随着时代的发展，学生接触信息渠道的增多，师专学校所学的教育教学方式方法，很难适应学生的需要，“在工作状态下研究，在研究状态下工作”已经成为教师必备的素质。四是提高教师的心理素质。当前我们正处在社会变革时期，来自社会的、来自家长的、来自我们教育对象的压力，使我们的教师感到身心疲惫。教师是学生学习的榜样，教师的心理活动也会直接影响学生的思想。我校倡导幸福教育的理念，需要教师具有健康的心理素质。教师需要有幸福的教育理念，才能传递教育幸福，否则很难将我们的办学理念“营造绿色教育生态，传递教育幸福”落地生根。

第二，学校品牌有待进一步树立。

近几年来，我校飞速发展，社会声誉越来越好，得到了同仁、家长和社会各界的赞誉。但是还应该清醒地意识到：我们是发展中的学校，我们距离一些名校还有一定距离，学校品牌有待进一步树立。

品牌作为学校的软性资源，在同等的办学条件下，能够吸引和聚集优秀的师生；能给所在学校的教职员工带来自豪感和荣誉感；能带动学校其他工作的改革和发展。因为品牌不仅关乎学校的形象，关乎学校的声誉，还关乎学校的办学质量。

我们给学校定位为发展中的学校，其含义有两方面：其一，促进发展是学校一项长期的战略任务。其二，提升空间是我们的奋斗目标。艺术社团建设是我校办学特色窗口，金帆民乐团已有20多年的历史，是海淀区为数不多的市级金帆乐团，培养了一大批学生。管乐团、舞蹈团、书法篆刻社团虽起步较晚，但取得的成绩还是非常显著的。棒球队连续多年在北京市荣获佳绩，成为北京市棒球传统特色学校，2010年还取得全国联赛冠军。这是不断努力的结果。我们要不断地强化品牌意识，因为，我们知道真正的品牌是一个长期的不断努力的过程，一旦放松就会失去品牌的光环。

第三，数字化生态课程建设是努力的方向。

当前，我们的课程建设体系虽初步建立，已经形成一定的体系，但随着时代的变化，还存在着许多问题，特别是数字化课程体系还只是一个努力方向，还有待进一步完善。随着宽带校园网络系统的建成，校内所有的计算机都能接入互联网，每个人可以在任意时间、任意地点通过网络自由地学习、工作或娱乐，每一个人都有可能得到每个学科第一流老师的指导，都可以向世界上最权威的专家请教，都可以借阅世界上最著名图书馆的藏书甚至拷贝下来，都可以从世界上的任何角落获取到最新的信息和数据……开放的数字化环境日趋成熟，建立分门别类的校内资源课程库是今后我们努力的方向，让课程多元化、数字化和开放化。

第四，校园环境建设还需进一步深化。

万泉小学北校区是一所布局独特的庭院式花园学校。高大典雅、富有民族风格的教学楼群，高低错落、凹凸有致、气势磅礴、连绵一体。南校区精致典雅，幽静宜人。两个校区各具特色，但均风格独特，适宜学生发展、成长。内部设施先进、功能齐全。北校区的种植园在家长和老师的共同努力下修整一新。清溪书院古典建筑群已落成，图书馆、管乐、民乐的排练厅也已装修完毕；南校区的艺术画廊、科技长廊、图书馆、综合教室、楼道文化的改造均已完成，并投入使用。这一切的努力为全体孩子们的成长提供了优越的学习环境。

但是，打造多彩的文化环境和氛围是一项中长期的任务。从目前看，教学楼的室内环境还不太完善，理念没有内化和生根，为布置而布置、为美化而美化的现象依然存在。许多校园文化设施没有考虑孩子们的年龄特点，过分强调对外的宣传功能而忽视孩子本身的天性，让孩子参与，让孩子投入依然是需要做的工作。

营造绿色教育生态，既要重视对物质环境的改善，增强校园的感染力，让校园建筑设施布局合理，校容校貌整洁、优美、充满生机与活力，使师生生活在安全、舒心、优雅的学习工作环境中，又要围绕着“营造绿色教育生态，传递教育幸福”这一办学理念而建设。让我们的校园文化氛围健康有益、积极向上、丰富多彩，让我们的人际关系民主、平等、和谐，使师生在自然、协调的发展中，成为环境美、心灵美、语言美、行为美的教育圣地和师生的精神家园。

第五，评价机制有待进一步完善。

我们常说“好孩子是夸出来的”，同样“好教师也是夸出来的”，这是我们的育人用人理念，即要用激励的方法充分调动老师和学生的积极性和创造性。从这几年的做法来看，我们“让教师走向前台”、开展“常态课展示”、“点亮教师研究生涯”等系列活动取得了一定的实效，教师的成长、学生的成才是学校中心工作，需要我们长期不懈的努力。

在教职工管理方面，将在以下几方面进行努力：①健全考核评价体系，不断增强绩效考核激励性。设计科学的考核指标体系，既要遵循人性化管理，又要坚持业绩导向。让每位教职工对自己的绩效指标既感到压力，又感到可以通过努力实现，从而使教职工绩效合约更具导向性与激励性。②完善职业发展激励体系，为教职工提供实现自我价值的舞台。为业务骨干提供新的发展通道，使各类人员充分享受实现自身价值的满足感、工作成就感和得到承认与尊重的荣誉感，激发全体教职工工作积极性和创造性。③充分发挥培训的激励作用。以提高教职工职业化素质行为为目标，将培训本身作为激励员工积极向上的一种必要手段，通过加强培训体系建设，规范培训实施流程，实施差异化、针对性培训政策，逐步推行职业化培训，并本着“公平竞争，择优培训”的原则，使真正有能力、有潜能的人获得应有的培训机会。总而言之，营造良好的激励环境要做到四个结合：组织目标和个人目标相结合，物质奖励和精神激励相结合，外在激励与内在激励相结合，激励与约束相结合。只有营造一个良好的激励环境，学校才能不断发展。

在学生管理方面，将在以下几方面进行努力：①教师要坚持以学生为本的原则，强化激励意识，以全面调动学生积极性和主动性为原则。②推行荣誉申报制，每位同学对照各项荣誉和自己的表现，进行自愿选择申报，所有荣誉都采取学期初学生个人自由申报、学期末考核认定的办法来进行评定。各项荣誉的申报人数不受限制，学生可对照各项荣誉的要求和自己的条件，进行自愿选择申报，学生每次可申请一项或几项荣誉。奖项可以涉及学生学习生活、行为举止、兴趣爱好等方方面面，学生还可以根据自身的特点进行申报，通过荣誉申报制的实施，使学生有了一个重新审视和定位自我的机会，提升了他们各方面的能力，实现学生的自我约束和自我管理，使学生的人格得到全面、健康的发展。

三、畅想中的策略与挑战

面对21世纪第二个10年，教育将如何发展，我们将面临怎样的挑战，学校如何发挥自身的优势，改正自身存在的问题是我校每一位教师所深思的。为解决这些问题，我们把目光投向《国家中长期教育改革和发展规划纲要（2010—2020年）》（下文简称《纲要》）。《纲要》描绘了未来教育改革和发展的蓝图，指明了今后教育改革发展的方向，开启了我国从教育大国向教育强国、从人力资源大国向人力资源强国迈进的新的历史征程。

《纲要》指出，促进公平和提高质量是未来10年工作重点。对于发展中的万泉小学，我们的任务就是提高教育质量，这是我校工作的重点。那么提高怎样的教育质量？怎样提高教育质量？将是今后工作的核心。提高怎样的教育质量是学校工作目标问题，而怎样提高质量是具体实施策略。俗话说得好，方向比行动更为重要。因此，首先要解决方向问题，其次才是行动。

（一）追求怎样的教育质量

升学率作为评价学校教育质量唯一指标的思想与观点，历史悠久，已经在人们心中根深蒂固，学校教育若在这种观念的影响下，势必就要产生各种各样的应试教育行为。这就是说，这种观念势必要为“应试教育”鸣锣开道，推波助澜。进入21世纪以后，素质教育的思想逐渐深入人心，大学教育的普及解决了部分孩子的升学问题，使人们把关注点放到了提高孩子自身素质上来。

综合这几年工作经验，我们认为一所学校的育人目标是学校发展的核心，是落实提高学生综合素质这一目标的关键，学校的办学理念、管理理念以及具体实施措施都是围绕着办学目标展开。我校的育人目标是“做人、做中国人、做现代中国人，做现代世界人”，它既包括教育的层次，指明不同学段的工作任务，也包括如何做事，在做事中实现做人的目标。如何把育人目标细化到具体行为中，细化到每一个学段中，使育人目标落地生根，是我校 21 世纪第二个 10 年的重要任务。也只有把育人目标落到实处，才能真正提高教育质量。因此，落实“做人、做中国人、做现代中国人、做现代世界人”这一育人目标，是我校教育质量提高的保证。

（二）怎样提高教育质量

提高教育质量不是纸上谈兵，除了提高教师素质、加强教学管理之外，更多的是分析现状，解决实际问题。只有抓住核心问题逐个攻破，才能全面提高教育质量。2010 年 8 月，我们组织全体干部教师采用头脑风暴的方式，对“阻碍学校教育教学质量提高的问题”进行问卷调查，共收到有效问卷 153 份，共提出 376 个问题，经整理归并这些问题可以分为管理、教学、德育、队伍建设和其他五大类。具体分布如图 15。

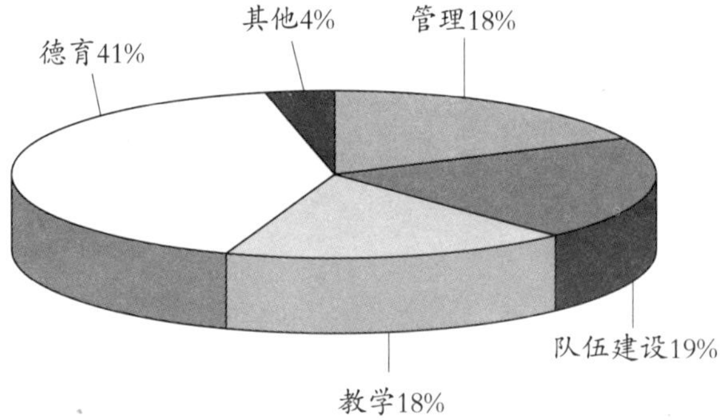

图 15　制约学校教育教学质量提高问题分布图

从图 15 中，我们看出德育方面的问题较多，占所提出问题的 41%，其次是队伍建设占 19%，教学和管理均占 18%。随着社会进入信息化时代，社会的重要变革必然引起人们的价值观和行为方式的重大变化，学校德育受社会影响最为直接，德育也是影响教育教学质量最为重要的因素。老师们对此问题的关注既有客观原因，也有主观原因，说明我们的工作许多方面还亟待解决。

我们又对各个方面进行分析，如图 16 和图 17。

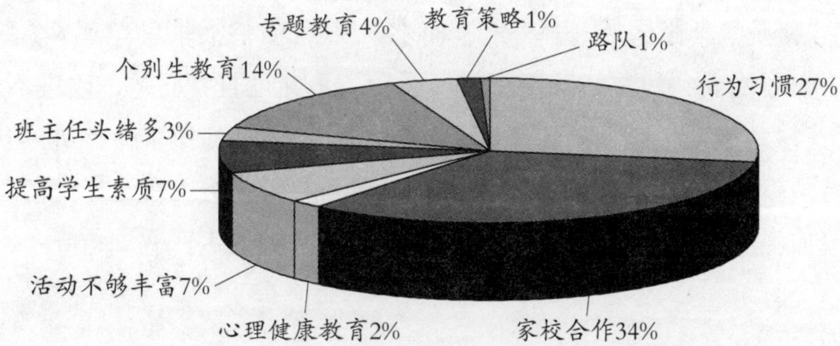

图 16　制约学校教育教学质量提高德育中的问题分布图

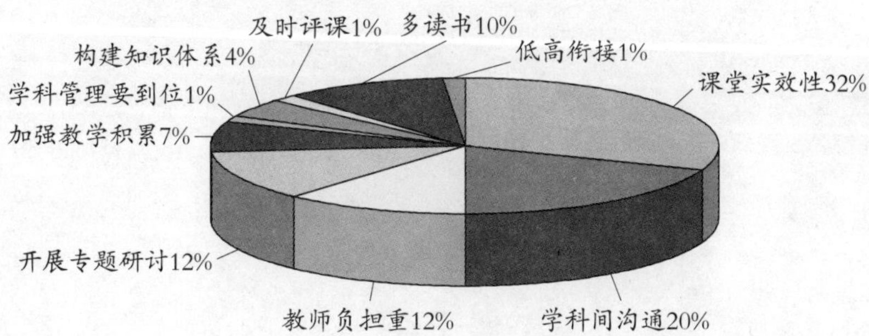

图 17　制约学校教育教学质量提高教学问题分布图

从图中我们不难看出，解决当前德育工作的核心问题是学生行为习惯养成和家校合作问题。课堂教学主要集中在课堂实效性和学科教学间沟通问题上。重点解决这些问题，才能够不断地提高教育质量。在第二个10年之初对学校存在的问题进行分析，具有重要的意义，它为我们怎样改进工作，怎样抓住核心问题提供了第一手参考资料，也为我们今后的工作提供了方法与手段。

不断地提高教学质量是第二个10年的工作任务，我们也面临着巨大的挑战。第一，来自家长的挑战。教育效果的滞后性与家长显性的追求存在着不可调和的矛盾。第二，来自行政部门的挑战，过多的监测，过多的检查，影响着学校各项工作的正常进行。第三，来自教师自身的挑战。教师的自身素质还需提高，先进的教学方法还需进一步学习等。

“路曼曼其修远兮，吾将上下而求索”，面对挑战，只有变革。只有发展，才能受到尊重。我们相信只要我们不断地查找问题，改进不足，“营造绿色教育生态，传递教育幸福”一定能够得到落实，打造“开放式、国际化、高品位的魅力学校”的办学目标一定会实现。让我们期待着更加优质的教育，让我们努力规划孩子幸福的人生！

责任编辑　周益群
版式设计　宗沅雅轩　杨玲玲
责任校对　曲凤玲
责任印制　曲凤玲

图书在版编目(CIP)数据

追寻绿色教育生态梦想:北京市万泉小学教育创新研究/景小霞,张立等著.—北京:教育科学出版社,2010.11(2011.7 重印)
("守望者的凝思:读懂学校、读懂校长"系列论丛/裴娣娜主编)
ISBN 978-7-5041-5335-7

Ⅰ.①追…　Ⅱ.①景…②张…　Ⅲ.①小学教育-研究　Ⅳ.①G62

中国版本图书馆 CIP 数据核字(2010)第 209747 号

出版发行	教育科学出版社		
社　　址	北京·朝阳区安慧北里安园甲 9 号	市场部电话	010-64989009
邮　　编	100101	编辑部电话	010-64989421
传　　真	010-64891796	网　　址	http://www.esph.com.cn
经　　销	各地新华书店		
制　　作	宗沅雅轩		
印　　刷	保定市中画美凯印刷有限公司	版　　次	2010 年 11 月第 1 版
开　　本	169 毫米×239 毫米　16 开	印　　次	2011 年 7 月第 2 次印刷
印　　张	16.75	印　　数	3 001—5 000 册
字　　数	226 千	定　　价	32.00 元

如有印装质量问题,请到所购图书销售部门联系调换。